L'infiltré de Moscou

DANIEL SILVA

L'infiltré de Moscou

Traduit de l'anglais (États-Unis) par
THIBAUD ELIROFF

Harper
Collins
POCHE

Titre original :
THE OTHER WOMAN

Ce livre est publié avec l'aimable autorisation de HarperCollins Publishers,
LLC, New York, U.S.A.

© 2018, Daniel Silva.
© 2019, HarperCollins France pour la traduction française.
© 2020, HarperCollins France pour la présente édition.

HARPERCOLLINS FRANCE

83-85, boulevard Vincent-Auriol, 75646 PARIS CEDEX 13
Tél. : 01 42 16 63 63

www.harpercollins.fr

ISBN 979-1-0339-0455-7

*Une fois encore, à ma femme, Jamie,
et à mes enfants, Nicholas et Lily*

Il connut un nouveau départ quand le Centre lui confia l'entraînement d'une nouvelle génération d'agents à l'académie du KGB, une tâche qu'il embrassa avec le plus grand enthousiasme. Il se révéla un excellent professeur, partageant son savoir avec plaisir, patience et dévotion. Il adorait ça.

Youri MODINE, *Mes camarades de Cambridge*

Et que sait-on des traîtres ? Que sait-on des motivations de Judas ?

Jean RHYS, *La Prisonnière des Sargasses*

Prologue

Moscou, 1974

La voiture, une limousine Zil noire dont les vitres arrière étaient pourvues de rideaux à plis, parcourait à vive allure la distance séparant l'aéroport Cheremetievo du centre de Moscou, le long de la voie réservée aux membres du Politburo et du Comité central. Le temps qu'ils atteignent leur destination, une place du nom d'une rivière russe dans le vieux quartier des Étangs du Patriarche, la nuit était tombée. L'enfant et les deux hommes en costume gris descendirent du véhicule et empruntèrent une série de rues étroites et sombres qui les menèrent à un oratoire bordé de platanes. L'immeuble était situé à l'extrémité d'une ruelle. Ils franchirent une porte cochère et se serrèrent dans un ascenseur, qui les déposa dans un vestibule obscur où les attendait une volée de marches. L'enfant, par habitude, les compta – quinze. Sur le palier, il y avait une porte capitonnée de cuir. Un homme élégamment vêtu la flanquait, un verre à la main. Quelque chose dans son visage ravagé paraissait familier. Sans se départir de son sourire, il prononça un mot en russe. L'enfant n'en comprendrait la signification que bien des années plus tard.

PREMIÈRE PARTIE

Train de nuit pour Vienne

1

Rien de tout ceci ne se serait produit – la traque désespérée du traître, les alliances forcées, les morts inutiles – sans ce pauvre Heathcliff. Il était leur emblème tragique, leur promesse rompue. Au bout du compte, il s'était révélé l'une des plus grandes fiertés de Gabriel, qui aurait préféré l'avoir encore à ses côtés. Des atouts comme Heathcliff ne se rencontraient pas tous les jours ; une fois dans une carrière, peut-être deux, tout au plus. Ainsi en allait-il de l'espionnage, regretta Gabriel. Ainsi en allait-il de la vie.

Heathcliff était un faux nom ; il avait été déterminé par un ordinateur de façon aléatoire – c'est en tout cas ce que lui avaient affirmé ses officiers traitants. Le logiciel avait volontairement choisi un nom de code n'ayant aucun rapport avec son véritable patronyme, sa nationalité ou son activité. De ce point de vue, cela avait parfaitement fonctionné. L'homme qu'on avait affublé de ce nom n'était ni un enfant trouvé ni un indécrottable romantique. Pas plus qu'il n'était de nature amère, vengeresse ou violente. En fait, il n'avait rien de commun avec le Heathcliff des *Hauts de Hurlevent*, hormis le teint mat qu'il avait hérité de sa mère, originaire de l'ancienne république soviétique de Géorgie. République, rappelait-elle souvent avec fierté, qui avait également vu naître le camarade Staline, dont

15

le portrait ornait le mur du salon de leur appartement moscovite.

Heathcliff parlait et lisait couramment l'anglais, néanmoins, et il adorait les romans victoriens. Au point qu'il avait un moment envisagé de se lancer dans des études de littérature anglaise, avant de revenir à la raison et d'intégrer l'Institut de linguistique de Moscou, considéré comme la deuxième université la plus prestigieuse d'Union soviétique. Son directeur d'études était chasseur de têtes pour le SVR, le Service des renseignements extérieurs, dont Heathcliff fut invité à intégrer l'académie, une fois son diplôme en poche. Sa mère, ivre de joie, déposa des fleurs et des fruits frais au pied du portrait du camarade Staline.

« Il te regarde, déclara-t-elle. Un jour, tu seras un homme avec lequel il faudra compter. Un homme craint. »

Dans les yeux de sa mère, c'était là ce qu'un homme pouvait espérer de mieux.

La plupart des cadets nourrissaient l'ambition de servir à l'étranger dans une *rezidentura*, une antenne du SVR où ils recruteraient et dirigeraient un réseau d'espions. Cette tâche était confiée à un certain type d'officiers : il fallait être effronté, confiant, loquace, vif et charismatique. Heathcliff ne disposait malheureusement d'aucune de ces qualités, pas plus que des capacités physiques requises pour les basses œuvres du SVR. En revanche, il jouissait d'une facilité pour les langues – il parlait aussi couramment l'allemand et le néerlandais que l'anglais – et d'une mémoire reconnue exceptionnelle, même selon les critères du SVR. On lui offrit le choix – fait rarissime en soi dans le système pyramidal du Service – de travailler au Centre de Moscou comme traducteur ou de servir sur le terrain comme agent de liaison. Il prit la seconde option, qui allait sceller son destin.

Ce n'était pas une tâche particulièrement glamour, mais indispensable. Fort de ses dispositions pour les langues et d'une valise pleine de faux passeports, le garçon de

courses clandestin écuma le monde entier a[...]
la mère-patrie. Il vidait des boîtes aux let[...]
déposait de l'argent dans des coffres-forts e[...]
occasionnellement quelque agent employé par[...]
passait plus de trois cents nuits par an hors de[...]
de la Russie, ce qui le privait du mariage, ou même d'une
relation un tant soit peu sérieuse. Le SVR lui fournissait
de la compagnie quand il repassait par Moscou – de belles
jeunes femmes qui ne se seraient jamais retournées sur
son passage en d'autres circonstances mais, lorsqu'il
voyageait, il devait affronter de longs épisodes de solitude.

C'est pourtant durant l'une de ces périodes, dans un
bar d'hôtel à Hambourg, qu'il rencontra sa Catherine.
Séduisante jeune femme aux cheveux châtains et au teint
hâlé, elle buvait du vin blanc à une table d'angle. Heathcliff
avait pour ordre d'éviter ce type de femmes lorsqu'il était
en mission. Elles se révélaient systématiquement être des
officières du renseignement ou des prostituées à leur solde.
Mais Catherine ne semblait entrer dans aucune de ces
catégories. Et quand elle jeta un coup d'œil à Heathcliff
par-dessus son téléphone portable et lui sourit, un courant
électrique le traversa de la tête aux pieds.

— Ça vous dirait de vous joindre à moi ? s'enquit-elle.
Je déteste boire seule.

Elle ne s'appelait pas Catherine, mais Astrid. C'est du
moins le nom qu'elle lui murmura à l'oreille en faisant
courir un ongle le long de son entrecuisse. Elle était
néerlandaise, ce qui permit à Heathcliff, travesti cette
fois en homme d'affaires russe, de s'adresser à elle dans
sa langue maternelle. Après quelques verres, elle s'invita
dans sa chambre, où il se sentait en sécurité. Il se réveilla
le lendemain matin avec une gueule de bois carabinée
dont il n'était pas coutumier, et sans le moindre souvenir
de leur probable partie de jambes en l'air. Astrid était déjà
douchée et enveloppée dans un peignoir. À la lumière du
jour, elle était encore plus belle.

— Tu es libre, ce soir ? demanda-t-elle.

Je ne devrais pas.

Et pourquoi pas ?

Il n'avait aucune réponse valable.

— Un rendez-vous dans les règles de l'art. Un dîner chic. Ensuite, peut-être une boîte de nuit.

— Et après ?

Elle ouvrit le peignoir, révélant une magnifique paire de seins. Heathcliff eut beau se creuser la cervelle, il ne se rappela pas les avoir caressés.

Ils échangèrent leurs numéros de téléphone – encore une entorse au règlement – et se séparèrent. Le messager avait deux missions à remplir ce jour-là, qui nécessitaient plusieurs heures de coup de sécurité, une technique permettant de s'assurer qu'il n'était pas suivi. Alors qu'il accomplissait la seconde – une banale récupération de courrier dans une boîte aux lettres morte –, il reçut un texto lui indiquant le nom d'un restaurant à la mode près du port. Il s'y rendit à l'heure dite et y trouva déjà assise à leur table une Astrid rayonnante, derrière une bouteille ouverte et outrageusement chère de montrachet. Heathcliff fronça les sourcils : il devrait payer le vin de sa poche. Le Centre contrôlait minutieusement ses dépenses et le réprimandait quand il dépassait son enveloppe.

Astrid parut percevoir son malaise.

— Ne t'inquiète pas, c'est pour moi.

— Je croyais que c'était *moi* qui t'emmenais dîner ?

— J'ai vraiment dit ça ?

C'est à cet instant que Heathcliff comprit qu'il avait commis une terrible erreur. Son instinct lui cria de prendre ses jambes à son cou, mais il savait que c'était déjà trop tard ; comme on fait son lit, on se couche. Aussi resta-t-il et dîna-t-il avec la femme qui l'avait trahi. Leur conversation, digne d'un mauvais téléfilm, fut artificielle et tendue, et quand la note arriva, Astrid paya. En liquide, évidemment.

Dehors, une voiture les attendait. Heathcliff n'émit aucune objection quand Astrid lui fit signe de grimper sur le siège arrière. Il ne protesta pas davantage quand la voiture prit la direction opposée à son hôtel. Le chauffeur était manifestement un professionnel ; sans prononcer un mot, il exécuta méthodiquement toutes les manœuvres requises pour se soustraire à une éventuelle surveillance. Astrid passa le temps en envoyant des textos. Elle n'adressa pas un mot à Heathcliff.

— Est-ce qu'on a…

— Fait l'amour ? abrégea-t-elle.

— Oui.

Pour toute réponse, elle tourna le regard vers l'extérieur.

— Bon, dit-il. Ça vaut mieux.

Ils s'arrêtèrent finalement devant une petite maison au bord de la mer. À l'intérieur, un homme se présenta à Heathcliff sous le nom de Marcus, dans un anglais teinté d'un accent allemand. Il prétendit travailler pour un service de renseignement occidental, sans préciser lequel. Puis il montra au jeune homme plusieurs documents hautement sensibles qu'Astrid avait subtilisés la veille dans son attaché-case – pourtant verrouillé – et copiés alors qu'il était drogué. Heathcliff devrait continuer à leur fournir des documents de ce type et bien d'autres choses encore, sans quoi Marcus et ses collègues utiliseraient le matériel déjà en leur possession pour faire croire au Centre que leur coursier était un agent double.

Contrairement à ce que laissait supposer son nom, Heathcliff n'était ni du genre à ruminer ni à se venger. Il revint à Moscou plus riche d'un demi-million de dollars et attendit sa prochaine mission. Le SVR envoya une belle jeune fille à son domicile de la colline des Moineaux. Il faillit s'évanouir de peur quand elle se présenta sous le nom d'Ekaterina. Il lui prépara une omelette et la congédia sans l'avoir touchée.

L'espérance de vie d'un homme dans la position de Heathcliff n'avait rien d'enviable. La trahison était punie de mort, et pas du genre propre et sans douleur. Comme tous les employés du SVR, il avait entendu des histoires. Celles d'hommes accomplis suppliant pour qu'une balle vienne mettre fin à leurs souffrances. Elle finissait par arriver, à la mode russe, dans la nuque. Le SVR appelait cela le *vuyschaïa miera* : la peine capitale. Heathcliff s'était promis de ne jamais tomber entre leurs mains. Il obtint de Marcus une ampoule de poison. Une morsure et c'en serait fini en dix secondes.

Marcus lui fournit également un appareil de communication clandestin, grâce auquel il pouvait transmettre ses rapports via un satellite qui chiffrait les données par microrafales. Heathcliff l'utilisait peu, préférant briefer Marcus de vive voix lors de ses voyages à l'étranger. Quand c'était possible, il permettait à Marcus de photographier le contenu de son attaché-case, mais ils parlaient surtout. Heathcliff travaillait pour des hommes bien plus importants que lui et transportait leurs secrets. De plus, sa prodigieuse mémoire gardait inévitablement la trace des mystérieuses cachettes des Russes partout dans le monde. Il prenait cependant garde à ne pas divulguer trop d'informations trop rapidement – dans son propre intérêt et dans celui de son compte en banque, qui grossissait à vue d'œil. Il distillait ses secrets avec parcimonie, ainsi leur valeur s'en trouvait accrue. En une seule année, le demi-million devint un million. Puis deux. Puis trois.

La conscience de Heathcliff demeurait sans tache – il ne s'embarrassait pas d'idéologie ou de politique –, mais il avait la peur chevillée au corps jour et nuit. La peur que le Centre apprenne sa duplicité et observe chacun de ses mouvements. La peur d'avoir livré le secret de trop. La peur qu'un des espions de l'Ouest ne le trahisse. À de nombreuses reprises, il avait supplié Marcus de le ramener avec lui. Mais ce dernier, agitant tantôt la carotte, tantôt le bâton, finissait toujours par refuser. Heathcliff devrait continuer d'espionner pour eux tant que sa vie n'était pas explicitement en danger. Alors seulement la défection lui serait permise. Heathcliff doutait cependant que Marcus soit capable de déterminer avec précision l'heure à laquelle tomberait le couperet, mais il n'avait d'autre choix que d'abdiquer. Son maître chanteur l'avait coincé, et il avait l'intention de bien l'essorer avant de lui rendre sa liberté.

Mais tous les secrets ne sont pas d'égale valeur. Les plus ordinaires, ceux que les messagers peuvent transmettre sans grande conséquence, côtoient les plus dangereux. Heathcliff finit par tomber sur l'un d'eux dans une boîte aux lettres morte, dans la lointaine Montréal. La boîte aux lettres était en réalité un appartement vide, utilisé par une illégale russe agissant sous couverture aux États-Unis. Une carte mémoire était dissimulée dans le placard sous l'évier de la cuisine. Heathcliff avait pour ordre de s'en emparer et de la rapatrier au Centre, hors de portée de la NSA. Avant de quitter l'appartement, il inséra la carte mémoire dans son ordinateur portable et découvrit que son contenu n'était ni protégé ni chiffré. Les documents provenaient de plusieurs agences de renseignement américaines et relevaient du plus haut degré de classification.

Heathcliff n'osa pas les copier. Mais il en retint chaque détail dans sa mémoire eidétique et retourna au Centre, où il confia la carte à son officier traitant, non sans une sévère réprimande à l'égard de l'agent qui, en toute illégalité, n'en avait pas sécurisé les données. L'officier traitant, Volkov, promit de transmettre à qui de droit. Puis il offrit à Heathcliff un voyage à Budapest, ville amie, en guise de récompense.

— Vois ça comme des vacances tous frais payés par le Centre. Ne le prends pas mal, Konstantin, mais tu as une mine épouvantable.

Ce soir-là, Heathcliff utilisa l'appareil de communication clandestin pour informer Marcus qu'il avait mis la main sur des informations d'une telle importance qu'il n'avait d'autre choix que de faire défection. À sa grande surprise, Marcus ne fit aucune difficulté. Il demanda à Heathcliff de se débarrasser de l'appareil de communication de sorte que personne ne puisse jamais le retrouver. L'agent de liaison le réduisit en pièces, qu'il alla jeter dans une bouche d'égout. Un endroit où, se dit-il, même les limiers du département de la sécurité du SVR n'auraient pas l'idée de regarder.

Une semaine plus tard, après avoir rendu visite à sa mère dans le clapier qui lui servait d'appartement, sous l'œil menaçant et omniscient du camarade Staline, Heathcliff quitta la Russie définitivement. Il arriva en fin d'après-midi à Budapest, où tombait une neige légère, et prit un taxi pour l'hôtel *InterContinental*. Sa chambre donnait sur le Danube. Après avoir mis la chaîne, il verrouilla la porte à double tour, s'assit au bureau et attendit que son téléphone sonne. Il posa devant lui l'ampoule de poison de Marcus. Une morsure et c'en serait fini en dix secondes.

2

Vienne, Autriche

À deux cent quarante kilomètres au nord-ouest de
là en suivant les courbes paresseuses du Danube, une
exposition des œuvres de sir Pierre Paul Rubens – peintre,
intellectuel, diplomate et espion – dérivait lentement vers
sa mélancolique conclusion. Des hordes de touristes
étrangers étaient venues puis reparties, et en fin d'après-
midi seuls quelques visiteurs familiers du vieux musée
parcouraient encore les pièces aux murs roses d'un pas
hésitant. Parmi eux, un homme d'âge mûr, la casquette
enfoncée jusqu'aux sourcils, examinait les toiles immenses
où des corps nus et corpulents s'ébattaient dans de somp-
tueux décors historiques.

Un homme plus jeune se tenait dans son dos, vérifiant
sa montre avec impatience.

— Vous en avez encore pour longtemps, patron ?
demanda-t-il en hébreu à mi-voix.

L'autre lui répondit en allemand, assez fort pour se
faire entendre du gardien qui somnolait dans un coin.

— Il y en a une que je souhaite voir avant qu'on
parte, merci.

Il passa dans la pièce suivante et s'arrêta devant
La Vierge aux anges, huile sur toile, 137 par 111 centimètres. Il avait de ce tableau une connaissance intime,
pour l'avoir restauré dans un cottage sur la côte ouest

de la Cornouailles. Il se pencha légèrement en avant pour en étudier la surface dans la lumière oblique. Son travail avait bien tenu le coup. Si seulement il pouvait en dire autant de son corps, songea-t-il en passant la main au bas de sa colonne vertébrale douloureuse. Les deux vertèbres récemment fracturées n'étaient qu'un détail dans la liste des maux dont il souffrait. Durant sa longue et brillante carrière au sein du renseignement israélien, Gabriel Allon avait notamment pris deux balles dans la poitrine, s'était fait attaquer par un berger allemand, et avait dévalé plusieurs volées de marches dans les sous-sols de la Loubianka, à Moscou. Même Ari Shamron, son légendaire mentor, ne pouvait rivaliser avec lui en matière de blessures.

Le jeune homme traînant à sa suite dans les salles du musée répondait au nom d'Oren. Il supervisait le détachement responsable de sa sécurité, un avantage en nature de sa récente promotion dont Gabriel se serait bien passé. Ils voyageaient depuis trente-six heures, d'abord en avion de Tel-Aviv à Paris, puis en voiture de Paris à Vienne. Ils traversaient à présent les salles vides du musée pour rejoindre la sortie. Ils furent accueillis sur les marches par la neige, de gros flocons duveteux qui tombaient à la verticale de cette nuit sans vent. Un simple touriste aurait trouvé charmant le tableau de ces trams ondulant le long des rues saupoudrées de sucre glace et bordées d'églises et de palais vides. Pas Gabriel. Vienne l'avait toujours déprimé, et plus encore sous la neige.

La voiture et son chauffeur prêts à démarrer les attendaient dans la rue. Gabriel remonta le col de son Barbour jusqu'à ses oreilles et informa Oren qu'il souhaitait rentrer à pied à l'appartement refuge.

— Seul, précisa-t-il.

— Je ne peux pas vous laisser déambuler dans Vienne sans protection, patron.

— Pourquoi pas ?

— Parce que vous êtes le patron, maintenant. S'il se passe quelque chose…

— Vous direz que vous avez suivi les ordres.

— Comme les Autrichiens. (Profitant de la pénombre, le garde du corps lui tendit un Jericho 9 mm.) Prenez au moins ça.

Gabriel glissa le pistolet dans sa ceinture.

— Je serai là-bas dans trente minutes. Je préviendrai le Boulevard du Roi-Saül que je suis arrivé.

Le Boulevard du Roi-Saül était l'adresse des services de renseignement israéliens, un nom à rallonge volontairement trompeur qui n'avait que peu de rapport avec la nature de leurs activités. Même le chef l'appelait « le Bureau », la plupart du temps.

— Trente minutes, répéta Oren.

— Pas une de plus.

— Et si vous êtes en retard ?

— Ça voudra dire que j'aurai été kidnappé ou tué par Daech, les Russes, le Hezbollah, les Iraniens ou d'autres qui ont une dent contre moi. Dans ce cas, je ne donnerai pas cher de ma peau.

— Et nous ?

— Vous vous en sortirez très bien, Oren.

— Ce n'est pas ce que je voulais dire.

— Je ne veux pas que vous restiez dans les parages de l'appartement refuge. Restez en mouvement jusqu'à ce que vous ayez de mes nouvelles. Et que les choses soient claires, n'essayez pas de me suivre. C'est un ordre direct.

Le garde du corps dévisagea Gabriel en silence. Il affichait une expression inquiète.

— Quoi encore, Oren ?

— Vous êtes sûr de ne pas vouloir de compagnie, patron ?

Gabriel fit volte-face sans un mot et disparut dans la nuit.

Il traversa le Burgring et s'engagea dans les allées piétonnes du Volksgarten. De taille légèrement inférieure à la moyenne – un mètre soixante-treize, peut-être, mais pas davantage –, il avait le corps sec d'un cycliste, le visage allongé terminé par un menton en pointe, les pommettes hautes et un nez étroit qui semblait avoir été sculpté dans le bois. Ses iris contenaient des nuances de vert peu naturelles, et sa chevelure noire grisonnait aux tempes. Ses traits singuliers lui permettaient de se prétendre originaire de nombreux endroits, mensonges rendus d'autant plus crédibles par ses talents linguistiques. Gabriel parlait cinq langues couramment, y compris l'italien, qu'il avait appris avant de se rendre à Venise dans le milieu des années 1970 pour étudier la conservation des œuvres d'art. Après quoi il avait vécu sous l'identité du taciturne et talentueux restaurateur Mario Delvecchio, couverture pour ses activités d'agent du renseignement et d'assassin pour le compte du Bureau. Certains de ses plus beaux travaux dataient de cette époque. Certains des pires, aussi.

Il longea le Burgtheater, la scène de langue allemande la plus prestigieuse au monde, et suivit la Bangkasse jusqu'au Café Central, l'un des plus célèbres établissements viennois. Il jeta un coup d'œil à travers les vitres mangées de givre et revit en esprit Eric Radek, collègue d'Adolf Eichmann et bourreau de la mère de Gabriel, dégustant un *einspänner*, seul à sa table. Le meurtrier demeurait flou, tel un personnage de tableau nécessitant une restauration.

Êtes-vous certain que nous ne nous soyons jamais rencontrés ? Votre visage m'est familier.

J'en doute sincèrement.

Peut-être nous reverrons-nous.

Peut-être.

L'image s'évanouit. Gabriel se détourna et prit la direction du vieux quartier juif. Avant la Seconde Guerre mondiale, il abritait l'une des communautés les plus actives au monde. Mais il n'en restait aujourd'hui que le souvenir. Il observa quelques vieux messieurs tremblotants sortir d'une discrète porte cochère pour rejoindre le Stadttempel, la principale synagogue de la ville, puis il gagna une place bordée de restaurants. Parmi eux se trouvait la trattoria où il avait pris son dernier repas avec Leah, sa première femme, et Daniel, leur unique enfant.

Leur voiture se trouvait alors dans une rue adjacente. Gabriel ralentit sans s'en rendre compte, paralysé par ses souvenirs. Il se rappela avoir lutté avec les sangles du siège-auto de son fils. Il se rappela le goût du vin sur les lèvres de sa femme. Il se rappela le bruit hésitant du moteur imputable à la bombe – comme un disque passé à la mauvaise vitesse –, qui pompait la batterie. Il avait crié à Leah de ne pas tourner la clé une seconde fois, mais trop tard. Dans un flash aveuglant, il perdit sa femme et son fils pour toujours.

Le cœur de Gabriel tonnait comme une cloche en fonte. Pas maintenant, se dit-il, la vision brouillée par les larmes. Il avait du travail. Il tourna le visage vers le ciel.

N'est-ce pas magnifique ? La neige tombe sur Vienne pendant que les missiles pleuvent sur Tel-Aviv...

Il consulta sa montre : il lui restait dix minutes pour arriver à l'appartement refuge. Alors qu'il pressait le pas dans les rues désertes, un sentiment de tragique imminent le submergea. Ce n'était que le temps, se rassura-t-il. Vienne l'avait toujours déprimé, et plus encore sous la neige.

3

Vienne

L'appartement refuge était situé de l'autre côté du Donaukanal, dans un bel immeuble Biedermeier du 2e arrondissement, un quartier animé qui n'avait rien d'une ville-musée. Il y avait un petit supermarché Spar, une pharmacie, deux restaurants asiatiques et même un temple bouddhiste. La rue bourdonnait du passage des voitures et des motos sur la chaussée ; les piétons se pressaient le long des trottoirs. Typiquement le genre d'endroit où personne ne remarquerait le chef des services de renseignement israéliens. Pas plus qu'un transfuge russe, songea Gabriel.

Il s'engagea dans une ruelle, traversa une cour et pénétra dans un hall d'entrée. L'escalier plongé dans la pénombre le mena jusqu'au palier du troisième étage, face à une porte légèrement entrouverte. Il se glissa à l'intérieur, referma le battant derrière lui et se glissa silencieusement dans le salon. Eli Lavon, assis derrière une armée d'ordinateurs portables ouverts, leva les yeux. À la vue de la neige sur la casquette et les épaules de Gabriel, il fronça les sourcils.

— Ne me dis pas que tu es rentré à pied.

— La voiture est tombée en panne. Je n'ai pas eu le choix.

— Ce n'est pas ce que m'a raconté ton garde du corps. Tu ferais bien de prévenir le Boulevard du Roi-Saül que tu es arrivé. Sinon, notre opération va tourner en mission de recherche et sauvetage.

Gabriel se pencha sur l'un des ordinateurs, tapa un bref message et l'envoya à Tel-Aviv sur un canal sécurisé.

— Crise évitée, conclut Lavon.

Il portait un cardigan sous sa veste en tweed froissée, et un foulard autour du cou. Avec ses cheveux clairsemés jamais coiffés et son visage parfaitement ordinaire, Eli Lavon avait des airs de chien battu. En réalité, c'était l'un de ses plus grands atouts. Un prédateur naturel capable de suivre n'importe quel officier du renseignement surentraîné ou terroriste endurci dans toutes les rues du monde sans éveiller le moindre soupçon. Il supervisait la division du Bureau connue sous le nom de « Neviot », dont la mission de surveillance était assurée par des as de la filature, des pickpockets et des voleurs. Des agents spécialisés dans la dissimulation de caméras et de micros dans des endroits inaccessibles complétaient son effectif. Ses équipes avaient eu beaucoup de boulot, ce soir-là à Budapest.

Il désigna du menton l'un des ordinateurs, dont l'écran montrait un homme assis à son bureau dans une chambre d'hôtel haut de gamme. Au pied du lit, un sac, fermé. Devant lui, un téléphone portable et une ampoule.

— C'est une photo ? demanda Gabriel.

— Non, ça filme.

Gabriel tapota l'écran.

— Il ne t'entend pas, tu sais ?

— Tu es sûr qu'il est vivant ?

— Il crève de trouille. Il n'a pas bougé un muscle depuis cinq minutes.

— De quoi a-t-il peur ?

— Il est russe, répondit Lavon, comme si ce seul fait expliquait tout.

Gabriel examina Heathcliff comme s'il s'était agi d'un tableau. Il s'appelait en réalité Konstantin Kirov et était l'une des plus précieuses ressources du Bureau. Seule une petite part des informations de Kirov avait directement concerné la sécurité d'Israël, mais l'énorme surplus avait beaucoup intéressé Londres et Langley, où les directeurs du MI6 et de la CIA avaient fait de chaque miette tombée de l'attaché-case du Russe un festin. Les Anglo-Saxons n'avaient cependant pas dîné à l'œil : les deux agences avaient dû mettre la main à la poche pour financer l'opération, et les Britanniques, à l'issue de nombreux bras de fer interservices, avaient fini par accorder à Kirov l'asile au Royaume-Uni.

Le premier visage que le Russe verrait après sa défection serait cependant celui de Gabriel Allon, qui partageait avec le renseignement russe et les hommes du Kremlin une histoire longue et sanglante. Raison pour laquelle il tenait à s'occuper personnellement du débriefing de Kirov, pour savoir précisément ce qu'il avait découvert qui justifiait sa défection immédiate. Alors seulement Gabriel remettrait le Russe entre les mains du chef de poste du MI6 à Vienne. Il serait plus que ravi de laisser les Britanniques gérer le problème. Les agents grillés, en particulier les Russes, se révélaient invariablement des nids à emmerdes.

Kirov s'étira enfin.

— Ah, quand même ! s'écria Gabriel.

L'image se pixellisa quelques secondes avant de revenir à la normale.

— Ç'a été comme ça toute la soirée, expliqua Lavon. Mes gars ont dû installer l'émetteur trop près d'une source d'interférences.

— Quand y sont-ils allés ?

— À peu près une heure avant l'arrivée de Heathcliff. Lorsque nous avons piraté le système de sécurité de l'hôtel, la liste des réservations nous a donné son numéro de chambre. S'y introduire n'a été qu'une formalité.

Les sorciers du service technique du Bureau avaient mis au point une clé magique capable d'ouvrir n'importe quelle serrure électronique de n'importe quel hôtel du monde. Un premier passage récupérait le code. Un second ouvrait le verrou.

— Quand les interférences ont-elles commencé ?

— Dès qu'il est entré dans la chambre.

— Quelqu'un l'a suivi de l'aéroport à l'hôtel ?

Lavon fit non de la tête.

— Des noms suspects dans le registre de l'hôtel ?

— La plupart des clients sont là pour la conférence de la Société est-européenne des ingénieurs civils. Un vrai nid de nerds. Presque tous ces types se trimballent avec un dispositif de protection dans la poche.

— Tu étais l'un d'eux à une époque, Eli.

— Je le suis toujours. (Le plan se brouilla à nouveau.) Merde, pesta Lavon à voix basse.

— Ton équipe a vérifié la connexion ?

— Deux fois.

— Et ?

— Il n'y a personne d'autre sur la ligne. Et même si c'était le cas, le chiffrement est tel qu'il faudrait un mois et deux superordinateurs pour en venir à bout. (L'image se stabilisa.) C'est mieux.

— Fais-moi voir le hall.

Lavon tapota le clavier d'un autre terminal, qui fit apparaître une vue du lobby dans lequel évoluait une foule de vêtements mal assortis, d'étiquettes nominatives et de fronts dégarnis. Gabriel chercha dans l'assemblée des visages qui ne sembleraient pas à leur place. Il en trouva quatre – deux hommes, deux femmes. Avec les caméras de l'hôtel, Lavon les prit en photo et les envoya à Tel-Aviv. Sur l'écran de l'ordinateur adjacent, Konstantin Kirov consultait son téléphone portable.

— Combien de temps vas-tu le faire poireauter ? demanda Lavon.

— Jusqu'à ce qu'on ait la réponse du Boulevard du Roi-Saül sur ces visages.

— S'il ne part pas bientôt, il va manquer son train.

— Mieux vaut ça que de se faire assassiner dans le hall de l'InterContinental par une équipe du Centre.

L'image se pixellisa de nouveau. Agacé, Gabriel tapota l'écran.

— Cherche pas, fit Lavon. J'ai déjà essayé.

La réponse du bureau des opérations du Boulevard du Roi-Saül arriva dix minutes plus tard. Aucune correspondance entre ces quatre visages et les portraits d'officiers ennemis, de terroristes connus ou supposés ou de mercenaires privés figurant dans la galerie dont disposait le Bureau. Alors seulement Gabriel composa un bref message sur un BlackBerry chiffré et cliqua sur ENVOI. Quelques secondes plus tard, il vit Konstantin Kirov se saisir de son portable, prendre connaissance du texto, se lever brusquement et enfiler son manteau et son écharpe. Il glissa son téléphone dans sa poche, mais garda l'ampoule de poison à la main. Il laissa son bagage derrière lui.

Eli Lavon pressa plusieurs touches de son clavier au moment où Kirov ouvrait la porte de sa chambre et s'engageait dans le couloir. Les caméras de sécurité de l'hôtel rendirent compte de son trajet jusqu'aux ascenseurs. Il ne croisa personne, ni client ni membre du personnel, et l'ascenseur dans lequel il monta était vide. Le hall, en revanche, grouillait de monde. Personne ne sembla remarquer le Russe tandis qu'il se frayait un chemin jusqu'à la sortie. Pas même les deux blousons de cuir du service de sécurité hongrois qui gardaient un œil sur la rue.

Il était 21 heures moins quelques minutes. Kirov avait le temps d'attraper le dernier train pour Vienne, mais il ne devait pas traîner. Suivi par deux des guetteurs d'Eli Lavon, il prit la rue Apáczai Csere János vers le sud, avant de tourner à gauche sur Kossuth Lajos, l'une des principales artères du centre-ville de Budapest.

— Mes gars disent qu'il n'est pas suivi. Ni Russes ni Hongrois.

Gabriel envoya un deuxième message à Konstantin Kirov, lui enjoignant de monter dans le train comme prévu. Ce qu'il fit avec quatre minutes d'avance, suivi par ses anges gardiens. Pour le moment, Lavon et Gabriel ne pouvaient rien faire de plus. Le regard qu'ils échangèrent trahissait les mêmes pensées. Attendre. Encore et toujours.

4

Gare de l'Ouest, Vienne

Mais Gabriel et Eli Lavon n'attendirent pas seuls. Ce soir-là, ils avaient un partenaire opérationnel du SIS[1], les services secrets de Sa Majesté, la plus vieille et prestigieuse agence de renseignement du monde civilisé. Six agents de son poste viennois – le nombre exact serait bientôt sujet à controverse – assuraient une permanence tendue dans une des chambres fortes de l'ambassade britannique, et une douzaine d'autres s'affairaient frénétiquement autour d'ordinateurs et de téléphones à Vauxhall Cross, le QG londonien du MI6.

Un autre de leurs agents, Christopher Keller, patientait à l'extérieur de la gare de l'Ouest, à Vienne, au volant d'une Volkswagen Passat des plus ordinaires. Il avait les yeux bleus, les cheveux blonds, les pommettes carrées et un épais menton fendu au milieu par une fossette. Ses lèvres semblaient dessiner un sourire continuellement narquois.

N'ayant pas grand-chose d'autre à faire ce soir-là que d'ouvrir l'œil à l'affût d'hypothétiques barbouzes russes, Keller s'était repenché sur l'improbable suite d'événements qui l'avait conduit à cet endroit précis. L'année perdue à Cambridge, l'opération sous couverture en Irlande du

1. Secret Intelligence Service, autre nom du MI6. (Toutes les notes sont du traducteur.)

Nord, puis l'incident des tirs alliés durant la première guerre du Golfe, qui l'avait amené, de sa propre initiative, à se mettre au vert sur l'Île de Beauté, où il avait acquis un français parfait, quoique teinté d'accent corse. Il y avait rendu quelques services à une figure locale du crime organisé – services que d'aucuns auraient qualifiés de meurtres sur commande. Mais tout cela était derrière lui. Grâce à Gabriel Allon, Christopher Keller était désormais un respectable agent des services secrets de Sa Majesté. Il avait été réhabilité.

Keller observa l'Israélien occupant le siège passager. L'échalas à la peau pâle et aux yeux de glace affichait une expression de profond ennui. L'anxieux tambourinement de ses doigts sur la console centrale trahissait néanmoins un tout autre état d'esprit.

Keller alluma une cigarette, la quatrième depuis vingt minutes, et souffla un nuage de fumée sur le pare-brise.

— C'est obligatoire ? protesta l'Israélien.

— J'arrêterai de fumer quand tu cesseras ton manège avec tes doigts, lui répondit Keller avec l'accent traînant snob des quartiers ouest de Londres, reliquat de son enfance privilégiée. Tu me donnes mal à la tête.

La main de l'Israélien s'immobilisa. Il s'appelait Mikhail Abramov. Comme Keller, il avait fait partie d'une unité militaire d'élite – le Sayeret Matkal de l'Armée de défense d'Israël, en l'occurrence. Ils avaient participé à plusieurs opérations ensemble, la dernière en date au Maroc, où ils avaient traqué Saladin, le chef de la division des opérations extérieures de Daech jusqu'à un camp perdu dans le Moyen Atlas. Ni l'un ni l'autre n'avait tiré le coup qui avait mis fin au règne de terreur de Saladin. Gabriel les avait pris de vitesse.

— Qu'est-ce qui te rend si nerveux, d'ailleurs ? s'enquit Keller. On est au milieu de la ville la plus ennuyeuse au monde.

— Oui, acquiesça Mikhail d'une voix distante. Il ne se passe jamais rien à Vienne.

Mikhail, qui avait grandi à Moscou, s'exprimait avec une pointe d'accent russe. Ses compétences linguistiques et ses airs slaves lui avaient permis de se faire passer pour un Russe au cours de nombreuses missions importantes du Bureau.

— Tu as déjà travaillé à Vienne ? lui demanda Keller.

— Une fois ou deux. (Mikhail vérifia son arme, un Jericho .45.) Tu te souviens des quatre kamikazes du Hezbollah qui avaient planifié l'attaque du Stadttempel ?

— Je croyais qu'EKO Cobra s'en était occupé ? (EKO Cobra était l'unité d'intervention antiterroriste de la police autrichienne.) Je suis même à peu près sûr d'avoir lu un article là-dessus dans la presse.

Mikhail lui adressa un regard sans expression.

— C'était toi ? lui demanda Keller.

— J'ai eu de l'aide, évidemment.

— De quelqu'un que je connais ?

Mikhail resta silencieux.

— Je vois.

Minuit approchait. La rue qui longeait la moderne façade vitrée de la gare était déserte, à l'exception de deux taxis qui attendaient leur dernière course de la soirée. L'un d'eux chargerait un transfuge russe et le déposerait au Best Western du Stubenring. De là, ce dernier n'aurait plus qu'à marcher jusqu'à l'appartement refuge. La décision de l'y admettre ou non incomberait plus tard à Mikhail, qui le suivrait à pied. L'adresse de l'appartement était sans nul doute le secret le mieux gardé de toute l'opération. Si Kirov n'était pas suivi, Mikhail le récupérerait dans le hall de l'immeuble et l'amènerait à Gabriel. Keller était lui censé rester en bas dans la Passat pour assurer un périmètre de sécurité. Comment ? Il n'en avait pas la moindre idée. Alistair Hughes, chef de poste du MI6 à Vienne, lui avait formellement interdit de porter une arme. La réputation violente de Keller n'était pas usurpée. Mais en matière de prudence, celle de Hughes n'était plus à faire. Il avait une belle vie à Vienne – un réseau productif, de longs déjeuners, de bonnes relations avec les services locaux. La dernière chose dont il avait besoin, c'était un incident qui le renverrait derrière un bureau à Vauxhall Cross.

À cet instant, le BlackBerry de Mikhail signala l'arrivée d'un texto. La lumière de l'écran éclaira son visage blême.

— Le train est entré en gare. Kirov est sur le point de descendre.

— Heathcliff, le corrigea Keller. Il s'appelle Heathcliff tant qu'il n'a pas mis un pied dans l'appartement refuge.

— Le voilà.

Mikhail rangea son BlackBerry dans la poche de son manteau au moment où Kirov franchit le seuil de la gare, précédé d'un des guetteurs d'Eli Lavon et suivi par l'autre.

— Il a l'air nerveux, fit observer Keller.

— Il est nerveux, confirma Mikhail en faisant de nouveau tambouriner ses doigts sur la console centrale. C'est un Russe.

Les guetteurs quittèrent la gare à pied ; Konstantin Kirov prit un des deux taxis, que Keller suivit à distance raisonnable à travers les rues désertes, en direction de l'est. Rien ne le laissa supposer que le Russe était filé. Mikhail en convint.

À minuit et quart, le taxi s'arrêta devant le Best Western. Kirov en descendit, mais n'entra pas dans l'hôtel. Il traversa le Donaukanal par la Schwedenbrücke, suivi à présent par Mikhail à pied. Au bout du pont s'étirait la Taborstrasse qui les amena jusqu'au Karmeliterplatz et sa charmante église, à partir de laquelle Mikhail ramena à quelques pas seulement la distance qui le séparait de sa cible.

Ils traversèrent la place et s'engagèrent dans une rue adjacente, bordée de boutiques et de cafés plongés dans la pénombre, qu'ils parcoururent jusqu'à l'entrée de l'immeuble Biedermeier au bout du pâté de maisons. Une lueur brillait faiblement à travers l'une des fenêtres du troisième étage. La silhouette de Gabriel s'y découpait, le menton dans une main et la tête légèrement penchée sur le côté. Mikhail lui envoya un ultime texto : Kirov n'était pas suivi.

C'est alors qu'il entendit le moteur d'une moto à l'approche. Ce n'était pas vraiment la nuit idéale pour sortir en deux-roues, songea-t-il. Son mauvais pressentiment lui fut confirmé quand il vit la moto déraper au coin de la rue.

Le pilote était vêtu de cuir noir et coiffé d'un casque assorti, muni d'une visière fumée. Sa glissade se termina à quelques mètres de Kirov. Il posa un pied à terre et sortit une arme de son blouson. Un silencieux prolongeait le canon. Mikhail ne parvint pas à discerner le modèle du pistolet lui-même. Un Glock, ou peut-être un H&K. Quoi qu'il en soit, le motard le pointait droit sur le visage de Kirov.

Mikhail laissa tomber le téléphone et porta la main à son Jericho, mais avant qu'il n'ait pu le sortir, l'arme de l'assaillant avait déjà craché deux langues de feu, qui atteignirent leur cible. Mikhail entendit les craquements dégoûtants des balles perforant la boîte crânienne, et vit gicler le sang et la matière encéphalique au moment où Kirov s'effondrait.

Le motard fit ensuite pivoter son arme de quelques degrés pour aligner Mikhail. Ce dernier plongea pour éviter les deux premiers tirs, puis il alla se cacher derrière une voiture en stationnement afin de se mettre hors de portée des deux suivants. De la main droite, il avait empoigné le Jericho. Le temps qu'il le sorte, le motard avait déjà passé la première.

Il se trouvait à trente mètres de Mikhail, pas plus, mais juste devant les fenêtres du rez-de-chaussée d'un immeuble d'habitation. Mikhail avait les deux mains sur le Jericho, ses bras tendus en appui sur le capot de la voiture. Pourtant, il ne tira pas. Le Bureau laissait une grande latitude à ses agents de terrain quand il s'agissait de défendre leur vie, mais l'usage d'une arme de calibre 45 sur une cible mobile au beau milieu d'un quartier résidentiel, où une balle perdue pouvait faire de gros dégâts parmi la population civile, était strictement prohibé.

Le rugissement du moteur se réverbérait sur les murs des immeubles tandis que le motard prenait de la vitesse. Mikhail l'observa disparaître par-dessus le canon du Jericho, puis il se précipita jusqu'à l'endroit où Kirov était tombé. Le Russe était mort. Il ne restait presque plus rien de son visage.

Mikhail leva les yeux vers la silhouette dans l'encadrement de la fenêtre du troisième étage. Il entendit derrière lui le moteur d'une voiture qui approchait à vive allure. Il craignit qu'il s'agisse du reste de l'équipe de tueurs venue terminer le boulot, mais ce n'était que Keller dans la Passat. Il ramassa vivement son téléphone et se rua à l'intérieur.

— Je te l'avais dit, lança-t-il alors que la voiture bondissait en avant. Il ne se passe jamais rien ici.

Gabriel resta à la fenêtre plus longtemps que nécessaire, les yeux rivés sur le feu arrière de la moto poursuivie par la Passat noire. Quand les deux véhicules eurent disparu, son regard se tourna vers l'homme étendu dans la rue, que la neige recouvrait peu à peu. Il était aussi mort qu'on pouvait l'être. Il était mort, songea-t-il, avant même d'arriver à Vienne. Avant même de quitter Moscou.

Eli Lavon se tenait à côté de Gabriel. Un autre long moment passa, durant lequel Kirov resta immobile, sans personne pour le voir. Enfin, une voiture s'approcha et s'arrêta. La conductrice, une jeune femme, en descendit. Elle porta la main à sa bouche et détourna les yeux.

Lavon ferma les volets.

— Il faut y aller, dit-il.

— On ne peut pas simplement…

— Est-ce que tu as touché quelque chose ?

Gabriel sonda sa mémoire.

— Les ordinateurs.

— C'est tout ?

— Le loquet de la porte.

— On l'essuiera en sortant.

D'un coup, une lumière bleue que Gabriel ne connaissait que trop bien envahit la pièce. C'était celle d'une voiture de patrouille de la Bundespolizei. Il appela Oren.

— Venez nous récupérer devant la sortie de secours de l'immeuble, sur la Hollandstrasse. En toute discrétion.

Gabriel raccrocha et alla aider Lavon à remballer les ordinateurs et les téléphones. En partant, ils passèrent tous deux un bon coup de chiffon sur le loquet – Gabriel d'abord, puis Lavon pour faire bonne mesure. Tandis qu'ils traversaient la cour d'un pas vif, ils entendirent au loin les sirènes, mais la Hollandstrasse demeurait silencieuse, à l'exception du ronronnement grave d'un moteur. Gabriel et Lavon se glissèrent sur la banquette arrière. Quelques instants plus tard, ils franchissaient le Donaukanal, quittant le 2e arrondissement pour le 1er.

— Personne ne l'avait suivi, n'est-ce pas, Eli ?

— Absolument personne.

— Alors comment l'assassin a-t-il su où il allait ?

— Nous devrions peut-être lui poser la question.

Gabriel exhuma son téléphone de sa poche et appela Mikhail.

5

Floridsdorf, Vienne

La Passat avait beau être équipée du nec plus ultra en matière de motricité, un virage à angle droit à cent kilomètres-heure sur la neige fraîche dépassait de loin ses capacités. Les roues arrière se mirent à patiner, et pendant un instant Mikhail craignit qu'ils partent en tête-à-queue. Mais les pneus retrouvèrent de l'adhérence et la voiture, au terme d'un dernier zigzag, se stabilisa.

Mikhail relâcha la pression sur l'accoudoir.

— Tu as déjà conduit dans ces conditions ?

— Un paquet de fois, répondit Keller d'une voix posée. Et toi ?

— J'ai grandi à Moscou.

— Tu n'étais qu'un gosse quand tu en es parti.

— J'avais seize ans.

— Ta famille avait une voiture ?

— À Moscou ? Bien sûr que non. On prenait le métro comme tout le monde.

— Donc tu n'as jamais *conduit* en Russie en hiver.

Mikhail ne le contredit pas. De retour sur la Taborstrasse, ils dépassèrent en un éclair une zone industrielle, environ cent mètres derrière la moto. D'après ses connaissances de la géographie de Vienne, il estima, à raison, qu'ils se dirigeaient vers l'est. Il y avait une frontière, dans cette direction. Il présuma qu'ils allaient bientôt devoir la franchir.

Le feu stop de la moto s'alluma.

— Il tourne, observa Mikhail.

— Je vois.

Elle vira à gauche, disparaissant un instant de leur vue. Keller se rapprocha du coin de la rue sans ralentir. Le paysage urbain valsa devant le pare-brise avant qu'il ne reprenne le contrôle du véhicule. La moto se trouvait maintenant à deux cents mètres devant.

— Il est bon, fit Keller.

— Et encore, tu ne l'as pas vu tirer.

— Si.

— Merci pour ton aide.

— Qu'est-ce que tu voulais que je fasse ? Le distraire ?

Devant eux se dressa la Millennium Tower, un gratte-ciel de cinquante étages où se côtoyaient des bureaux et des habitations sur la rive ouest du Danube. Ils traversèrent le fleuve à près de cent cinquante kilomètres-heure, mais la moto s'éloignait toujours. Mikhail se demanda combien de temps la Bundespolizei mettrait à les remarquer. À peu près autant, supposa-t-il, qu'il n'en faudrait pour trouver un passeport dans la poche d'un agent de liaison russe décédé.

La moto disparut après un nouveau virage. Le temps que Keller le négocie à son tour, le feu arrière du deux-roues n'était plus qu'une minuscule tache de rouge dans la nuit.

— On le perd.

Keller mit le pied au plancher. À cet instant, le portable de Mikhail vibra. Il quitta des yeux leur proie juste assez longtemps pour lire le message.

— Qu'est-ce que c'est ? s'enquit Keller.

— Gabriel. Il veut savoir où on en est. (Mikhail tapa une brève réponse et releva les yeux.) Merde, lâcha-t-il entre ses dents.

La tache rouge avait disparu.

En définitive, la responsabilité incombait à Alois Graf, retraité et sympathisant de l'extrême droite autrichienne – non que ça ait un quelconque rapport avec les événements. Veuf depuis peu, Graf dormait très mal, ces derniers temps. Il ne se rappelait pas s'être assoupi plus de deux à trois heures d'affilée depuis la mort de sa Trudi adorée. Il en allait de même pour Shultzie, son teckel de neuf ans. C'était le chien de Trudi plus que le sien. Graf ne s'en était pas beaucoup occupé du vivant de sa femme, et Shultzie n'avait jamais fait grand cas du mari de sa maîtresse. Et voilà qu'ils se retrouvaient enfermés ensemble, compagnons d'infortune insomniaques et déprimés.

L'animal était bien dressé s'agissant de l'élimination de ses besoins naturels, et globalement gentil avec tout le monde. Ces derniers temps, il réclamait de sortir aux moments les plus inopportuns. Graf ne protestait cependant jamais quand Shultzie venait le trouver aux petites heures du matin, les yeux pleins de désespoir et d'amertume.

Cette nuit-là, le chien se manifesta à minuit passé de vingt-cinq minutes, selon le réveil de Graf. L'endroit préféré de Shultzie était un petit carré d'herbe contigu à un fast-food sur la Brünnerstrasse. Graf s'en félicitait. Le restaurant, si l'on pouvait appeler ça comme ça, était à ses yeux une horreur. Il n'avait jamais beaucoup aimé les Américains. Il était assez vieux pour se souvenir de Vienne après la guerre, une époque où la ville comptait autant d'espions que de miséreux. Graf leur avait préféré les Anglais, qui, eux au moins, savaient se montrer rusés.

Pour atteindre la petite terre promise de Shultzie, il fallait traverser la Brünnerstrasse elle-même. Graf, ancien maître d'école, regarda à droite et à gauche avant de poser le pied sur la chaussée. C'est alors qu'il vit le phare d'une moto s'approcher depuis le centre-ville. Il hésita. Le véhicule était loin ; il ne l'entendait pas encore. Il aurait largement le temps d'atteindre le trottoir d'en face. Il tira néanmoins un petit coup sec sur la laisse de

Shultzie, de peur que le chien ne s'attarde au milieu de la rue, comme il aimait à le faire.

À mi-chemin de la chaussée, Graf jeta un nouveau coup d'œil à la moto. En l'espace de trois ou quatre secondes, elle avait couvert une distance impressionnante. Elle roulait à une vitesse extrême, comme l'attestait la plainte aiguë du moteur, que Graf percevait clairement à présent. Shultzie l'entendait, lui aussi, mais il restait figé comme une statue, en dépit des efforts déployés par son maître sur la laisse.

— *Komm, Shultzie ! Mach schnell !*

Rien à faire. L'animal semblait s'être pétrifié sur l'asphalte.

La moto n'était maintenant plus éloignée que d'une centaine de mètres – environ la longueur du terrain de sport de l'ancienne école de Graf. Il se baissa pour attraper le chien, mais le mal était fait ; le chauffard, déjà sur eux, fit un brusque écart et passa si près que le vieil homme sentit le tissu de son manteau aspiré par le déplacement d'air. Un instant plus tard, il entendit le terrible fracas métallique d'une collision et vit une silhouette vêtue de noir s'envoler. Il aurait presque pu croire l'homme capable de voler, mais le bruit de son corps heurtant le pavé le détrompa.

Il fit encore plusieurs tonneaux, tel un pantin désarticulé, avant de s'immobiliser pour de bon. Graf fut tenté d'aller voir, ne serait-ce que pour confirmer l'inéluctable, mais un autre véhicule, une voiture, déboula à toute vitesse de la même direction. Avec Shultzie dans ses bras, il s'écarta vivement de la chaussée pour la laisser passer. Elle ralentit pour inspecter l'épave de la moto avant de s'arrêter près de l'individu en noir étendu dans la rue.

Un des occupants de la voiture descendit. Il était grand et mince, le visage si pâle qu'il semblait briller dans la nuit. Il jeta sur le malheureux un regard plus furieux que compatissant, nota Graf, et lui ôta son casque. Puis il fit quelque chose de tout à fait extraordinaire, quelque chose que Graf ne dirait jamais à personne : il prit une photo du visage du mort avec son téléphone portable.

Le flash surprit Shultzie, qui se mit à aboyer. L'homme considéra froidement Graf en se baissant pour rentrer dans la voiture. Puis le vieil homme se retrouva de nouveau seul.

Un instant plus tard, un concert de sirènes déchira la nuit. Alois Graf aurait dû rester là pour rendre compte de ce qu'il avait vu à la Bundespolizei. Au lieu de ça, il repartit chez lui en toute hâte en serrant Shultzie dans ses bras. Le souvenir de Vienne après la guerre était toujours vivace. Parfois, songea-t-il, il valait mieux ne rien voir du tout.

6

Vienne – Tel-Aviv

Deux cadavres, à six kilomètres l'un de l'autre. L'un avait reçu deux balles à bout portant. L'autre avait perdu la vie dans un accident de moto. Ce dernier avait en sa possession un pistolet de gros calibre, un HK45 Tactical, équipé d'un silencieux. Aucun témoin dans les deux cas, aucune caméra de surveillance. Ce n'était pas nécessaire ; une partie de l'histoire avait été écrite dans la neige par les traces de pneus, les empreintes de pas, les douilles et le sang. Une pluie drue, suivie de deux jours d'un redoux inhabituel pour la saison, obligeait les policiers autrichiens à travailler vite. Le temps changeant semblait conspirer contre eux.

On retrouva sur l'homme tué par balle un téléphone portable, un portefeuille et un passeport russe au nom d'Oleg Gurkovsky. Le portefeuille fournit d'autres documents indiquant qu'il vivait à Moscou et travaillait pour une société de télécoms. Retracer les dernières heures de sa vie se révéla assez simple. Le vol Aeroflot de Moscou à Budapest. La chambre à l'InterContinental où, curieusement, il avait laissé son bagage. Le train du soir pour Vienne. La vidéosurveillance de la gare de l'Ouest le montrait entrer dans un taxi, dont le chauffeur, interrogé par la police, se rappelait avoir déposé son client au Best Western sur le Stubenring. De là, il avait

46

franchi le Donaukanal par la Schwedenbrücke, suivi par un homme à pied. Des séquences enregistrées par les systèmes de sécurité à l'extérieur de plusieurs magasins et par les caméras de surveillance urbaines révélaient en partie le visage de son poursuivant. Il avait aussi laissé une piste d'empreintes de pas, notamment sur le Karmeliterplatz, où la neige était restée en grande partie immaculée. Pointure quarante-huit, semelles communes. Les enquêteurs trouvèrent des empreintes similaires près du corps.

Ils repérèrent également six douilles de calibre 45 et des traces de pneus de moto Metzeler Lasertec. Ces marques mèneraient directement à la BMW amochée sur la Brünnerstrasse, et la balistique identifierait les douilles comme étant celles qui équipaient les balles du HK45 Tactical. Son propriétaire n'avait rien d'autre sur lui. Ni passeport, ni permis de conduire, ni liquide, ni carte de crédit. Il semblait avoir environ trente-cinq ans, mais la police n'en était pas sûre ; son visage avait subi de lourdes opérations de chirurgie esthétique. Ils conclurent que c'était un professionnel.

Mais pourquoi un tueur à gages aurait-il perdu le contrôle de sa moto sur la Brünnerstrasse ? Et qui était l'homme qui avait suivi le Russe du Best Western jusque dans le 2ᵉ arrondissement, où il avait reçu deux balles à bout portant ? Et qu'est-ce qu'était venu faire le Russe à Vienne, pour commencer ? Avait-il été attiré ici ? Convoqué ? Le cas échéant, par qui ? Autant de questions sans réponses, et un meurtre qui portait toutes les caractéristiques d'un travail professionnel effectué par un service de renseignement hautement compétent.

La Bundespolizei, durant les premières heures de l'enquête, garda ses conclusions pour elle, mais cela n'empêcha pas les médias de spéculer. En milieu de matinée, ils s'étaient convaincus qu'Oleg Gurkovsky était un dissident, en dépit du fait que personne au sein de l'opposition russe n'ait jamais entendu parler de lui. Mais d'autres à Moscou, parmi lesquels un avocat qu'on disait proche du Tsar lui-même, prétendaient bien le connaître. Pas sous le nom d'Oleg Gurkovsky, cependant. Selon eux, il s'appelait en réalité Konstantin Kirov et était un agent secret du SVR, le renseignement russe.

C'est à ce moment-là, vers midi à Vienne, qu'un flot d'articles, de tweets, de blogs et de toute autre forme de communication moderne commença à inonder les sites d'information et les réseaux sociaux. Au début, ces messages apparaissaient spontanément ; puis de moins en moins. Presque tout ce contenu arrivait de Russie ou de satellites de l'ancienne URSS. Aucune de ces sources douteuses n'avait de nom – en tout cas, aucun qui soit vérifiable. Chaque message était un fragment, une petite pièce d'un puzzle plus vaste, qui, une fois assemblé, ne laissait planer aucun doute : Konstantin Kirov, agent du SVR, avait été assassiné de sang-froid par les services secrets israéliens, sur ordre direct de leur chef, Gabriel Allon, russophobe notoire.

Le Kremlin reprit la nouvelle à son compte à 15 heures, et à 16 heures la chaîne d'info russe Spoutnik rendit publique une prétendue photo d'Allon sortant d'un immeuble à proximité de la scène de crime, suivi par une silhouette elfique dont on avait flouté le visage. L'auteur de la photographie ne fut jamais clairement identifié. Spoutnik disait l'avoir obtenue de la Bundespolizei, qui le réfutait. Néanmoins, le mal était fait. Les experts invités en plateau à New York et à Londres, dont certains avaient eu le privilège de rencontrer Allon personnellement, admirent que l'homme sur la photo lui ressemblait beaucoup. Ce dont convint également le ministre de l'Intérieur autrichien.

Le gouvernement d'Israël se garda de toute déclaration publique, fidèle à sa tradition de non-implication dans les affaires du renseignement. Mais en début de soirée, sous la pression, le Premier ministre fit une exception et affirma, en son nom propre, qu'Israël n'avait rien à voir avec la mort de Kirov. Sa déclaration fut accueillie avec scepticisme, sans doute à juste titre. En outre, le fait que le démenti vienne du Premier ministre et non d'Allon lui-même n'arrangea pas les choses. Son silence, commenta un ancien espion américain, en disait long.

En l'occurrence, Gabriel aurait été bien incapable de tout commentaire : il se trouvait enfermé dans une pièce sécurisée au sous-sol de l'ambassade israélienne à Berlin, depuis laquelle il coordonnait le rapatriement de son équipe opérationnelle. À 20 heures, tous ses membres avaient regagné Tel-Aviv, et Christopher Keller était sain et sauf chez lui, à Londres. Gabriel quitta l'ambassade en toute discrétion et embarqua sur un vol El Al à destination de Tel-Aviv. Même l'équipage ne connaissait pas son identité. Pour la deuxième nuit consécutive, il ne dormit pas. L'image de Konstantin Kirov étendu dans la neige ne lui en laissait pas le loisir.

Il faisait encore nuit quand l'avion atterrit à Ben Gourion. Deux gardes du corps, qui l'attendaient à la descente de l'appareil, l'escortèrent à travers tout le terminal jusqu'à une porte discrète à gauche de la douane. Elle donnait accès à une pièce réservée aux membres du Bureau de retour de mission à l'étranger, dans laquelle flottait en permanence une odeur de tabac froid, de café brûlé et d'hormones masculines. Les murs étaient en faux calcaire de Jérusalem, et les fauteuils, mobiles, recouverts de vinyle noir. Uzi Navot occupait l'un d'eux sous une lumière crue. Il semblait avoir dormi dans son costume gris. La fatigue avait rougi ses yeux, derrière ses lunettes sans monture à la mode.

Lorsqu'il se leva, Navot jeta un coup d'œil à la grosse montre en argent que sa femme lui avait offerte à son précédent anniversaire. Il n'y avait sur son corps muscu-leux aucun vêtement ou accessoire qu'elle n'ait acheté ou choisi, y compris ses chaussures qui, de l'avis de Gabriel, étaient bien trop longues pour un homme de son âge et exerçant ce métier.

— Qu'est-ce que tu fais là, Uzi ? Il est 3 heures du matin.

— J'avais besoin d'un break.

— Un break de quoi ?

Navot sourit tristement et entraîna Gabriel dans un couloir à l'éclairage agressif. Au fond, une porte ouvrait sur une zone interdite au public, jouxtant le principal axe de circulation du terminal. Un cortège d'automobiles grondait sous la lumière jaune des réverbères. Navot se dirigea vers la portière arrière du SUV de Gabriel, avant de se raviser brusquement et de contourner le véhicule, côté conducteur. Prédécesseur direct de Gabriel au poste de chef du renseignement, Navot avait brisé la tradition du Bureau en choisissant de rester pour le seconder plutôt que d'accepter un emploi lucratif dans une société de sécurité en Californie, comme Bella le souhaitait. Nul doute qu'il regrettait sa décision.

— Au cas où tu te poserais la question, je ne l'ai pas tué, dit Gabriel tandis que le SUV s'insérait dans le trafic.

— Ne t'inquiète pas, je te crois.

— On dirait que tu es le seul. (Gabriel prit l'exemplaire de *Haaretz* sur le siège entre eux deux et lut sombrement les gros titres.) Quand les journaux de ton propre camp t'accusent, c'est que la situation est grave.

— Nous avons dit en off à la presse que nous n'avions rien à voir avec la mort de Kirov.

— Manifestement, ils ne vous ont pas crus, observa Gabriel en feuilletant les autres journaux.

Toutes les publications importantes, politisées ou non, qualifiaient les événements de Vienne d'« opération ratée » du Bureau et réclamaient une enquête officielle. *Haaretz*, plutôt à gauche, allait jusqu'à se demander si Gabriel Allon, talentueux agent de terrain, avait les qualités requises pour être chef. Les choses avaient bien changé, songea-t-il. Quelques mois plus tôt, il était le héros qui avait débarrassé le monde de Saladin, le cerveau de la terreur de Daech, et déjoué un attentat à la bombe sur Downing Street à Londres. Et maintenant, ça.

— Je dois admettre que la ressemblance est troublante, concéda Navot en examinant la photo de Gabriel en couverture de *Haaretz*. Et ce petit bonhomme derrière toi me rappelle quelqu'un.

— Il devait y avoir une équipe du SVR de l'autre côté de la rue. D'après l'angle de la photo, je dirais qu'ils étaient au deuxième étage.

— Troisième, disent les analystes.

— Ah oui ?

— Selon toute probabilité, les Russes avaient aussi une planque en face de l'entrée principale de l'immeuble. Peut-être un appartement.

— Ce qui signifie qu'ils savaient où Kirov se rendait.

Navot hocha lentement la tête.

— Tu as de la chance qu'ils n'en aient pas profité pour te tuer par la même occasion.

— Dommage qu'ils ne l'aient pas fait. La presse m'aurait mieux traité.

Ils approchaient de la sortie de l'aéroport. La voie de droite menait à Jérusalem et à la femme et aux enfants de Gabriel. Celle de gauche à Tel-Aviv et au Boulevard du Roi-Saül. Gabriel indiqua au chauffeur de prendre à gauche.

— Tu es sûr ? demanda Navot. Quelques heures de sommeil ne te feraient pas de mal.

— Pour qu'on écrive encore plus de saloperies sur mon compte ?

Navot composa la combinaison du verrou de son attaché-case en inox. Il en sortit une photographie qu'il tendit à Gabriel. Il s'agissait du cliché de l'assassin de Kirov pris par Mikhail. La vie n'avait pas tout à fait quitté les yeux du tueur ; il y restait une lumière infime. Le reste du visage était un désastre, mais pas à cause de l'accident. Il avait été étiré et suturé à tel point qu'il paraissait à peine encore humain.

— On dirait une rombière que j'ai rencontrée une fois dans une vente aux enchères, fit remarquer Gabriel. Vous l'avez comparé à la base de données ?

— Plusieurs fois. Ça n'a rien donné.

Gabriel lui rendit la photo.

— On peut se demander pourquoi un tueur de son calibre n'a pas éliminé la seule menace qui pesait sur sa vie.

— Mikhail ?

Gabriel opina lentement.

— Il lui a tiré quatre fois dessus, objecta Navot.

— Et quatre fois il l'a manqué. Même toi, tu ne l'aurais pas raté, à cette distance, Uzi.

— Tu penses qu'il avait des ordres en ce sens ?

— Absolument.

— Pourquoi ?

— Peut-être se sont-ils dit qu'un Israélien sur le carreau foutrait en l'air leur jolie petite histoire. Ou peut-être pour une autre raison. On ne sait jamais trop, avec les Russes.

— Pourquoi tuer Kirov à Vienne, pour commencer ? Pourquoi ne l'ont-ils pas saigné à Moscou avant de lui mettre une balle dans la nuque ?

Gabriel tapota la pile de journaux.

— Peut-être qu'ils voulaient en profiter pour me porter un coup fatal.

— Alors la solution est simple : il suffirait de faire savoir au monde entier que Kirov travaillait pour nous.

— Ça semblerait monté de toutes pièces. Et ça enverrait à tous nos atouts potentiels le message que nous sommes incapables de les protéger. Le prix à payer serait trop élevé.

— Alors qu'allons-nous faire ?

— Je vais commencer par chercher qui a donné aux Russes l'adresse de notre appartement refuge à Vienne.

— Au cas où tu te poserais la question, ce n'est pas moi.

— Ne t'inquiète pas, Uzi, je te crois.

7

Boulevard du Roi-Saül, Tel-Aviv

Transférer le quartier général du Bureau du Boulevard du Roi-Saül à un complexe flambant neuf au nord de Tel-Aviv, à Ramat HaSharon, avait été le souhait d'Uzi Navot durant la dernière année de son mandat. Mais tout le monde savait que l'idée venait de Bella. Elle n'avait jamais aimé les vieux locaux, même quand elle y travaillait en tant qu'analyste pour la Syrie, et les trouvait inadaptés aux ambitions de services secrets internationaux. Elle voulait un Langley ou un Vauxhall Cross israélien, un monument moderne à la gloire du renseignement de son pays. Elle avait elle-même approuvé les plans de l'architecte, fait pression sur le Premier ministre et la Knesset pour obtenir les fonds nécessaires, et même choisi l'emplacement – un terrain vague situé près de l'échangeur de Glilot, bordé d'un côté par un couloir high-tech, de l'autre par un centre commercial et un multiplexe baptisé « la Ville du Cinéma ».

Lorsqu'il avait été nommé à la tête du Bureau, l'une des premières mesures officielles de Gabriel avait été de prendre sa plus belle plume et de tirer un trait sur ces projets. En matière d'art comme de renseignement, il était de ceux qui pensent que les meilleures soupes se cuisinent dans les vieux pots. Et en aucun cas il n'aurait accepté de déménager le Bureau dans un lieu que les Israéliens avaient surnommé « le Carrefour de Glilot ».

« Comment diable s'appellerait-on ? avait-il demandé à Eli Lavon. Nous serions la risée des services secrets[1]. »

Le vieux bâtiment ne manquait ni de charme ni, plus important encore, d'histoire. Certes, il était d'une tristesse à mourir, mais il avait l'avantage de la discrétion, à l'image d'Eli Lavon. L'entrée n'affichait aucun étendard, aucun lettrage en cuivre proclamant l'identité de son occupant. En fait, rien ne suggérait qu'il abritait l'une des agences de renseignement les plus craintes et les plus respectées au monde.

Le bureau de Gabriel se situait au dernier étage, avec une vue sur la mer. Les murs étaient ornés de tableaux – quelques-uns, anonymes, de sa main, et d'autres de celle de sa mère –, et il y avait dans un coin un chevalet sur lequel les analystes posaient leurs photos et leurs diagrammes quand ils venaient le briefer. Navot avait emporté son grand bureau en verre dans ses nouveaux quartiers de l'autre côté du vestibule, mais il avait laissé derrière lui son grand mur vidéo qui diffusait une mosaïque des principales chaînes d'info mondiales. Quand Gabriel entra dans la pièce, plusieurs des écrans montraient des images de Vienne. L'un d'eux, celui de BBC World Service, affichait son visage. Il monta le volume et apprit que Jonathan Lancaster, le Premier ministre britannique, un homme qui devait sa place à Gabriel, se disait « profondément inquiet » des allégations qui pesaient sur l'implication des services secrets israéliens dans la mort de Konstantin Kirov.

Gabriel baissa le son et alla prendre une douche, se raser et enfiler des vêtements propres dans sa salle de bains privée. De retour dans son bureau, il trouva Yaakov Rossman, le chef des Forces spéciales, qui l'attendait. Sous la limaille de fer qui lui servait de cheveux, son

1. *Glilot* signifie « rouleaux » (de la Torah) en hébreu.

visage dur et grêlé était tourné vers l'écran de la BBC. Il tenait une petite enveloppe à la main.

— Lancaster… Je n'arrive pas à y croire.

— Il a ses raisons.

— Lesquelles ?

— Protéger son propre service de renseignement.

— Enfoirés de fourbes, jura Yaakov entre ses dents. On n'aurait jamais dû leur refiler les infos de Kirov.

Il posa l'enveloppe sur le bureau de Gabriel.

— Qu'est-ce que c'est ?

— Ma lettre de démission.

— Pourquoi démissionnerais-tu ?

— Parce que nous avons perdu Kirov.

— Et c'est ta faute ?

— Je ne crois pas, non.

Gabriel prit l'enveloppe et la passa dans sa déchiqueteuse.

— Quelqu'un d'autre songe à donner sa démission ?

— Rimona.

Rimona Stern dirigeait les Collectes, le service supervisant tous les agents du Bureau à l'étranger. Gabriel saisit le combiné de son téléphone interne et composa son numéro.

— Viens me voir. Et amène Yossi.

Quelques instants après qu'il eut raccroché, Rimona faisait une entrée fracassante dans son bureau.

Elle avait les cheveux ardoise, les hanches larges et un très mauvais caractère, qu'elle avait naturellement hérité de son oncle, Ari Shamron. Gabriel la connaissait depuis qu'elle était petite.

— Yaakov m'a dit que tu avais quelque chose pour moi, déclara-t-il.

— De quoi parles-tu ?

— Ta lettre de démission. Donne-la-moi.

— Je ne l'ai pas encore écrite.

— C'est inutile, je ne l'accepterai pas.

Gabriel jeta un coup d'œil à Yossi Gavish, appuyé dans l'encadrement de la porte. Ce grand gaillard dégarni aux allures détachées de gentleman-farmer était né dans le quartier de Golders Green à Londres et avait été diplômé d'Oxford avec mention avant d'immigrer en Israël. Il parlait toujours hébreu avec un accent anglais prononcé et recevait des livraisons régulières de thé d'une boutique de Piccadilly.

— Et toi, Yossi ? Tu envisages aussi de démissionner ?

— Pourquoi est-ce que je me ferais virer ? Je ne suis qu'un vulgaire analyste.

Gabriel laissa échapper un sourire. Yossi n'était pas que ça. Il supervisait l'ensemble des analystes, ce qui faisait de lui le chef du département Recherches, dans le jargon du Bureau. Le plus souvent, il ignorait la véritable identité des agents doubles haut placés, mais il faisait partie du petit cercle qui avait eu un accès illimité au dossier de Kirov.

— Je ne veux plus entendre parler de démission, c'est compris ? dit Gabriel. Et d'ailleurs, si quelqu'un ici risque de perdre son job, c'est moi.

— *Toi ?* fit Yossi.

— Tu n'as pas lu les journaux ? Tu n'as pas allumé ta télé ? (Gabriel désigna le mur vidéo du menton.) Ces chiens veulent ma peau.

— Ça passera.

— Peut-être, concéda Gabriel. Mais j'aimerais que vous augmentiez mes chances de survie.

— Comment ?

— En m'apportant le nom de celui qui a signé l'arrêt de mort de Kirov.

— Ce n'est pas moi, ironisa Yaakov.

— Content de le savoir. (Gabriel se tourna vers Rimona.) Et toi ? Est-ce que tu as vendu Kirov aux Russes ?

La jeune femme fronça les sourcils.

— C'est peut-être bien toi, Yossi. Tu m'as toujours fait l'effet d'un traître.

— Ne te fatigue pas, je ne suis qu'un vulgaire analyste.

— Alors retourne dans ton bureau, analyse, et rapporte-moi un nom.

— Ce n'est pas le genre de choses qui prend cinq minutes. Il va nous falloir un peu de temps.

— Bien sûr. (Gabriel se rassit à son bureau.) Vous avez soixante-douze heures.

Le reste de la journée passa avec la même lenteur que celle d'une chambre de torture ; elle sembla sans fin. Il y avait toujours une nouvelle question à laquelle Gabriel n'avait pas de réponse. Il se consola en essayant de réconforter les autres au cours de comités restreints, car, à la différence des quartiers généraux de la CIA ou du MI6, le Boulevard du Roi-Saül ne disposait pas de grand auditorium. C'était la volonté de Shamron. Selon lui, les espions ne devaient jamais se réunir sur leur lieu de travail, ni pour célébrer quoi que ce soit ni pour pleurer quiconque. Pas plus qu'il n'approuvait les discours de motivation à l'américaine. Les menaces qui pesaient sur Israël suffisaient à mobiliser les forces.

En fin d'après-midi, alors qu'une lumière vermillon inondait son bureau, Gabriel fut convoqué pour le soir par le Premier ministre. Il expédia quelques affaires courantes, fit le point sur deux opérations en cours et, à 20 h 30, il grimpa exténué dans son cortège de voitures, direction la rue Kaplan à Jérusalem. Comme tous les visiteurs du Premier ministre, il fut contraint de se séparer de son téléphone portable avant d'entrer. La pièce anti-écoute où il déposa l'appareil était surnommée « la ruche », et la zone sécurisée qui s'étendait au-delà, « l'aquarium ». Le Premier ministre salua Gabriel cordialement, mais avec une distance notable. Une enquête financière menaçait déjà de lui coûter son mandat, le plus long depuis David Ben Gourion. La dernière chose dont il avait besoin, c'était un scandale impliquant son agence de renseignement.

En règle générale, pour les briefings ou les discussions

privées, Gabriel et le Premier ministre s'installaient dans le confortable salon. Mais ce soir-là, l'homme d'État choisit de rester derrière son bureau, sous le portrait de Theodor Herzl, fondateur du mouvement sioniste au XIXᵉ siècle, qui devait conduire à la restauration de l'autorité juive sur une portion de la Palestine historique. Sous l'implacable regard de Herzl, Gabriel relata les faits tels qu'il les avait vécus. Le Premier ministre demeura impassible, aussi immobile que l'homme sur la photo au-dessus de son épaule.

— Savez-vous à quoi j'ai passé ma journée ? demanda-t-il quand Gabriel eut fini.

— Je ne peux que l'imaginer.

— À répondre à dix-huit de mes homologues étrangers qui m'ont appelé directement. Dix-huit ! Un record depuis la dernière guerre à Gaza. Et tous m'ont posé la même question. Comment avais-je pu être assez imprudent pour laisser mon fameux chef des services secrets buter un espion russe au cœur de Vienne ?

— Vous n'avez rien fait de tel. Pas plus que moi.

— C'est ce que j'ai tenté de leur expliquer. Pas un ne m'a cru.

— Je ne suis pas sûr que je vous aurais cru non plus, admit Gabriel.

— Même mon ami de la Maison-Blanche s'est montré sceptique, murmura le Premier ministre. Il a des ennuis encore plus graves que les miens, et ce n'est pas peu dire.

— Je suppose que Jonathan Lancaster vous a appelé.

Le Premier ministre fit non de la tête.

— Mais le chancelier autrichien m'a tenu la jambe pendant presque une heure. Il m'a dit avoir la preuve irréfutable que nous étions derrière le meurtre du Russe. Il m'a aussi demandé si nous voulions récupérer le corps de notre assassin.

— Est-ce qu'il s'est étendu sur cette prétendue preuve ?

— Non. Mais il n'avait pas l'air de bluffer. Il a clairement sous-entendu que des sanctions diplomatiques étaient à l'ordre du jour.

— À quel degré ?

— Des expulsions. Peut-être une rupture des relations diplomatiques. Qui sait ? Il se pourrait qu'ils émettent un ou deux mandats d'arrêt. (Le Premier ministre considéra Gabriel un instant.) Je ne veux pas perdre une ambassade en Europe de l'Ouest pour ça. Pas plus que mon chef du renseignement.

— Là-dessus, nous sommes parfaitement d'accord.

Le Premier ministre jeta un coup d'œil à une télévision allumée sans le son sur une chaîne d'info en continu.

— Vous avez réussi à me mettre sur la touche. C'est une sacrée prouesse.

— Croyez-moi, ce n'était pas mon intention.

— De nombreuses voix s'élèvent en faveur d'une enquête indépendante.

— Qui ne trouvera rien. Nous n'avons pas tué Konstantin Kirov.

— Les apparences sont contre vous. Une enquête nous sauverait la face.

— Nous pouvons nous en occuper nous-mêmes.

— Vraiment ?

Le Premier ministre avait l'air dubitatif.

— Nous découvrirons ce qui a mal tourné. Et si la responsabilité nous en incombe, nous prendrons les mesures appropriées.

— Vous commencez à parler comme un politicien.

— C'est censé être un compliment ?

— Pas du tout, répliqua le Premier ministre avec un sourire froid.

8

Rue Narkiss, Jérusalem

Chiara regardait rarement la télévision le soir. Élevée dans l'univers cloîtré du ghetto juif de Venise, éduquée à l'université de Padoue, elle se voyait comme une femme de l'Ancien Monde et méprisait les distractions modernes comme les smartphones, les réseaux sociaux et la télévision par fibre optique, capable de diffuser un millier de chaînes en haute définition à des prix inabordables. D'habitude, quand il rentrait, Gabriel la trouvait absorbée dans quelque volumineux traité d'histoire – elle venait de commencer une thèse sur l'Empire romain quand elle avait été recrutée par le Bureau –, ou plongée dans l'un des romans de littérature sérieuse qu'elle recevait par la poste d'un libraire de la *via* Condotti à Rome. Ces derniers temps, elle s'était aussi mise à lire des romans d'espionnage. Ils lui permettaient de garder un lien, si ténu et improbable soit-il, avec la vie qu'elle avait laissée derrière elle pour devenir mère.

Ce soir-là, cependant, quand Gabriel arriva sous bonne garde à leur appartement dans le quartier de Nachlaot à Jérusalem, sa femme était en train de regarder une chaîne d'information américaine. Un journaliste commentait, avec un scepticisme évident, le démenti d'Israël concernant les événements survenus à Vienne. Le chef des services secrets israéliens venait, disait-il, de quitter la rue Kaplan. Selon un conseiller à la sécurité nationale du Premier ministre, qui avait souhaité garder l'anonymat, la rencontre s'était déroulée aussi bien que possible.

— Y a-t-il un tant soit peu de vrai là-dedans ? s'enquit Chiara.

— J'ai bel et bien eu une réunion avec le Premier ministre. Mais c'est à peu près tout.

— Ça ne s'est pas bien passé ?

— Il ne m'a pas proposé de bouffe chinoise. Je l'ai pris comme un mauvais signe.

Chiara pointa la télécommande vers l'écran et l'éteignit. Elle portait un jean moulant qui mettait en valeur la longueur de ses jambes et un sweat-shirt crème sur lequel sa chevelure noire, rehaussée de mèches auburn et châtain, cascadait sans retenue. Ses yeux, d'un caramel taché d'or, considéraient Gabriel avec une compassion à peine dissimulée. Il ne pouvait qu'imaginer le tableau qu'il renvoyait. Le stress du terrain ne l'avait jamais mis en beauté. Sa première opération, Colère de Dieu, lui avait blanchi les tempes à l'âge de vingt-cinq ans. Les choses ne s'étaient pas arrangées, après ça.

— Où sont les enfants ? demanda-t-il.

— Ils sont sortis avec des copains. Ils m'ont dit de ne pas les attendre. (Elle leva un sourcil effronté.) L'appartement est tout à nous. Tu as peut-être envie de me traîner jusqu'au lit et de disposer de mon corps ?

Gabriel était cruellement tenté ; cela faisait longtemps qu'il n'avait pas fait l'amour avec sa belle et jeune épouse. Le temps leur manquait. Chiara avait deux enfants à élever, et Gabriel un pays à protéger. Ils se voyaient quelques minutes le matin et, s'ils avaient de la chance, une heure environ le soir, quand Gabriel rentrait du travail. Le Bureau mettait à sa disposition un appartement refuge à Tel-Aviv pour les nuits où les événements ne lui permettaient pas de faire la route jusqu'à Jérusalem. Il détestait cet appartement, qui lui rappelait sa vie d'avant Chiara.

Le Bureau les avait réunis, et à présent il conspirait pour les éloigner l'un de l'autre.

— Crois-tu possible que les enfants se soient glissés dans l'appart sans que tu t'en sois rendu compte ?

— Tout est possible. Va donc jeter un œil.

Gabriel gagna la chambre des enfants à pas de loup et y entra. Avant de partir pour Vienne, il avait échangé leurs lits à barreaux contre des lits normaux, ce qui leur laissait la possibilité de circuler librement dans l'appartement la nuit. Pour l'instant, cependant, ils dormaient à poings fermés sous une fresque de nuages de Titien, que Gabriel avait peinte après une confrontation sanglante avec les services secrets russes.

Il se pencha et déposa un baiser sur le front de Raphael. Le visage du garçon, éclairé par un rai de lumière filtrant par la porte entrouverte, ressemblait étonnamment à celui de Gabriel. La nature lui avait octroyé les mêmes yeux verts que son père. Irene, elle, avait hérité des traits de sa grand-mère paternelle, dont elle portait le prénom. Chiara était la grande perdante du brassage génétique. Cela changerait avec le temps, songea Gabriel. Une beauté comme celle de sa femme ne pourrait rester en retrait bien longtemps.

— *Abba*, c'est toi ?

Irene. Une explosion n'aurait pas réveillé son fils, mais sa fille avait comme lui-même le sommeil léger. Il se dit qu'elle ferait une parfaite espionne.

— Oui, mon cœur, chuchota-t-il. C'est moi.

— Reste avec moi.

Gabriel s'assit au bord de son lit.

— Caresse-moi le dos, ordonna-t-elle, et il posa doucement sa main sur le tissu chaud de son pyjama. Est-ce que tu as fait un bon voyage ?

— Non, répondit-il en toute honnêteté.

— Je t'ai vu à la télévision.

— Ah oui ?

— Tu avais l'air très sérieux.

— Où as-tu appris un tel mot ?

— Quel mot ?

— Sérieux.

— C'est *mama* qui l'a dit.

Tel était le langage de la maison Allon. Les enfants appelaient Gabriel *abba*, « père » en hébreu, et Chiara avait droit à *mama*. Ils apprenaient simultanément l'italien, l'hébreu et l'allemand. En conséquence de quoi, ils parlaient un sabir que seuls leurs parents comprenaient.

— Où es-tu allé, *abba* ?

— Nulle part qui t'intéresse.

— Tu dis toujours ça.

— C'est vrai ?

— Oui.

Ils n'avaient qu'une vague idée de la façon dont leur père gagnait sa vie. Ils savaient que son visage apparaissait parfois à la télévision, qu'on le reconnaissait dans les endroits publics, et qu'il était constamment entouré d'hommes armés. Tout comme eux.

— Tu as bien pris soin de ta mère en mon absence ?

— J'ai essayé, mais elle était triste.

— Ah bon ? Et pourquoi ?

— À cause de quelque chose qu'elle a vu à la télé.

— Sois gentille et rendors-toi.

— Je peux venir dormir avec *mama* et toi ?

— Absolument pas.

Malgré la fermeté de son ton, Irene pouffa. Cette maison était le seul endroit où personne ne suivait ses ordres. Il caressa le dos de la fillette encore quelques minutes, jusqu'à ce que sa respiration devienne plus lente et régulière. Puis il se leva discrètement et se dirigea vers la porte.

— *Abba* ?

— Oui, mon cœur ?

— Je peux avoir un dernier bisou ?

Il l'embrassa un nombre incalculable de fois. Il l'embrassa jusqu'à ce qu'elle le supplie joyeusement d'arrêter.

Dans la cuisine, Gabriel découvrit une grande casserole d'eau bouillant sur les plaques chauffantes. Chiara était en train de râper du parmesan avec l'adresse et la facilité qui la caractérisaient en toute chose, y compris l'éducation des enfants. Quand elle eut récolté la quantité de parmesan suffisante, elle recommença, cette fois avec un morceau de pecorino. Gabriel embrassa du regard les autres ingrédients présents sur le plan de travail. Du beurre, de l'huile d'olive, le grand moulin à poivre : tout ce qu'il fallait pour préparer un *cacio e pepe*. Ce simple plat de pâtes romain était l'un de ses favoris, surtout quand c'était Chiara qui le préparait.

— Tu sais, dit-il en la regardant travailler, il y a un type très sympa au marché Mahane Yehuda qui peut te les vendre toutes faites.

— Et pourquoi pas les acheter surgelées ? (Elle secoua la tête d'un air navré.) Le fromage doit être râpé ni trop fin ni trop gros, sans quoi le résultat est un désastre.

— Comme à Vienne, dit-il en fronçant les sourcils vers le petit poste de radio au bout du plan de travail.

Chiara sortit une poignée de spaghettis de l'eau, les goûta et versa le contenu de la casserole dans une passoire. Elle les agrémenta ensuite de beurre fondu, d'huile d'olive, de fromage râpé, de quelques cuillers d'eau de cuisson, et les assaisonna d'une quantité respectable de poivre. Ils mangèrent tous deux à la table de bistrot de la cuisine, le Babyphone entre eux et la télé diffusant silencieusement les nouvelles du monde dans leur dos. Quand Chiara lui proposa un verre de rouge toscan, Gabriel déclina ; seul le ciel savait ce que la nuit lui réservait. Elle se servit un petit verre et l'écouta lui raconter par le menu les événements de Vienne.

— Et maintenant ? demanda-t-elle.

— Nous menons une enquête, brève mais impitoyable, pour déterminer d'où vient la fuite.

— Qui connaissait l'adresse de l'appartement refuge ?

— Eli, Mikhail, les officiers Neviot, le gars d'Intendance et six hommes de la sécurité, y compris mes propres gardes du corps. Et Uzi, bien sûr.

— Tu n'as pas mentionné l'Anglais.

— Non ?

— Le voilà, ton suspect.

— Je ne veux pas influencer l'enquête dans un sens ou dans l'autre.

— Tu as passé trop de temps avec le Premier ministre.

— C'est un des risques de mon nouveau job.

Le regard de Chiara dériva vers la télévision.

— Pardonne-moi pour ce que je vais dire, mais Uzi doit secrètement jubiler. Il avait supervisé le recrutement de Kirov. Et maintenant il est mort.

— Uzi s'est montré très compatissant.

— Il n'a pas le choix. Mais essaie de voir les choses de son point de vue. Il a dirigé le Bureau avec compétence pendant six ans. Je n'ai pas dit avec brio, mais avec compétence. Et pour toute récompense, on l'a poussé vers la sortie pour te mettre à sa place.

Un silence resta suspendu entre eux, seulement brisé par la respiration des enfants dans le Babyphone.

— Tu étais adorable avec Irene, finit par intervenir Chiara. Elle était tellement excitée que tu rentres qu'elle ne voulait pas aller se coucher. Je dois dire que Raphael gère plutôt bien tes absences. C'est un petit garçon stoïque, comme son père a dû l'être à son âge. Mais tu manques terriblement à ta fille quand tu n'es pas là. (Elle fit une pause, puis ajouta :) Presque autant qu'à moi.

— Si cette affaire tourne au scandale, vous me verrez beaucoup plus souvent.

— Rien ne nous ferait plus plaisir. Mais le Premier ministre n'oserait jamais virer le grand Gabriel Allon. Tu es le personnage le plus populaire de notre pays.

— Le deuxième, corrigea-t-il, après cette actrice qui me bat à plate couture.

— Ne va pas croire les sondages, ils se trompent

toujours, plaisanta Chiara. Tu sais, Gabriel, il existe des choses bien pires que de se faire virer.

— Quoi, par exemple ?

— Se faire pulvériser le cerveau par un assassin russe. (Elle porta le verre de vin à ses lèvres.) Tu es sûr que tu n'en veux pas ? Il est tout à fait délicieux.

9

Boulevard du Roi-Saül, Tel-Aviv

En dépit des inquiétudes du Premier ministre, Gabriel confia l'enquête à Yossi Gavish et Rimona Stern, deux des agents expérimentés en qui il avait le plus confiance – et tous deux des amis proches. Ses raisons étaient d'ordre personnel. La dernière enquête indépendante du Bureau, menée à la suite d'une série d'opérations ratées à la fin des années 1990, avait hâté le retour d'Ari Shamron de sa retraite tourmentée. L'un de ses premiers actes officiels consista à rendre visite à Gabriel sur la côte ouest de la Cornouailles, où il s'était enfermé dans un cottage isolé, avec pour seule compagnie ses tableaux et son chagrin. Shamron, comme à son habitude, n'était pas venu les mains vides ; il avait apporté une opération, qui se révélerait être le premier pas de Gabriel sur le long chemin qui séparait son exil du bureau directorial du Boulevard du Roi-Saül. La morale de l'histoire, selon Gabriel du moins, était que les espions n'acceptaient des étrangers parmi eux qu'à leurs risques et périls.

La première tâche de Yossi et Rimona fut de se laver eux-mêmes de tout soupçon. Ce qu'ils firent en se soumettant chacun leur tour et tout à fait inutilement à un détecteur de mensonges. Test qu'ils passèrent haut la main. Ils eurent ensuite besoin de l'aide d'un autre analyste. Gabriel leur assigna à contrecœur Dina Sarid, une experte du terrorisme dont le bureau croulait déjà sous les affaires en cours, dont trois concernant Daech et tombant dans la catégorie « bombe à retardement ». Dina ne savait presque rien de Kirov ni de sa défection imminente. Cela n'empêcha pas Gabriel de la passer au détecteur de mensonge. Sans surprise, il ne révéla rien d'anormal. Pas plus qu'il n'incrimina Eli Lavon, Mikhail Abramov, Yaakov Rossman, l'équipe Neviot, les membres de la sécurité ou le membre d'Intendance.

La première phase de l'enquête, bouclée le lendemain à midi, arriva donc à des conclusions prévisibles. La fuite ne venait pas du personnel du Bureau. Les trois analystes ne relevèrent pas non plus de faute dans le déroulement de la mission elle-même. Tous les membres impliqués avaient déjà participé à des opérations bien plus complexes que cette banale exfiltration de transfuge. C'était, comme Yossi l'écrivit dans son rapport, « un jeu d'enfant, selon nos critères ». Il reconnaissait cependant des variables « connues et inconnues ». Et parmi ces dernières, la possibilité que la fuite provienne de nul autre que Konstantin Kirov lui-même.

— Comment ça ? l'interrogea Gabriel.

— Tu lui as envoyé au total quatre textos ce soir-là, c'est juste ?

— Tu les as, Yossi, tu sais que c'est exact.

— Le premier message disait à Kirov de quitter l'Inter-Continental et de se rendre à pied à la gare. Le deuxième, de monter à bord du dernier train pour Vienne. À son arrivée, tu lui as indiqué de prendre un taxi pour le Best Western. Mais une minute avant qu'il n'arrive là-bas, tu lui as envoyé l'adresse de l'appartement refuge.

— Je plaide coupable.

— Il se trouvait toujours dans le taxi, ce qui veut dire que Mikhail et Keller ne pouvaient pas le voir.

— Où veux-tu en venir ?

— Il a pu transférer le message.

— À qui ?

— Au Centre.

— Il aurait lui-même signé son arrêt de mort ?

— Peut-être pensait-il que les choses allaient tourner différemment.

— C'est-à-dire ?

— Que la cible n'était pas lui, par exemple.

— Qui, alors ?

Yossi haussa les épaules.

— Toi.

Ce qui déclencha la deuxième phase de l'enquête : un examen complet du recrutement, de la supervision et de la quantité phénoménale de renseignements fournis par Konstantin Kirov. Les trois analystes étudièrent rétrospectivement chacun des rapports du Russe. Ils n'y trouvèrent aucune preuve de duplicité. Kirov, conclurent-ils, était un oiseau rare. Malgré les circonstances de son recrutement forcé, ses informations valaient de l'or.

Mais le Bureau n'avait pas gardé ces dernières pour lui seul ; il avait partagé le gâteau avec les Américains et les Britanniques. Il y avait une trace de chaque mutualisation dans l'épais dossier de l'agent double : le type de matériel, la date, l'indispensable liste de distribution. Mais personne, ni à Washington ni à Londres, ne le connaissait autrement que sous le nom de code Heathcliff, et seule une poignée d'agents haut placés était au courant de son intention de passer à l'Ouest. Un seul agent du MI6 avait eu l'adresse de l'appartement refuge à l'avance. Il avait insisté pour l'avoir, car c'était selon lui le seul moyen d'assurer le transfert du défecteur jusqu'à l'aéroport international de Vienne, où un jet de type Falcon l'attendait pour l'emmener à Londres.

— On aurait demandé la même chose, fit remarquer Uzi Navot. Du reste, ce n'est pas parce qu'il avait l'information qu'il l'a donnée aux Russes.

— C'est juste, approuva Gabriel. Mais il faut bien commencer quelque part.

Navot porta à ses lèvres une délicate tasse en porcelaine

qui ne contenait que de l'eau chaude et une tranche de citron. Il y avait à côté de la soucoupe une assiette de bâtons de céleri artistiquement disposés pour les rendre plus appétissants. Manifestement, Bella n'était pas satisfaite du poids actuel de son mari, qui fluctuait autant que la Bourse d'un pays d'Amérique latine. Ce pauvre Uzi avait passé l'essentiel de cette dernière décennie au régime. La nourriture était son talon d'Achille, notamment celle, hypercalorique, d'Europe centrale et de l'Est.

— C'est toi qui vois, mais si j'étais à ta place, il me faudrait plus qu'un faisceau de présomptions pour porter une accusation contre un agent d'un service de renseignement allié. Il se trouve que je l'ai rencontré. Il ne m'a pas donné l'impression d'être un traître à son pays.

— Je suis sûr qu'Angleton a dit la même chose de Kim Philby.

Navot, avec un hochement de tête plein de sagesse, le lui concéda.

— Alors, comment comptes-tu procéder ?

— Je vais aller faire un tour à Londres et avoir une petite discussion avec nos alliés.

— Je peux me risquer à un pronostic ?

— Pourquoi pas ?

— Tes alliés vont rejeter catégoriquement tes conclusions, après quoi ils nous mettront sur le dos le fiasco de Vienne. C'est ainsi que les choses se passent dans ce genre de cas. Tout le monde ouvre son parapluie.

— Donc je devrais laisser tomber ? C'est ça que tu me dis ?

— Ce que je dis, c'est que s'engager dans cette voie sur la base de simples suppositions pourrait porter un sérieux préjudice à une relation précieuse.

— Toute relation entre nous et les Britanniques est suspendue jusqu'à nouvel ordre.

— Et moi qui craignais que tu ne commettes quelque imprudence… Ne scie pas la branche sur laquelle tu es assis, Gabriel, ajouta Navot d'une voix plus basse.

— Ma mère me le disait souvent. Je ne sais toujours pas ce que ça signifie.

— Ça signifie que tu ferais mieux de passer ce rapport à la déchiqueteuse.

— Hors de question.

— Dans ce cas, soupira Navot, tu devrais envoyer quelqu'un à Vienne glaner le maximum d'informations. Quelqu'un qui parle la langue comme s'il y était né. Quelqu'un qui dispose d'un ou deux contacts parmi les services de sécurité locaux. Qui sait ? Si cette personne s'y prend bien, elle arrivera peut-être à convaincre les Autrichiens que nous n'avons pas tué notre propre transfuge.

— Tu connais quelqu'un qui coche toutes ces cases ?

— Ça se pourrait.

Gabriel sourit.

— *Quitte à aller là-bas, profites-en pour déguster un bon Wiener Schnitzel*, Uzi. Je sais combien tu aimes la façon dont ils le préparent à Vienne.

— Sans parler de leur goulasch… (Navot passa une main absente sur sa panse rebondie.) Exactement ce qu'il me faut. Finies les rations punitives de Bella.

— Tu es sûr que ça ne te dérange pas ?

— Quelqu'un doit s'y coller. (Navot jeta un coup d'œil morose à l'assiette de céleri.) Alors autant que ça soit moi.

10

Wienerwald, Autriche

Uzi Navot passa une soirée tranquille avec Bella dans leur confortable maison de Petah Tikva, en banlieue de Tel-Aviv. Le lendemain, il se leva atrocement tôt pour prendre le vol El Al de 5 h 10 à destination de Varsovie, affectueusement baptisé au sein du Bureau « l'Occident Express ». Son baise-en-ville contenait de quoi changer deux fois de vêtements et trois fois d'identité. Sa voisine dans l'avion, une femme de trente-cinq ans de haute Galilée, ne le reconnut pas. Navot en fut à la fois soulagé et, s'il était honnête avec lui-même, profondément aigri. Il avait dirigé le Bureau sans faillir pendant six ans, et on l'avait déjà oublié. Il s'était résolu depuis longtemps à l'idée qu'on ne se souviendrait de lui qu'en tant qu'intérimaire, dont la tâche se serait résumée à chauffer la place pour l'élu. À peine un astérisque dans les livres d'histoire.

Il n'était pas un homme d'action comme Gabriel, il fallait l'admettre. Mais un excellent agent secret, au demeurant. Navot était un véritable espion, qui savait recruter et superviser des agents, et recueillir les secrets. Avant son ascension bureaucratique au Boulevard du Roi-Saül, l'Europe de l'Ouest était son terrain de jeu. Fort d'un talent naturel pour les langues, d'un charisme fatal et d'une petite fortune, il avait recruté un vaste réseau d'agents infiltrés au sein d'organisations terroristes, d'ambassades, de ministères des Affaires étrangères et de services de sécurité. Parmi lesquels un dénommé Werner Schwarz, que Navot appela ce soir-là de sa chambre d'hôtel à Prague. Werner ne semblait pas en être à son premier verre. L'alcool était l'antidote à son mariage malheureux.

— Je m'attendais à votre appel.

— Je déteste être prévisible.

— C'est problématique dans votre domaine d'activité, concéda Werner Schwarz. Je suppose que vous comptez vous rendre à Vienne.

— Demain, pour être exact.

— Il vaudrait mieux que ce soit après-demain.

— J'ai des contraintes de temps, Werner.

— On ne peut pas se voir à Vienne. Mon service est sur des charbons ardents.

— Le mien aussi.

— J'imagine. Pourquoi pas ce petit restaurant dans les bois du Wienerwald ? Vous voyez lequel, n'est-ce pas ?

— J'en garde un souvenir ému.

— Et avec qui aurai-je l'honneur de dîner ?

— Un certain monsieur Laffont.

Vincent Laffont était l'une des vieilles couvertures de Navot. Un écrivain voyageur d'origine bretonne qui trimballait sa vie dans sa valise.

— J'ai hâte de le revoir. Vincent a toujours été un de mes préférés, conclut Werner Schwarz avant de raccrocher.

Navot, comme à son habitude, arriva au restaurant avec une demi-heure d'avance, une boîte de chocolats de chez Demel, le célèbre pâtissier viennois, sous le bras. Il l'avait presque vidée sur le trajet, avant de la regarnir avec cinq mille euros en liquide. Le propriétaire de l'établissement, un petit homme taillé comme une poupée russe, se souvenait de lui. Et Navot, jouant le rôle de Vincent Laffont, le régala du récit de ses plus récents voyages avant d'aller s'installer dans un coin tranquille sous les poutres apparentes de la salle à manger. Il commanda une bouteille de grüner veltliner, soupçonnant que ce ne serait pas la dernière. Seules trois autres tables étaient prises, et leurs occupants arrivaient au dessert. L'endroit serait bientôt désert. Navot avait toujours privilégié un léger bruit de fond quand il se livrait à ces activités, mais Werner préférait trahir son pays sans témoins.

Il arriva sur le coup de 15 heures, vêtu d'un costume de ville et d'un pardessus. Il avait changé depuis la dernière fois que Navot l'avait vu, et pas en bien. Il avait pris quelques kilos et quelques cheveux blancs, et la couperose lui colorait les joues. Ses yeux s'allumèrent un instant lorsque son hôte remplit deux verres de vin, mais ils revinrent ensuite à leur morosité habituelle. Elle semblait lui peser en permanence sur les épaules. Navot l'avait tout de suite remarqué lors de ses parties de pêche à Vienne : prendre Werner dans ses filets n'avait nécessité qu'un peu d'argent et quelques conversations sur l'oreiller. Depuis son poste au BVT, la sécurité intérieure autrichienne, il avait tenu Navot informé de tout ce qui pouvait concerner l'État d'Israël. Mais Navot avait été contraint de renoncer à lui durant son mandat de directeur du Bureau. Durant plusieurs années, les seuls contacts qu'ils avaient eus s'étaient résumés à d'étranges cartes de vœux clandestines et aux dépôts de liquide sur le compte en banque suisse de Werner.

— Un petit quelque chose pour Lotte, dit Navot en tendant la boîte de chocolats à son agent.

— Vous n'auriez pas dû.

— C'est la moindre des choses. Je sais que vous êtes un homme occupé.

— Moi ? J'ai un poste haut placé, mais sans réelles responsabilités. Je participe à des réunions en comptant le temps qu'il me reste à tirer.

— Et combien vous en reste-t-il ?

— Environ deux ans.

74

— Nous ne vous oublierons pas, Werner. Vous nous avez été très utile.

L'Autrichien fit un geste de dénégation.

— Vous me prenez pour une poule que vous avez levée dans un bar ? Une fois que j'aurai pris ma retraite, c'est à peine si vous vous souviendrez de mon nom.

Navot ne prit pas la peine de le détromper.

— Et vous, monsieur Laffont ? Toujours dans la partie, à ce que je vois.

— Encore pour quelques rounds, au moins.

— Vos compatriotes ne vous ont pas épargné. Vous méritiez mieux.

— Je ne m'en suis pas si mal sorti.

— Seulement pour être écarté par Allon. (Werner prit un ton de conspirateur pour demander :) Est-ce qu'il pense réellement s'en sortir après avoir tué un agent du SVR au beau milieu de Vienne ?

— Nous n'avons rien à voir avec ça.

— Uzi, je vous en prie.

— Vous devez me croire, Werner. Ce n'était pas nous.

— Nous avons des preuves.

— Lesquelles ?

— Un des membres de votre équipe d'intervention. Le grand. Celui qui ressemble à un cadavre. Il a aidé Allon à régler ce petit problème au Stadttempel il y a quelques années, et Allon s'est montré assez bête pour le renvoyer à Vienne s'occuper du Russe. Vous n'auriez jamais commis une telle erreur, Uzi. Vous étiez toujours si prudent.

Navot ignora la flatterie.

— Nos agents étaient présents ce soir-là, admit-il, mais pas pour ce que vous croyez. Le Russe travaillait pour nous. Il était en train de faire défection quand il a été tué.

Werner Schwarz lâcha un sourire.

— Il vous a fallu combien de temps avec Allon pour inventer un truc pareil ?

— Vous n'avez pas vu le meurtre, n'est-ce pas, Werner ?

— Il n'y a pas de caméras au bout de cette rue ; raison pour laquelle vous l'avez choisie. La balistique estime sans doute possible que le motard et le tireur ne font qu'un. Mes condoléances, au fait, ajouta-t-il après un silence.

— Inutile. Il n'était pas des nôtres.

— Il vous attend sur une table d'autopsie à la morgue. Vous avez vraiment l'intention de le laisser là ?

— Son sort ne nous regarde en rien. Faites-en ce que vous voulez.

— Comptez sur nous.

Le restaurateur apparut et prit leur commande tandis que les occupants des autres tables se dirigeaient bruyamment vers la sortie. De l'autre côté des vitres de la salle à manger, la forêt viennoise commençait à s'assombrir. Ce moment d'accalmie était le préféré de Werner Schwarz. Navot remplit son verre de vin puis, sans transition, lâcha un nom.

Schwarz leva un sourcil.

— Eh bien, quoi ? demanda-t-il.

— Vous le connaissez ?

— Seulement de réputation.

— Et quelle est-elle ?

— Celle d'un agent compétent qui sert les intérêts de son pays, ici à Vienne, avec tout le professionnalisme et le dévouement requis.

— Ce qui signifie qu'il n'a aucune intention de s'en prendre au gouvernement autrichien ?

— Ni à mes concitoyens. Raison pour laquelle nous le laissons faire son travail sans intervenir, ajouta Werner Schwarz.

— Vous gardez un œil sur lui ?

— Quand nos moyens nous le permettent. Nous ne sommes qu'une petite agence.

— Et ?

— Il fait très bien son boulot. D'après mon expérience, c'est toujours le cas avec les types comme lui. La trahison semble leur venir naturellement.

— Aucune activité criminelle ? Aucune infraction ? Aucun vice ?

— Une aventure de temps à autre, admit l'Autrichien.

— Avec quelqu'un en particulier ?

— Il a fricoté avec la femme d'un agent consulaire américain il y a deux ans. Ça a fait scandale.

— Comment l'affaire s'est-elle terminée ?

— L'Américain a été muté à Copenhague, et sa femme renvoyée en Virginie.

— Autre chose ?

— Il a fait pas mal d'allers-retours à Berne ces temps-ci, ce qui est intéressant dans la mesure où Berne ne fait pas partie de son territoire.

— Vous pensez qu'il y a trouvé une nouvelle maîtresse ?

— Ou autre chose. Vous n'êtes pas sans savoir que notre autorité s'arrête à la frontière suisse. (Les hors-d'œuvre arrivèrent – terrine de foie de volaille pour Navot, magret de canard fumé pour Schwarz.) Puis-je vous demander pourquoi cet homme vous intéresse autant ?

— Travail de routine, rien de plus.

— Ça a un rapport avec le Russe ?

— Qu'est-ce qui vous le fait croire ?

— Le timing, rien d'autre.

— D'une pierre deux coups, fit Navot avec légèreté.

— Plus facile à dire qu'à faire. (L'Autrichien se tamponna les lèvres avec sa serviette amidonnée.) Ce qui nous ramène à l'homme étendu à la morgue. Combien de temps allez-vous prétendre qu'il n'est pas des vôtres ?

— Croyez-vous vraiment, demanda Navot d'un ton égal, que Gabriel Allon laisserait enterrer un Juif dans une tombe anonyme à Vienne ?

— Je vous accorde que ce n'est pas son style. Pas après ce qu'il a traversé dans cette ville. Mais l'homme en question n'est pas juif. En tout cas d'un point de vue ethnique.

— Comment le savez-vous ?

— En l'absence d'identification formelle, la Bundespolizei a fait faire des analyses ADN.

— Et ?

— Son génome ne contient pas le moindre marqueur ashkénaze, séfarade, arabe, maghrébin ou espagnol.

— Alors il était quoi ?

— Slave, à cent pour cent.

— Vous m'en direz tant, railla Navot.

11

Andalousie, Espagne

La villa se dressait au bord d'un grand rocher escarpé dans les collines d'Andalousie. La précarité de sa situation plaisait à la femme ; il lui semblait qu'elle pourrait perdre ses appuis à tout moment et s'effondrer. Certaines nuits, étendue dans son lit, elle s'imaginait sombrer dans l'abysse, avec ses souvenirs, ses livres et ses chats tourbillonnant autour d'elle. Elle se demandait combien de temps son corps sans vie resterait au fond de la vallée, enterré parmi les débris de son existence solitaire, avant qu'on la retrouve. Les autorités lui organiseraient-elles des funérailles décentes ? Préviendraient-elles son enfant ? Elle avait soigneusement caché des indices sur l'identité de l'enfant dans ses effets personnels, et dans les premières lignes de ses Mémoires. Elle n'avait à ce jour que onze pages, écrites au crayon à papier, et toutes maculées d'un anneau brun laissé par sa tasse de café. Elle avait cependant un titre – une victoire en soi, car il était toujours difficile d'en trouver un. Elle avait appelé son livre *L'infiltré*.

Elle jetait sur la somme de ses efforts, ces quelque onze pages, un regard moins amène, car elles ne décrivaient qu'un grand vide. C'était peut-être parce qu'elle était journaliste, ou du moins qu'elle avait prétendu l'être dans sa jeunesse, qu'elle n'arrivait pas à avancer. Écrire sur la vie des autres – le dictateur, le combattant de la liberté, le vendeur d'olives et d'épices du souk – lui avait toujours paru simple. Le sujet parlait, et les mots de son auteur lui-même s'appuyaient sur les faits à sa disposition – oui, *lui*-même, car à cette époque les femmes n'avaient pas de voix –, et plusieurs centaines de mots coulaient sur la page, avec, si elle avait de la chance, suffisamment de style et de pertinence pour qu'un lointain journal, à Londres, Paris ou New York, les lui achète pour une bouchée de pain. Mais écrire sur soi n'avait rien à voir. Cela revenait à essayer de se rappeler les détails d'un accident de voiture survenu la nuit. Elle en avait eu un, une fois, avec *lui*, dans les montagnes proches de Beyrouth. Il avait bu, comme toujours, mais contrairement à son habitude il s'était montré violent. Il avait de quoi être en colère : elle avait enfin pris son courage à deux mains et lui avait dit, pour le bébé. Elle se demandait encore aujourd'hui s'il n'avait pas essayé de la tuer. Il avait tué beaucoup de monde. Des centaines de personnes, en fait. Elle le savait, à présent. Mais pas à l'époque.

Elle travaillait, ou en donnait l'illusion, le matin, dans le petit recoin sombre sous l'escalier. Elle dormait moins, se levait plus tôt. Ce devait être une autre des conséquences désagréables du vieillissement. Ce matin-là, elle fut plus prolifique que d'habitude. Une page entière d'une prose élégante, avec à peine une correction ou une révision çà et là. Le premier chapitre était pourtant loin d'être terminé. Peut-être en ferait-elle un prologue ? Elle s'était toujours montrée très critique envers les prologues ; elle les voyait comme un artifice dont usaient les écrivains maladroits. Dans son cas précis, cependant, il avait toute sa place, car elle ne commençait pas son histoire au début mais au milieu, par un après-midi étouffant d'août 1974, où un certain camarade Lavrov – un pseudonyme – lui avait apporté une lettre de Moscou. Elle ne comportait ni le nom de son expéditeur ni la date à laquelle on l'avait écrite.

Mais elle savait qu'elle était de *lui*, le journaliste anglais qu'elle avait connu à Beyrouth. Sa prose l'avait trahi.

Il était 11 h 30 quand elle posa son crayon. Elle le savait parce que c'était le moment où la discrète alarme de sa montre Seiko sonnait l'heure de son médicament. Elle souffrait du cœur. Elle avala le comprimé amer avec les dernières gorgées de son café froid et mit le manuscrit sous clé – une expression bien prétentieuse, mais aucune autre ne lui vint – dans l'antique coffre victorien sous le secrétaire. L'étape suivante dans son emploi du temps bien rempli, son bain rituel, lui prit quarante minutes, suivies de trente autres pour s'habiller et se maquiller. Puis elle quitta la villa et prit le chemin du centre du village sous la lumière aveuglante de midi.

La petite agglomération, juchée en équilibre sur la crête de la dent minérale, était connue pour sa blancheur d'os séché. Cent quatorze pas le long du paseo la menèrent au nouvel hôtel, puis deux cent vingt-huit supplémentaires la conduisirent jusqu'à une parcelle plantée d'oliviers et de chênes nains en bordure du *centre-ville*, ainsi qu'elle s'y référait en son for intérieur, encore aujourd'hui, après toutes les années de son splendide exil. C'était un jeu auquel elle s'était amusée avec son enfant, longtemps auparavant, à Paris. Combien de pas de la cour à la rue ? Combien pour traverser le pont de la Concorde ? Combien pour qu'un enfant de dix ans disparaisse du champ de vision de sa mère ? Vingt-neuf, très exactement.

Un tagueur avait profané la première habitation d'une obscénité en espagnol. Le résultat, touche de couleur bienvenue qui faisait comme un coussin décoratif, brisait la monotonie blanche de ces morceaux de sucre alignés. Elle gagna la *calle* San Juan, tout en haut du village, par un chemin détourné. Les commerçants lui jetaient des regards dédaigneux à son passage. Aucun des nombreux noms dont ils l'affublaient n'était flatteur. On l'appelait *la loca*, la folle, ou *la roja*, en référence à sa couleur politique, qu'elle n'avait jamais pris la peine de cacher, en dépit des instructions du camarade Lavrov. Dans le village, rares étaient les boutiques où elle n'avait pas eu d'altercation, et toujours pour des questions d'argent. Ces commerçants lui apparaissaient comme des vautours capitalistes, et eux la voyaient, à juste titre, comme une communiste et une agitatrice. Pire, elle n'était pas d'ici.

Le café où elle avait ses habitudes le midi était presque tout en haut du village, sur une place hexagonale marquée d'un joli lampadaire en son centre et bordée à l'est par une église aux murs ocres – autre tache dans l'uniformité ivoirine. L'établissement lui-même faisait l'éloge du pragmatisme : tables et chaises en plastique, nappes en toile cirée curieusement ornée d'un motif écossais. Mais trois charmants orangers lourds de fruits ombrageaient la terrasse. Le serveur était un jeune Marocain originaire de quelque trou perdu dans le Rif. Pour ce qu'elle en savait, il soutenait peut-être Daech et entendait lui trancher la gorge à la première occasion, mais il comptait parmi les rares villageois à lui parler aimablement. Elle s'adressait à lui en arabe, l'arabe guindé et académique qu'elle avait appris au Liban, et il lui répondait dans le dialecte d'Afrique du Nord. Il lui servait de généreuses portions de jambon et de sherry, bien qu'il désapprouve les deux.

— Avez-vous vu les nouvelles de Palestine, aujourd'hui ? demanda-t-il en déposant une tortilla devant elle. Les sionistes ont fermé le mont du Temple.

— Quel outrage. Si ces imbéciles ne le rouvrent pas très vite, la ruine s'abattra sur eux.

— Inch'Allah.

— Inch'Allah, acquiesça-t-elle en sirotant une gorgée de pâle manzanilla.

Quand elle eut bu son café, elle griffonna quelques notes dans son carnet Moleskine, des souvenirs de ce lointain après-midi d'août à Paris, des impressions, qu'elle s'appliqua à ne pas altérer par les informations dont elle avait désormais connaissance afin de s'imprégner du moment, et d'en imprégner le lecteur, sans le biais du temps. Quand arriva l'addition, elle laissa deux fois la somme demandée et quitta le café. Pour une raison inconnue, l'église l'attirait. Elle en grimpa les marches – au nombre de quatre – et tira la lourde porte en bois clouté. Une bouffée d'air frais l'accueillit. Elle tendit instinctivement la main vers les fonts baptismaux et plongea le bout des doigts dans l'eau bénite, mais elle interrompit son geste avant de se signer. La terre, elle n'en doutait pas, se mettrait à trembler et le voile du Temple se déchirerait en deux.

La nef déserte était plongée dans une semi-pénombre. Elle s'avança d'un pas hésitant dans l'allée centrale et respira les senteurs familières de l'encens, des bougies et de la cire d'abeille. Elle avait toujours adoré l'odeur des églises, même si elle pensait que tout le reste était bon à jeter. Dieu, sur son instrument de torture romain, ne lui parla pas plus que d'habitude et ne lui procura nulle extase, mais contre toute attente, la statue de la Vierge à l'Enfant, éclairée par des bougies votives, l'émut aux larmes.

Elle glissa quelques pièces dans le tronc et sortit d'un pas incertain à la lumière du jour. Le temps s'était refroidi d'un coup, comme souvent dans les montagnes andalouses en hiver. Elle gagna rapidement le bas du village, en comptant ses pas et en se demandant pourquoi, à son âge, il lui était plus difficile de descendre que de monter. La supérette El Castillo s'était réveillée de sa sieste. Elle prit quelques articles pour son dîner sur les étagères bien ordonnées et les emporta dans un sac plastique. Elle retraversa la parcelle plantée d'oliviers et de chênes nains, repassa devant le nouvel hôtel et réintégra enfin la prison de sa villa.

Le froid la suivit à l'intérieur comme un animal errant. Elle alluma un feu dans l'âtre et se servit un whisky pour se réchauffer les os. L'arôme fumé et tourbé la fit involontairement penser à *lui*. Ses baisers avaient toujours le goût du whisky.

Elle emporta le verre dans son recoin sous l'escalier. Au-dessus du secrétaire se dressait une unique étagère de livres. Ses yeux parcoururent les dos effacés et craquelés de gauche à droite. Knightley, Seale, Boyle, Wright, Brown, Modine, Macintyre, Beeston… Il y avait aussi une édition de poche de sa fausse autobiographie. Son nom n'apparaissait dans aucun des volumes. C'était son secret le mieux gardé. Non, s'avisa-t-elle subitement, le deuxième seulement.

Elle ouvrit le coffre victorien et en retira un album relié de cuir, si vieux qu'il ne sentait plus que la poussière. Ses pages contenaient la maigre ration de photographies, de coupures de presse et de lettres que le camarade Lavrov l'avait autorisée à conserver lorsqu'elle avait quitté son appartement parisien – et quelques autres qu'elle avait réussi à garder sans qu'il s'en aperçoive. Il ne lui restait que huit clichés jaunis de son enfant, dont le dernier avait été pris en cachette sur Jesus Lane, à Cambridge. Il y en avait beaucoup d'autres de *lui*. Les longs déjeuners arrosés au Saint-Georges et au Normandie, les pique-niques dans les collines, les après-midi ivres dans le bungalow sur la plage de Khalde. Et puis il y avait les photos qu'elle avait prises dans l'intimité de leur domicile, quand il avait baissé la garde. Elle ne s'était jamais rendue dans son grand appartement de la rue Kantari, c'était toujours lui qui venait chez elle. Eleanor ne les avait jamais surpris. Elle supposait que la duplicité leur venait naturellement, à elle comme à *lui*. Et à leur progéniture.

Elle rangea l'album dans le coffre et passa au salon, où elle alluma son vieux poste de télévision. Le journal du soir venait de commencer sur la 1. Après quelques minutes du flot habituel – une grève ouvrière, une émeute lors d'un match de football, de nouveaux troubles en Catalogne –, il y eut un sujet évoquant l'assassinat d'un espion russe à Vienne et les allégations qui pesaient sur le chef des services secrets israéliens. Elle haïssait cet homme, son existence même lui était odieuse. Mais, à cet instant, elle fut prise d'un petit élan de compassion. Pauvre fou, songea-t-elle. Il n'avait pas la moindre idée de ce à quoi il s'attaquait.

12

Belgravia, Londres

Le protocole imposait à Gabriel de prévenir « C », le directeur général des services secrets britanniques, de son intention de se rendre à Londres. Un comité de réception l'attendrait à la descente de l'avion à Heathrow, l'accompagnerait pour les formalités de douane et l'emmènerait à Vauxhall Cross dans un cortège de voitures digne d'un Premier ministre, d'un président ou de tout autre potentat de quelque empire perdu. Tout ce que Londres comptait officiellement et officieusement de gens importants serait au courant de sa venue. En clair, ce serait un désastre.

Voilà pourquoi Gabriel s'envola avec un faux passeport pour Paris, d'où l'Eurostar de midi le déposa à Londres en toute discrétion. Il avait choisi de séjourner au Grand Hotel Berkshire sur West Cromwell Road, où il paya deux nuits d'avance en liquide – c'était ce genre d'endroit – et grimpa l'escalier jusqu'à sa chambre car l'ascenseur était en panne. C'était aussi ce genre d'endroit.

Il accrocha le panonceau NE PAS DÉRANGER à la poignée de la porte et mit la chaîne, avant de décrocher le combiné du téléphone de la chambre. Ça sentait l'après-rasage du précédent occupant. Il savait que l'appel serait écouté par le GCHQ, le service de renseignement électronique, et sans doute aussi par la NSA, qui tous deux connaissaient le son de sa voix dans plusieurs langues.

Il posa le combiné et ouvrit une application de synthèse vocale sur son téléphone portable. Après avoir tapé le message et sélectionné la langue dans laquelle il voulait qu'il soit lu, il décrocha de nouveau le combiné odorant et composa le numéro.

Une voix masculine lui répondit, froide et distante, manifestement agacée par cette interruption inopinée. Gabriel tint le haut-parleur de son téléphone à hauteur du micro du combiné et appuya sur l'icône LECTURE. La voix automatique du logiciel massacra la prononciation, mais le message restait compréhensible. Il voulait s'entretenir avec « C » en privé, loin de Vauxhall Cross et sans que quiconque au sein du MI6 le sache. On pouvait le joindre au Grand Hotel Berkshire, chambre 304. Il n'eut pas longtemps à attendre.

Quand la voix synthétique arriva au terme du message, Gabriel raccrocha et observa par la fenêtre le dense trafic de l'heure de pointe. Vingt minutes s'écoulèrent avant que le téléphone de la chambre ne sonne. La voix qui s'adressa à Gabriel était humaine.

— 56, Eaton Square, 19 heures. Tenue décontractée.

Puis il y eut un clic, et la communication fut terminée.

Gabriel s'était attendu à ce qu'on l'envoie dans l'un des tristes bâtiments sécurisés du MI6 comme Stockwell, Stepney ou Maida Vale, aussi fut-il surpris de se retrouver dans le quartier chic de Belgravia. L'adresse était celle d'un grand hôtel particulier qui dominait le quart sud-ouest du square. La bâtisse, identique à toutes ses voisines de la rue, était revêtue de stuc au rez-de-chaussée, alors que les trois étages supérieurs étaient en briques brunes. Une lanterne suspendue brillait entre les piliers du portique. Lorsque Gabriel appuya sur le bouton de la sonnette, un carillon claironna à l'intérieur. En attendant qu'on lui ouvre, il examina les autres maisons bordant le square. Quasiment toutes étaient plongées dans la pénombre, signe que les adresses les plus convoitées de la capitale britannique appartenaient pour la plupart à de riches propriétaires arabes, chinois et, bien sûr, russes.

Des pas – claquements secs de talons hauts sur le marbre – se firent enfin entendre. Puis la porte s'ouvrit sur une grande femme d'une soixantaine d'années vêtue d'un pantalon noir de coupe moderne et d'une veste dont le motif rappelait la palette de Gabriel après une longue journée de travail. Sa propriétaire avait résisté aux sirènes de la chirurgie esthétique et des injections de collagène, préservant une beauté digne et élégante. La main qui ne tenait pas la poignée de la porte était refermée autour d'un verre de vin blanc. Gabriel sourit. La soirée s'annonçait intéressante.

La femme lui rendit son sourire.

— Mon Dieu, c'est vraiment vous.

— Je le crains.

— Dépêchez-vous d'entrer avant que quelqu'un ne vous prenne en photo ou tente de vous faire exploser. Je m'appelle Helen. Helen Seymour, ajouta-t-elle tandis que la porte se refermait avec un bruit mat. Graham a sûrement déjà mentionné mon existence.

— Il n'arrête pas de parler de vous.

— Il m'a prévenue de me méfier de votre sens de l'humour, fit-elle avec une moue.

— Je m'efforcerai de le garder pour moi.

— N'en faites rien, je vous en prie. Nos autres amis sont tous tellement rasoir. (Elle lui fit traverser un vestibule au carrelage en damier, et ils arrivèrent dans une grande cuisine où régnait une merveilleuse odeur de poulet, de riz et de safran.) Je prépare une paella. Graham m'a dit que ça ne vous poserait pas de problème.

— Je vous demande pardon ?

— Le chorizo et les fruits de mer, expliqua-t-elle. Il m'a assuré que vous ne mangiez pas casher.

— En effet, bien que j'évite en général les viandes interdites.

— Vous pourrez les mettre de côté. C'est ce que font en général les Arabes, quand je leur en sers.

— Ça arrive souvent ? s'enquit Gabriel.

Helen Seymour leva les yeux au ciel.

— Quelqu'un en particulier ?

— Le Jordanien vient de partir. Celui qui porte des costumes de Savile Row et qui parle un anglais parfait.

— Fareed Barakat.

— Il a beaucoup d'estime pour lui-même. Et pour vous également, ajouta-t-elle.

— Nous sommes dans le même camp, Fareed et moi.

— De quel camp parlez-vous ?

— Celui de la stabilité.

— Une telle chose n'existe pas, mon cher. Plus maintenant.

Gabriel tendit à son hôtesse la bouteille de sancerre blanc qu'il venait d'acheter au Sainsbury de Berkeley Street. Elle la mit à refroidir au freezer.

— J'ai vu votre photo dans le *Times* l'autre jour. Ou était-ce le *Telegraph* ?

— Les deux, j'en ai peur.

— Vous n'y étiez pas à votre avantage. Tenez, ça ne pourra pas vous faire de mal, fit-elle en lui servant un grand verre d'albariño. Graham vous attend là-haut. Il a précisé que vous aviez des choses à vous dire avant de passer à table. Je suppose que ça concerne Vienne. Je ne suis pas autorisée à le savoir.

— Estimez-vous heureuse.

Gabriel rejoignit le premier étage par le grand escalier. De la lumière s'échappait d'un imposant bureau-bibliothèque où Graham Seymour, successeur de Cummings, Menzies, White et Oldfield, l'attendait dans un splendide isolement. Il portait un costume anthracite à rayures et une cravate gris étain assortie à son abondante chevelure bouclée. Sa main droite était refermée sur un verre en cristal rempli d'un liquide clair. Il ne quittait pas des yeux un écran de télévision, sur lequel son Premier ministre répondait à un journaliste à propos du Brexit. Gabriel accueillit avec soulagement ce changement de sujet.

— Tu diras à Lancaster que je lui suis infiniment reconnaissant de son soutien inconditionnel après les événements de Vienne. Qu'il n'hésite pas à m'appeler, s'il veut que je lui renvoie l'ascenseur.

— Ne lui en veux pas, répliqua Seymour. Ce n'était pas son idée.

— Et qui donc l'a eue ?

— Moi.

— Pourquoi ne pas l'avoir fermée ? Pourquoi m'avoir jeté en pâture ?

— Parce que toi et ton équipe avez merdé, et que je ne voulais pas que ça retombe sur mon service ou sur le Premier ministre. (Seymour jeta un regard désapprobateur au verre de Gabriel, avant de gagner la desserte pour refaire le niveau du sien.) Puis-je te proposer quelque chose de plus fort ?

— Un acétone on the rocks, je vous prie.

— Olive ou citron ? demanda Seymour avec un sourire qui mit temporairement fin aux hostilités. Tu aurais dû me dire que tu venais me voir. Tu as eu de la chance de me trouver. Je m'envole pour Washington demain matin.

— Les cerisiers ne seront pas en fleur avant au moins trois mois.

— Dieu merci.

— Qu'as-tu prévu ?

— Une réunion de routine à Langley pour faire le point sur nos opérations conjointes et définir nos priorités futures.

— Mon invitation a dû se perdre dans le courrier.

— Tu n'es pas informé de tous nos faits et gestes. C'est ainsi que les choses se passent en famille.

— Famille éloignée, piqua Gabriel.

— Et qui s'éloigne un peu plus chaque jour.

— Ce n'est pas la première fois que les alliances sont mises à rude épreuve.

— Cette fois, c'est différent. Nous nous trouvons face à la possibilité d'un effondrement de l'ordre international. Celui-là même, ajouterais-je, qui a donné naissance à ton pays.

— Nous pouvons nous en sortir tout seuls.

— Vraiment ? demanda Seymour avec le plus grand sérieux. Et pendant combien de temps ? Contre combien d'ennemis à la fois ?

— Revenons à des sujets plus plaisants. (Gabriel marqua une pause, avant d'ajouter :) Comme Vienne.

— C'était une opération d'une simplicité enfantine, dit Seymour au bout d'un certain temps. Sortir l'agent de l'ombre, lui dire un mot en privé, le mettre dans l'avion pour sa nouvelle vie. On fait ça tout le temps.

— Nous aussi, répliqua Gabriel. Mais le fait que notre agent se soit fait griller avant même d'avoir quitté Moscou a compliqué la mission.

— *Notre* agent, corrigea Seymour. C'est nous qui avons accepté de lui accorder l'asile.

— Raison pour laquelle il est maintenant mort, rétorqua Gabriel.

Seymour serra son verre à s'en faire blanchir les jointures.

— Attention, Graham, tu serais capable de le casser.

Ce dernier reposa le verre sur la desserte.

— Admettons, dit-il posément, que les preuves dont nous disposons suggèrent que la couverture de Kirov ait été grillée.

— Continue.

— Mais admets aussi qu'il était de votre responsabilité de l'amener en lieu sûr, quelles qu'aient été les circonstances. Vous auriez dû repérer l'équipe de surveillance du SVR à Vienne et faire signe à Kirov de ne pas s'arrêter.

— Nous n'aurions pas pu la repérer, Graham, car il n'y en avait aucune. Ça n'était pas nécessaire. Ils savaient où Kirov se rendait, comme ils savaient que je l'attendais là-bas. C'est ainsi qu'ils ont eu cette photo de moi quittant l'immeuble, et qu'ils ont pu organiser toute cette cabale médiatique pour donner l'impression que nous étions derrière le meurtre de Kirov.

— D'où vient la fuite ?

— Pas de chez nous. Donc de chez vous.

— J'ai un espion russe dans mes rangs ? C'est ce que tu es en train de dire ?

Gabriel gagna la fenêtre et contempla les façades aveugles de l'autre côté du square.

— Que dirais-tu de mettre un disque de Harry James sur le gramophone et de pousser le volume au maximum ?

— J'ai une meilleure idée, dit Seymour en se levant. Viens avec moi.

13

Eaton Square, Londres

La porte d'apparence ordinaire était en réalité montée dans un cadre en acier renforcé. Graham Seymour la déverrouilla en composant un code sur le clavier numérique encastré dans le mur. Elle ouvrait sur une pièce exiguë, dont le sol était rehaussé de plusieurs centimètres par rapport au plancher de la maison. Elle contenait deux fauteuils, un téléphone et un écran destiné aux visioconférences.

— Une salle de réunion privée sécurisée, commenta Gabriel. On n'arrête pas le progrès.

Seymour prit place dans l'un des fauteuils et fit signe à Gabriel de s'asseoir dans l'autre. Leurs genoux se touchaient, comme deux voyageurs partageant le même carré dans un train. La lumière des plafonniers déformait les traits par ailleurs harmonieux de Seymour. Gabriel avait l'impression de rencontrer cet homme pour la première fois.

— C'est plutôt commode, n'est-ce pas ? Et tout à fait prévisible.

— Que veux-tu dire ? s'enquit Gabriel.

— Tu te cherches un bouc émissaire pour expliquer ton échec.

— À ta place j'éviterais d'employer un tel vocabulaire. Ça rend les gens comme moi un peu nerveux.

Seymour parvint à conserver son impassibilité toute britannique.

— Ne t'avise pas de jouer sur les mots. Nous nous connaissons depuis trop longtemps.

— C'est vrai. Et c'est pourquoi j'ai pensé que tu serais content de savoir que votre chef de poste à Vienne est un espion russe.

— Alistair Hughes ? C'est un officier irréprochable.

— Je suis sûr que ses supérieurs à Moscou seraient d'accord avec toi. (La ventilation se mit à souffler bruyamment un air glacé.) Vas-tu au moins écouter ce que j'ai à te dire ?

— Non.

— Dans ce cas, je n'ai d'autre choix que de suspendre nos relations.

Seymour se contenta de sourire.

— Tu n'es pas très doué pour le poker, n'est-ce pas ?

— Je n'ai jamais eu beaucoup de temps pour ces frivolités.

— Tu joues encore sur les mots.

— Notre relation s'apparente à un mariage, Graham. Elle est fondée sur la confiance.

— De mon point de vue, la plupart des mariages reposent sur l'argent ou la peur d'être seul. Si nous divorçons, vous n'aurez plus un ami au monde.

— Je ne peux pas traiter avec toi ni partager d'informations si ton chef de poste à Vienne travaille pour les Russes. Et je suis sûr que les Américains seraient d'accord avec moi.

— Tu n'oserais pas.

— Je vais me gêner. En fait, je pense que je vais en parler à mon ami Morris Payne avant votre petite réunion de demain. (Payne dirigeait la CIA.) Ça devrait considérablement pimenter les choses.

Seymour ne répondit pas.

Gabriel jeta un coup d'œil à l'objectif de la caméra surmontant l'écran.

— Ce truc est éteint, n'est-ce pas ?

L'Anglais acquiesça.

— Et personne ne sait que nous sommes ici ?

— Personne à part Helen. Elle l'adore, au fait.

— Qui donc ?

— Alistair Hughes. Elle le trouve sexy.

— Tout comme la femme de ce diplomate américain qui travaillait à Vienne.

Les yeux de Seymour se réduisirent à des fentes.

— Comment es-tu au courant ?

— Mon petit doigt me l'a dit. Il m'a dit aussi qu'Alistair Hughes avait demandé l'adresse de l'appartement refuge où j'avais l'intention de débriefer Kirov.

— C'est Londres qui voulait l'adresse, pas Alistair.

— Pourquoi ?

— Parce qu'il était de notre responsabilité d'exfiltrer Kirov de Vienne en toute sécurité et de le mettre dans un avion. C'est un peu plus compliqué que de commander un Uber, il ne suffit pas d'appuyer sur le bouton au dernier moment. Nous devions prévoir un trajet et mettre en place un plan de secours au cas où les Russes interviendraient. Voilà pourquoi nous avions besoin de l'adresse.

— Combien de personnes la connaissaient ?

— À Londres ? (Seymour leva les yeux au plafond.) Huit ou neuf. Et six ou sept de plus en Autriche.

— En gros, il n'y avait que les Petits Chanteurs de Vienne qui n'étaient pas au courant… (Devant le silence de son interlocuteur, Gabriel poursuivit :) Jusqu'à quel point les Américains étaient-ils au courant ?

— Notre cheffe de poste à Washington les a informés que Heathcliff faisait défection et que nous lui avions accordé le statut de transfuge. En revanche, elle ne leur a fourni aucun détail confidentiel au sujet de l'opération.

— Pas l'adresse ?

— Juste la ville.

— Savaient-ils que je serais là ?

— C'est possible. (Seymour prit une pose à la fois

pensive et pleine d'ironie.) Pardon, mais je suis un peu perdu. Qui accuses-tu d'avoir vendu l'information aux Russes au juste, nous ou les Américains ?

— J'accuse le sexy Alistair Hughes.

— Et les quatorze autres agents du MI6 qui avaient connaissance de l'adresse ? Comment sais-tu que ce n'était pas l'un d'eux ?

— Nous sommes tous les deux assis dans cette pièce, Graham. Tu m'as amené ici parce que tu crains que je puisse avoir raison.

14

Eaton Square, Londres

Graham Seymour demeura un long moment dans un silence contemplatif, les yeux dans le vague, comme s'il regardait le paysage défiler derrière les fenêtres d'un train imaginaire. Il finit par lâcher un nom, un nom russe, d'une voix si basse que, avec le vacarme de la ventilation, Gabriel eut du mal à l'entendre.

— Gribkov, répéta Seymour. Vladimir Vladimirovitch Gribkov. On l'appelle Vévé pour aller vite. Il se faisait passer pour un attaché de presse de la mission diplomatique russe à New York. Assez mal, je dois dire. En réalité, c'était un agent du SVR chargé de repérer les espions à l'ONU. Moscou possède une gigantesque *rezidentura* à New York. Notre poste est beaucoup plus petit, et le vôtre davantage encore. Réduite à un seul homme. Nous connaissons son identité, d'ailleurs. Et les Américains aussi...

Mais là n'était pas la question, ajouta Seymour. Pour en revenir à Vladimir Vladimirovitch Gribkov, il avait approché un officier du MI6 lors d'un ennuyeux cocktail diplomatique dans un hôtel huppé de Manhattan, et demandé à s'entretenir avec lui d'un sujet hautement sensible. L'officier en question (dont Seymour tut le nom) signala comme il se doit cette prise de contact à ses supérieurs à Londres.

— Car, comme le savent tous les officiers de terrain du MI6, une conversation non autorisée à cœur ouvert avec un barbouze russe est le chemin le plus direct pour enterrer sa carrière.

Mais Londres donna sa bénédiction officielle et, trois semaines après le premier contact – assez longtemps, commenta Seymour, pour que Gribkov ait pu changer d'avis –, les deux hommes convinrent d'un rendez-vous à Long Island.

— La rencontre se produisit en réalité sur Shelter Island, une plus petite île au large. Aucun pont ne la relie au continent, il faut prendre un ferry. La majorité de sa surface est occupée par une réserve naturelle sillonnée de sentiers pédestres où l'on ne croise jamais personne. En clair, le lieu idéal pour un entretien entre un officier du SIS et un Russe désireux de trahir son pays.

Gribkov ne s'embarrassa guère de préliminaires ou de mondanités professionnelles. Il se déclara déçu du SVR et de la Russie sous le règne du Tsar. Il voulait passer en Angleterre avec sa femme et ses deux enfants, qui vivaient avec lui à New York, dans le quartier diplomatique russe du Bronx. Il se prétendit en mesure de fournir au MI6 une mine d'informations, dont une qui ferait de lui le transfuge le plus précieux de l'histoire, et en échange de laquelle il demandait une compensation substantielle.

— Combien ? demanda Gabriel.

— Dix millions de livres sterling et une maison dans la campagne anglaise.

— Rien que ça, commenta Gabriel avec mépris.

— Je ne te le fais pas dire, acquiesça Seymour.

— Et quelle était cette information qui valait si cher ?

— Le nom d'une taupe russe opérant au sommet de la hiérarchie du renseignement anglo-américain.

— A-t-il spécifié dans quel service, ou de quel côté de l'Atlantique ?

Seymour fit non de la tête.

— Comment avez-vous réagi ?

— Avec prudence, voire scepticisme, comme toujours. Nous sommes partis du principe qu'il nous baladait, ou que c'était en fait un agent provocateur envoyé par le Centre pour nous inciter à mener une chasse aux sorcières autodestructrice.

— Donc vous lui avez dit que ça ne vous intéressait pas ?

— Au contraire. On lui a dit que nous étions très intéressés, mais qu'il nous fallait quelques semaines pour prendre les dispositions nécessaires. Dans l'intervalle, nous avons enquêté sur lui. Gribkov n'était pas un bleu, mais un vétéran du SVR qui avait servi dans plusieurs *rezidenturas* à l'Ouest, dont celle de Vienne, où il avait eu de nombreux contacts avec mon chef de poste.

— Le sexy Alistair Hughes ?

Seymour se passa de commentaire.

— Quelle était la nature de ces contacts ?

— Les affaires habituelles. Mais l'important, c'est qu'Alistair nous a tenus informés de chacune d'elles, comme il est censé le faire. Elles sont toutes répertoriées dans son dossier, et dans celui de Gribkov.

— Donc vous avez fait venir Hughes à Vauxhall Cross pour lui demander son avis sur Gribkov et ce qu'il avait à vendre ?

— Exactement.

— Et ?

— Alistair s'est montré encore plus sceptique que nous.

— Vraiment ? Comme c'est étonnant.

Seymour fronça les sourcils.

— À ce moment-là, reprit-il, six semaines s'étaient déjà écoulées depuis l'offre initiale de Gribkov, et il commençait à devenir nerveux. Il a passé deux coups de fil hautement déconseillés à mon gars à New York. Et puis il a fait quelque chose de vraiment imprudent.

— Quoi donc ?

— Il en a parlé aux Américains. Comme vous pouvez l'imaginer, Langley était furieux de la façon dont nous gérions l'affaire. Ils nous ont mis la pression pour qu'on récupère Gribkov le plus vite possible. Ils ont même proposé de payer une partie des dix millions. Quand nous avons refusé, ça a tourné à la querelle familiale généralisée.

— Qui l'a emporté ?

— Le Centre. Pendant que nous nous chamaillions avec nos cousins américains, l'information que Gribkov était rappelé au pays pour une série de réunions urgentes nous a échappé. Sa femme et sa fille l'ont rejoint quelques jours plus tard. Et le mois suivant, la mission permanente de la Fédération de Russie auprès de l'ONU a annoncé l'arrivée d'un nouvel attaché de presse. Inutile de dire qu'on n'a jamais revu Vladimir Vladimirovitch Gribkov.

— Pourquoi n'en ai-je pas entendu parler ?

— Ça ne vous concernait pas.

— Bien sûr que si, répliqua Gabriel d'un ton égal. Dès l'instant où tu as laissé Alistair Hughes s'approcher à moins d'un kilomètre de mon opération, ça me concernait.

— Il ne nous est pas venu à l'idée de ne pas le laisser travailler dessus.

— Pourquoi pas ?

— Parce que notre enquête interne l'a lavé de tout soupçon dans la disparition de Gribkov.

— Tu m'en vois soulagé. Mais comment, à ton avis, les Russes ont-ils appris les projets de Gribkov ?

— Nous sommes arrivés à la conclusion, partagée par les Américains, que son comportement avait dû les alerter.

— Ce qui vous permettait aussi de mettre un terme à une querelle de famille potentiellement déstabilisante. Mais à présent vous avez un autre transfuge russe mort sur les bras. Et le seul dénominateur commun est votre chef de poste à Vienne, un homme qui a eu une relation extraconjugale avec la femme d'un agent consulaire américain.

— Son mari n'était pas agent consulaire, il travaillait pour la NSA. Et si l'infidélité était un indicateur fiable de trahison, nous n'aurions plus grand monde sous nos ordres. Pas plus que vous.

— Il a passé pas mal de temps de l'autre côté de la frontière suisse.

— C'est ton petit doigt qui te l'a dit ou vous l'avez suivi ?

— Je ne surveillerais jamais un de vos officiers sans te prévenir, Graham. Ce ne sont pas des choses qui se font entre amis. Les amis ne se font pas de cachotteries, pas quand des vies sont en jeu.

Seymour ne répondit rien à cela. Il avait soudain l'air très fatigué et las de cette dispute. Gabriel n'enviait pas la position délicate dans laquelle son ami se trouvait. Un chef des services secrets ne gagnait jamais dans une situation comme celle-ci. Il pouvait au mieux espérer sauver les meubles.

— Au risque de mettre mon nez dans tes affaires, reprit Gabriel, il me semble que tu as deux options.

— Vraiment ?

— La ligne de conduite la plus logique serait d'ouvrir une enquête interne visant à déterminer si Alistair Hughes refourgue vos petits secrets aux Russes. Tu serais obligé d'en toucher deux mots aux Américains, ce qui refroidirait sévèrement vos relations. Pire, tu serais contraint de faire appel à vos rivaux du MI5, et c'est la dernière chose que tu souhaites.

— Quelle est l'autre option ?

— Tu nous laisses surveiller Hughes pour vous.

— Tu n'es pas sérieux ?

— Pas toujours. Mais là, si.

— Ce serait une première.

— Pas tout à fait. Et ça présente un certain nombre d'avantages.

— Comme ?

— Hughes connaît vos techniques de surveillance et, plus délicat encore, votre personnel. Si vous essayez de le filer, il y a de grandes chances que vous vous fassiez repérer. Alors que nous…

— Vous auriez toute latitude pour fouiller dans les affaires privées d'un de mes officiers…

D'un haussement d'épaules, Gabriel signifia qu'il n'avait pas vraiment besoin de la bénédiction de Seymour pour ça.

— Il ne sera pas en mesure de se cacher face à nous, Graham, pas s'il est sous surveillance vingt-quatre heures sur vingt-quatre. S'il est en contact avec les Russes, nous le saurons.

— Et ensuite ?

— Nous vous fournissons la preuve, et vous en faites ce que bon vous semble.

— Ou ce que bon *vous* semble.

Gabriel ne mordit pas à l'hameçon ; le combat était presque terminé. Seymour leva un œil irrité vers la grille du plafond. Il faisait un froid sibérien.

— Je ne peux pas vous laisser surveiller mon chef de poste à Vienne sans que quelqu'un de chez nous regarde par-dessus votre épaule, finit-il par lâcher. Je veux un de mes agents dans votre équipe.

— C'est comme ça que nous nous sommes retrouvés dans cette situation, Graham. (Devant le silence de son homologue, Gabriel céda :) Étant donné les circonstances, il n'y a qu'un seul élément du MI6 que j'accepterais.

— As-tu oublié que lui et Alistair se connaissent ?

— Non, ça ne m'est pas subitement sorti de la tête. Mais ne ne t'inquiète pas, nous ne les laisserons pas s'approcher à moins d'un kilomètre l'un de l'autre.

— Pas un mot aux Américains, exigea Seymour.

Gabriel leva la main droite, comme s'il en faisait le serment.

— Et pas d'accès aux fichiers du MI6 ni aux dossiers internes du poste de Vienne, insista Seymour. Votre opération se limitera à une surveillance physique.

— D'accord, mais vous nous laissez coller des mouchards dans son appartement.

Seymour fit mine de réfléchir.

— Accordé. Mais essayez de faire preuve d'un minimum de discrétion avec vos micros et vos caméras. Un homme a droit à son intimité.

— À moins qu'il n'espionne pour les Russes. Dans ce cas, il a droit à sa *vuyschaïa miera*.

— C'est de l'hébreu ?

— Du russe.

— Et ça veut dire ?

Gabriel tapa le code à huit chiffres sur la console murale, et la porte se déverrouilla dans un claquement.

Seymour fronça les sourcils.

— Je vais le faire changer demain à la première heure.

— Ça vaudrait mieux.

Seymour se montrant distrait durant le dîner, il incomba à Helen, en parfaite maîtresse de maison, de faire la conversation. Ce dont elle s'acquitta avec une admirable discrétion. Gabriel était bien connu de la presse londonienne, mais pas une seule fois elle ne souleva le déplaisant sujet de ses exploits passés sur le sol britannique. Ce n'est que plus tard, alors qu'il s'apprêtait à les quitter, qu'il s'aperçut qu'ils n'avaient en réalité parlé de rien du tout.

Il avait espéré pouvoir rentrer à pied à son hôtel, mais une limousine Jaguar l'attendait à l'extérieur. Christopher Keller, assis sur la banquette arrière, lisait quelque chose sur son BlackBerry professionnel.

— Je monterais si j'étais toi, dit-il. Un bon ami du Tsar vit de l'autre côté du square.

Gabriel s'exécuta et referma la portière. La limousine s'écarta du trottoir d'une embardée et se retrouva un moment plus tard dans la circulation de King's Road, au milieu de Chelsea.

— Le dîner s'est bien passé ? s'enquit prudemment Keller.

— Presque aussi mal que notre opération à Vienne.

— J'ai entendu dire que nous y retournions.

— Pas moi.

— Quel dommage. (Keller regarda à l'extérieur.) Je sais à quel point tu aimes cette ville.

15

Ambassade britannique, Washington

Le directeur général des services secrets de Sa Majesté ne disposait pas de son propre avion – seul le Premier ministre jouissait de ce privilège –, aussi Graham Seymour traversa-t-il l'Atlantique le lendemain matin à bord d'un Falcon privé affrété. Un comité d'accueil de la CIA l'attendait sur le tarmac de l'aéroport international de Washington-Dulles et lui fit traverser à grande vitesse la nuée de banlieues composant la Virginie du Nord pour le conduire dans l'enceinte de l'ambassade britannique sur Massachusetts Avenue. À son arrivée, il ne coupa pas à l'inévitable entretien avec l'ambassadeur, un homme qu'il connaissait depuis presque toujours. Leurs pères respectifs avaient servi ensemble à Beyrouth au début des années 1960. Celui de l'ambassadeur travaillait pour le bureau des Affaires étrangères, celui de Seymour pour le MI6.

— On dîne ensemble ? demanda l'ambassadeur en raccompagnant Seymour à la porte.

— Je crains de devoir rentrer à Londres.

— Dommage.

— Certainement.

Seymour s'arrêta ensuite aux bureaux du MI6, royaume secret séparé du reste de l'ambassade par une porte de coffre-fort. Il s'agissait du plus grand poste du MI6, et sans conteste le plus important. Un accord permanent empêchait ses officiers de collecter des informations sur le sol américain. Ils servaient principalement de liaison avec la communauté tentaculaire du renseignement des États-Unis, qui les considérait comme des clients privilégiés. Le MI6 avait contribué à la création de l'espionnage américain durant la Seconde Guerre mondiale et en récoltait encore les fruits des décennies plus tard. Ces relations familiales permettaient au Royaume-Uni, une ancienne puissance impériale vidée de sa substance, de jouer dans l'échiquier international un rôle sans commune mesure avec la modestie de son armée, et ainsi de maintenir l'illusion qu'elle était une force en présence avec laquelle il fallait compter.

Rebecca Manning, la cheffe de poste à Washington, attendait Seymour de l'autre côté du portique de sécurité. Elle avait été belle autrefois – bien trop belle pour être officière du renseignement, de l'avis d'un recruteur oublié depuis longtemps –, mais à présent, arrivée au sommet de sa carrière, elle était tout simplement extraordinairement attirante. Une mèche errante de cheveux bruns tombait sur ses yeux bleu cobalt. Elle la chassa d'une main et tendit l'autre vers Seymour.

— Bienvenue à Washington, annonça-t-elle, comme si elle s'exprimait au nom de la ville et de tous ses représentants. J'espère que le vol n'a pas été trop pénible.

— Il m'a donné l'occasion de lire les documents que tu m'as envoyés.

— Il y a un ou deux points que je voudrais voir avec vous avant que nous ne partions pour Langley. Du café nous attend en salle de réunion.

Elle relâcha la main de Seymour et le conduisit à travers le couloir central. Son élégant tailleur sentait légèrement le tabac ; elle s'était sans doute grillé une L&B en vitesse dans le jardin avant l'arrivée de Seymour. Rebecca Manning fumait sans complexe ni remords. Elle avait pris cette habitude à Cambridge, et son cas ne s'était pas arrangé lorsqu'elle avait été mutée à Bagdad. Elle avait également servi à Bruxelles, Paris, Le Caire, Riyad et Amman, dont elle avait dirigé le poste. C'était Seymour, au début de son mandat, qui l'avait nommée « CP/Washington », comme on disait dans le jargon du service. Ce faisant, il l'avait symboliquement désignée comme celle qui lui succéderait. Washington serait la dernière affectation à l'étranger de Rebecca, l'échelon suprême avant Vauxhall Cross où elle serait officiellement présentée aux barons de Whitehall. La nomination d'une femme à la tête du MI6 n'avait que trop tardé. Le MI5 en avait déjà eu deux à sa tête – dont Amanda Wallace, actuellement en fonction –, mais son homologue du renseignement extérieur n'avait jamais encore franchi ce cap. Seymour serait fier de laisser cet héritage.

Liens familiaux ou non, le poste de Washington observait les mêmes procédures de sécurité que n'importe quel autre au monde, surtout en matière de conversation sensible entre deux cadres. La salle de réunion était imperméable à toute écoute électronique. Un dossier relié de cuir avait été déposé à la place de Seymour. Il contenait l'ordre du jour de son entrevue avec Morris Payne, le directeur de la CIA, ainsi qu'un résumé de la politique actuelle, des objectifs et des opérations en cours. Il s'agissait là d'un des documents les plus précieux du monde du renseignement. Le Centre aurait certainement tué pour l'avoir.

— Crème ? demanda Rebecca Manning.

— Noir.

— Ça ne te ressemble pas.

— Ordre du médecin.

— Rien de grave, j'espère ?

— Mon cholestérol est un peu élevé. Ma pression aussi. C'est l'un des effets secondaires du boulot.

— J'ai cessé de me préoccuper de ma santé il y a bien longtemps. Si j'ai survécu à Bagdad, je peux survivre à tout. (Elle tendit son café à Seymour, puis s'en prépara un à son tour en fronçant les sourcils.) Un café sans clope, quel intérêt ?

— Tu devrais vraiment arrêter, tu sais. Si j'ai pu le faire, tu en es capable aussi.

— Morris me tient le même discours.

— Je ne savais pas que vous en étiez à vous appeler par vos prénoms.

— Il n'est pas si terrible, Graham.

— C'est un idéologue, et ça me rend nerveux. Un espion ne devrait croire en rien. (Il s'interrompit, avant d'ajouter :) Comme toi, Rebecca.

— Morris Payne n'est pas un espion, mais le directeur de la CIA. Ça fait une énorme différence. (Elle ouvrit son exemplaire du dossier.) On s'y met ?

Seymour n'avait jamais regretté d'avoir nommé Rebecca Manning à ce poste, et les quarante-cinq minutes qui suivirent ne le détrompèrent pas. Elle passa en revue l'ordre du jour avec diligence et compétence – la Corée du Nord, la Chine, l'Iran, l'Irak, l'Afghanistan, la Syrie, la lutte contre Daech et al-Qaida. Elle maîtrisait tous les tenants et aboutissants de la politique et connaissait sur le bout des doigts les détails des opérations secrètes américaines. La cheffe de poste du MI6 à Washington en savait bien plus sur les rouages occultes du renseignement américain que la plupart des membres du Sénat réunis. Sa pensée, fine et sophistiquée, ne versait jamais dans l'hyperbole ou la précipitation. Pour Rebecca, le monde n'était pas un endroit dangereux évoluant hors de tout contrôle, mais un problème dont devaient s'occuper des hommes et des femmes compétents et expérimentés.

Le dernier point à l'ordre du jour était la Russie, terrain glissant par nature. Le nouveau président américain ne faisait pas mystère de son admiration pour l'autoritaire leader de la Fédération de Russie, et avait même exprimé son vœu d'entretenir de meilleures relations avec Moscou. Il faisait actuellement l'objet d'une enquête indépendante, visant à déterminer si le Kremlin l'avait secrètement aidé à remporter les élections face à son rival démocrate. Seymour et le MI6 en étaient arrivés à la conclusion que c'était bien le cas, tout comme le prédécesseur de Morris Payne à la tête de la CIA.

— Pour des raisons évidentes, dit Rebecca, Morris n'a aucune envie de discuter de politique locale. Il ne s'intéresse qu'à un seul et unique sujet.

— Heathcliff ?

Sa compatriote hocha la tête.

— Dans ce cas, il devrait inviter Gabriel Allon à venir discuter avec lui.

— Allon est responsable de ce qui s'est passé… C'est bien votre position ? (Un bref silence répondit à sa question.) Puis-je te parler franchement ?

— C'est pour ça que nous sommes ici.

— Les Américains n'en croiront rien. Ils travaillent main dans la main avec Allon depuis de nombreuses années, tout comme vous. Ils savent qu'il est parfaitement capable de gérer la récupération d'un défecteur russe.

— Tu sembles bien au courant de ce que pensent les Américains.

— C'est en partie mon métier, Graham.

— Que dois-je attendre d'eux ?

— Beaucoup d'inquiétude.

Rebecca n'en dit pas plus, ce n'était pas nécessaire. Si la CIA croyait comme Gabriel que le MI6 était infiltré par les Russes, c'était un désastre.

— Morris va-t-il porter des accusations explicites ? demanda Seymour.

— Je crains de ne pas le savoir. Cela dit, il n'est pas du genre à mâcher ses mots. J'ai déjà senti un changement de température dans mes échanges avec eux. L'air s'est refroidi. Beaucoup de longs silences et de regards vides. Nous devons répondre à leurs inquiétudes sur-le-champ. Sans quoi ils vont commencer à planquer les joyaux de la couronne.

— Et si je leur disais que je partage leurs inquiétudes ?

— C'est le cas ?

Seymour prit une gorgée de café.

— Tu te doutes que l'assassinat de Heathcliff a conduit les Américains à rouvrir le dossier Gribkov, et à regarder de très près ce qui a mal tourné ? reprit Rebecca.

— Ils seraient idiots de ne pas le faire. (Après une pause, Seymour ajouta :) Et nous aussi.

— Tu as ouvert une enquête officielle ?

— Rebecca, tu sais que je ne peux…

— Et moi je ne peux m'acquitter de ma tâche à Washington sans connaître la réponse à cette question. Cela me mettrait dans une position intenable, et le peu de confiance que les Américains ont en moi fondrait comme neige au soleil.

Elle n'avait pas tort.

— Aucune enquête officielle n'a été ouverte à ce jour, finit par lâcher Seymour.

Sa réponse était un modèle de langue de bois bureaucratique. Ce qui n'échappa pas à Rebecca.

— Et une enquête *officieuse* ?

Seymour laissa passer un silence avant de reprendre la parole.

— Contentons-nous de dire que nous procédons à certaines vérifications.

— Des vérifications ?

Il confirma d'un hochement de tête.

— As-tu identifié un suspect ?

— Rebecca, je t'en prie, fit-il sur le ton d'une réprimande.

— Je ne suis pas une officière parmi d'autres, Graham. Je suis ton CP/Washington. J'ai le droit de savoir si Vauxhall Cross croit que j'ai un traître sous mes ordres.

Seymour hésita avant de secouer lentement la tête. Rebecca parut soulagée.

— Qu'allons-nous dire aux Américains ? interrogea-t-elle.

— Rien du tout. C'est trop dangereux.

— Et quand Morris Payne vous dira qu'il soupçonne le MI6 d'être infiltré par un espion russe ?

— Je lui rappellerai les cas d'Aldrich Ames et de Robert Hanssen. Et je lui répondrai qu'il se trompe.

— Il ne l'acceptera pas.

— Il n'aura pas d'autre choix que de le faire.

— À moins que votre enquête officieuse ne découvre une taupe russe.

— Quelle enquête ? Quelle taupe ?

16

Quartier du Belvédère, Vienne

L'ambassade britannique à Vienne était située au 12 de la Jaurèsgasse, non loin des jardins du palais du Belvédère, dans le très chic 3e arrondissement. Les Jordaniens occupaient l'immeuble d'en face, les Chinois celui d'à côté, et les Iraniens étaient un peu plus bas dans la rue. Les Russes aussi. Ainsi, Alistair Huges, chef de poste du MI6 à Vienne, avait-il l'occasion de passer devant la grande *rezidentura* du SVR plusieurs fois par jour, dans sa voiture avec chauffeur aussi bien qu'à pied, sans éveiller de soupçon. Il vivait sur la Barichgasse, une rue tranquille, dans un appartement assez grand pour accueillir sa femme et ses deux fils quand ils lui rendaient visite, au moins une fois par mois.

Le service Intendance avait dégotté à Lavon et Keller une location courte durée d'un appartement meublé dans l'immeuble juste en face. Eli Lavon y posa ses valises le matin même de la visite de Graham Seymour à Washington ; Christopher Keller, le lendemain. Les deux hommes avaient travaillé ensemble sur plusieurs opérations, la plus récente au Maroc. Pourtant, Keller reconnut à peine celui qui tira la chaîne de la porte et le fit entrer en toute hâte.

— Quelle est exactement la nature de notre relation ? demanda Keller.

— N'est-ce pas évident ? répondit Lavon.

Keller eut son premier aperçu d'Alistair Hughes à 20 h 30, quand ce dernier émergea de la portière arrière d'une berline de l'ambassade. Puis il le revit deux minutes plus tard, sur l'écran d'un ordinateur portable, quand il entra dans son appartement. Une des équipes Neviot s'y était introduite par effraction l'après-midi même et avait dissimulé des caméras et des micros dans chaque pièce. Ils avaient aussi placé un mouchard sur la ligne fixe et sur le réseau Wi-Fi, permettant ainsi à Lavon et à Keller de surveiller son activité sur Internet, y compris ce qu'il tapait. Le règlement du MI6 interdisait à Hughes de traiter des affaires officielles sur tout autre ordinateur que celui du poste ou sur un autre téléphone que son BlackBerry sécurisé. Il pouvait cependant utiliser un réseau ouvert à partir d'un ordinateur personnel pour ses affaires privées. Comme la plupart des officiers du MI6, il possédait donc un second téléphone. Un iPhone, en l'occurrence.

Il passa cette soirée et les neuf suivantes comme n'importe quel célibataire d'âge moyen. Son heure d'arrivée variait légèrement chaque jour, ce que Lavon, qui consignait ses allées et venues, interpréta comme une précaution délibérée. Ses repas consistaient en plats réchauffés au micro-ondes, qu'il mangeait le plus souvent devant les nouvelles de la BBC. Il ne buvait pas de vin à table – ils n'observèrent d'ailleurs aucune consommation d'alcool quel qu'il soit – et téléphonait en général à sa famille vers 22 heures. Celle-ci vivait dans le quartier de Shepherd's Bush à l'ouest de Londres. Sa femme travaillait au siège de la Barclays à Canary Wharf. Les garçons avaient quatorze et seize ans et fréquentaient Saint-Paul, l'une des plus onéreuses écoles de Londres. L'argent ne semblait pas être un problème pour Alistair Hughes.

Pas comme les insomnies. Il avait d'abord recours à la dense biographie de Clement Attlee, le Premier ministre du Labour Party d'après-guerre et, quand ça ne marchait pas, il s'en remettait au flacon de pilules qui restait toujours sur sa table de chevet. Il y en avait deux autres dans le placard à pharmacie de la salle de bains, dont le contenu accompagnait son café du matin. Il prenait soin de son apparence, mais sans zèle. Il ne manquait jamais d'envoyer un « bonjour » à Melinda et aux garçons, et aucun des textos ou des e-mails qu'il recevait lorsqu'il se trouvait chez lui n'était de nature excessivement romantique ou érotique. Eli Lavon envoya tous les numéros entrants et sortants et toutes les adresses mail au Boulevard du Roi-Saül, qui à son tour les transféra à l'unité 8 200, le très compétent service du renseignement électronique d'Israël. Aucun ne leur parut suspect. Par acquit de conscience, l'unité 8 200 passa en revue les noms, les numéros et les adresses e-mail de tous ses contacts. Aucun n'était douteux.

Une voiture venait chercher Hughes tous les matins vers 9 heures – parfois quelques minutes avant ou après – et l'emmenait à l'ambassade, où il disparaissait pendant plusieurs heures. Les strictes mesures de sécurité entourant la Jaurèsgasse empêchaient les guetteurs de Lavon d'opérer une surveillance continue, contrairement aux parcs, places et autres espaces publics où ils pouvaient traîner aussi longtemps que nécessaire. Mais peu importait ; la géolocalisation de l'iPhone que Hughes gardait dans sa mallette les avertissait de tous ses déplacements.

En tant que chef de poste dans un pays que l'on pouvait considérer comme allié, Alistair Hughes était à la fois espion et diplomate, ce qui se traduisait par un emploi du temps chargé en réunions et rendez-vous à l'extérieur de l'ambassade. Il rendait fréquemment visite à divers ministères autrichiens et au quartier général du BVT, et déjeunait tous les jours dans les meilleurs restaurants de Vienne en compagnie d'espions, de diplomates et même, de temps à autre, de journalistes – dont une jolie reporter de la télévision allemande qui l'avait pressé de questions sur le rôle d'Israël dans le meurtre de Konstantin Kirov. Eli Lavon le savait car il avait lui-même déjeuné à la table d'à côté avec l'un de ses guetteurs. L'Israélien était également présent à une réception diplomatique au musée d'Histoire de l'art de Vienne, où Hughes avait côtoyé un homme de l'ambassade russe. Lavon avait discrètement pris une photo de la rencontre et l'avait envoyée au Boulevard du Roi-Saül. Ni le Bureau ni le ministère israélien des Affaires étrangères ne réussirent à coller un nom sur le visage du Russe. Graham Seymour, lui, l'identifia sans peine.

— Vitali Borodine, dit-il à Gabriel sur la ligne sécurisée qui reliait leurs deux bureaux. C'est un secrétaire d'État adjoint sans rapport avec le SVR.

— Comment le sais-tu ?

— Alistair m'a adressé un rapport sur cette entrevue à la minute où il a regagné le poste.

Ce soir-là, le dixième de l'opération de surveillance, Hughes ne lut que deux pages de la biographie d'Attlee avant de prendre une pilule sur sa table de nuit. Et le lendemain matin, après avoir envoyé un texto à sa femme et à ses enfants, il s'octroya un comprimé de chacun des deux flacons dans le placard à pharmacie et les fit descendre avec son café. La voiture de l'ambassade arriva à 9 heures passées de douze minutes. À 9 h 30, Keller pénétrait dans l'appartement de Hughes avec l'aide d'un des as de l'effraction de Lavon. Il se dirigea droit vers le flacon de la table de chevet, qui ne portait aucune étiquette. Pas plus que les deux autres dans le placard. Keller prit un comprimé de chacun, les disposa sur le comptoir de la salle de bains et les photographia d'un côté puis de l'autre. Une fois revenu à son poste d'observation de l'autre côté de la rue, il entra le numéro d'ordonnance dans une base de données d'identification des médicaments sur Internet.

— Maintenant nous savons pourquoi il est le seul officier du MI6 sobre comme un chameau, commenta Eli Lavon. Les effets secondaires le tueraient.

Lavon envoya l'information au Boulevard du Roi-Saül, et Gabriel annonça la nouvelle à Graham Seymour en fin d'après-midi. Le chef de poste du MI6 à Vienne était un maniaco-dépressif souffrant d'anxiété et d'insomnies. Le bon côté des choses, c'est que, jusque-là, rien de tout cela ne faisait de lui un espion russe.

Ils l'observèrent encore pendant trois jours et trois nuits. Ou plutôt, comme Eli Lavon le dirait plus tard, et comme Keller le confirmerait, ils veillèrent sur lui. Tel fut l'effet que produisirent sur eux les trois flacons sans étiquette – Zolpidem, Xanax et Téralithe, un puissant régulateur de l'humeur. Même Lavon, voyeur professionnel qui avait passé son existence à chroniquer la vie secrète des autres – leurs faiblesses et leurs vanités, leurs indiscrétions privées et leurs infidélités – ne pouvait plus voir en Alistair Hughes une simple cible, et encore moins un espion russe. Il était de leur responsabilité de prendre soin de lui et de le protéger. Il était devenu leur patient.

Il n'était pas le premier officier du renseignement à souffrir de troubles psychiques, et il ne serait pas le dernier. Certains étaient déjà atteints quand ils entraient dans la partie ; d'autres étaient infectés par la partie elle-même. Hughes cachait sa maladie mieux que d'autres. Keller et Lavon avaient du mal à faire correspondre la silhouette confuse, imbibée de Zolpidem, qui sortait péniblement du lit chaque matin et l'impeccable espion professionnel qui émergeait quelques minutes plus tard de la porte de l'immeuble, l'incarnation même de la sophistication britannique et de la compétence. Les guetteurs n'en resserrèrent que davantage leurs orbites autour de Hughes lorsqu'il se rendait à ses rendez-vous quotidiens. Et quand il faillit se faire renverser par un tram sur le Kärntner Ring – il avait été distrait par quelque chose sur son BlackBerry –, c'est Eli Lavon qui l'attrapa par le coude et lui conseilla, en allemand, de regarder où il mettait les pieds.

— Et tu es sûr qu'il ne t'a pas vu ? demanda Gabriel par leur liaison sécurisée.

— Je me suis détourné avant qu'il ne lève les yeux de son téléphone. Il n'a pas vu voir mon visage.

— Tu as brisé le quatrième mur entre le guetteur et la proie, l'admonesta Gabriel. Tu n'aurais pas dû.

— Et qu'est-ce que j'aurais dû faire ? L'*observer* se faire écraser par un tram ?

Le lendemain, un mercredi, le temps était gris, mais assez chaud pour transformer la neige en pluie. L'humeur de Hughes était tout aussi maussade. Il eut toutes les peines du monde à se lever, et plus encore à faire descendre les cachets, le Xanax et le Téralithe, dans sa gorge. Une fois dans la rue, il marqua un temps d'arrêt avant de monter en voiture et jeta un regard vers les fenêtres de l'appartement d'où on l'observait. Mais en dehors de ça la journée se déroula comme les douze précédentes. Il passa la matinée à l'ambassade, déjeuna avec un officiel de l'Agence internationale de l'énergie atomique, prit le café au Sperl avec un journaliste du *Telegraph*. Il ne laissa aucune trace de craie, ne fit pas de longue promenade dans un parc viennois ou dans un bois isolé, et ne s'engagea dans aucun acte visible de communication impersonnelle. En d'autres termes, il ne fit rien qui puisse suggérer un quelconque contact avec un service de renseignement adverse.

Il quitta l'ambassade plus tard que d'habitude et réintégra son domicile à 21 h 15. Il lui restait à peine assez de temps pour se réchauffer un poulet curry au micro-ondes et appeler Shepherd's Bush avant d'aller au lit. Mais au lieu de prendre son livre, il alluma son ordinateur portable et réserva une place sur le vol n° 605 de la compagnie SkyWork Airlines – départ de Vienne vendredi à 14 heures et arrivée à Berne à 15 h 30 – et deux nuits au Schweizerhof, l'un des établissements les plus chics de la capitale suisse. Il n'informa pas plus sa femme de ses projets que, comme le confirma Graham Seymour à Gabriel, le poste de Vienne ou Vauxhall Cross.

— Pourquoi ne l'a-t-il pas fait ? demanda l'Israélien.

— Ce n'est pas obligatoire tant que ça reste un déplacement de nature personnelle.

— Ça devrait peut-être l'être.

— Tu sais où se trouvent tes chefs de poste à chaque instant ?

— Non, reconnut Gabriel. Mais aucun des miens n'espionne pour les Russes.

Alistair Hughes dormit profondément cette nuit-là, bien aidé par dix milligrammes de Zolpidem. Boulevard du Roi-Saül, en revanche, les lumières restèrent allumées très tard. Le lendemain matin, Mikhail Abramov s'envola pour Zürich ; Yossi Gavish et Rimona Stern pour Genève. Tous trois finirent par se rejoindre à Berne, où ils furent accueillis par Christopher Keller et plusieurs des agents Neviot de la filature de Vienne.

Ne restait que Gabriel. Il se leva aux aurores vendredi matin et revêtit sans un bruit, pour ne pas réveiller Chiara, son costume d'homme d'affaires allemand, Johannes Klemp. Il alla embrasser Raphael, qui ne se réveilla pas, et Irene, qui braqua sur lui un regard accusateur.

— Tu n'es pas comme d'habitude.

— Parfois, je dois faire semblant d'être quelqu'un d'autre.

— Tu pars encore ?

— Oui.

— Pendant combien de temps ?

— Pas longtemps, dit-il sans trop y croire.

— Tu vas où, cette fois ?

La sécurité de l'opération ne lui permettait pas de répondre à cette question. Il embrassa Irene une dernière fois, descendit et sortit sur le trottoir, où son cortège de voitures perturbait la tranquillité de la rue Narkiss. « Tu vas où, cette fois ? » En Suisse. Pourquoi fallait-il que ce soit la Suisse ?

17

Les Palissades, Washington

Tandis que l'avion de Gabriel s'élevait au-dessus de la Méditerranée orientale, Eva Fernandes donnait un coup de chiffon au comptoir du Bruxelles-Midi, une brasserie belge située sur MacArthur Boulevard, au nord de Washington. Le dernier client de la soirée venait de partir, et l'étroite salle était maintenant déserte, à l'exception de Ramon, qui passait l'aspirateur en cadence sur la moquette, et Claudia, qui faisait sa mise en place pour le déjeuner du lendemain. Tous deux étaient des immigrés honduriens fraîchement arrivés – seule Claudia avait des papiers –, et ils ne maîtrisaient pas encore l'anglais. Tout comme la plupart des employés en cuisine. Heureusement, Henri, le chef et propriétaire belge de la brasserie, parlait assez bien espagnol pour se faire comprendre d'eux, tout comme Yvette, son impitoyable et compétente associée, et accessoirement sa femme.

Yvette gérait les affaires quotidiennes du restaurant et gardait jalousement le carnet de réservations, mais c'était Eva Fernandes, blonde et svelte, remarquablement séduisante, qui servait et incarnait l'âme de l'établissement. Sa clientèle nantie était constituée de membres de la haute société et de l'élite dirigeante de Washington – des avocats, des lobbyistes, des journalistes, des diplomates et des intellectuels issus des plus influents groupes politiques de la ville et des plus éminents panels d'experts. La plupart, démocrates ou plus à gauche, étaient mondialistes, écologistes, partisans des droits sexuels et génésiques, de l'immigration libre, de la couverture médicale universelle, du contrôle des armes à feu et du revenu minimum pour les plus démunis. Ils adoraient Eva. Elle les saluait quand ils entraient dans la brasserie et les débarrassait de leurs manteaux et de leurs soucis. Et quand leur table n'était pas disponible parce que Yvette avait pris trop de réservations, Eva apaisait leur colère avec un sourire éblouissant, un verre de vin offert par la maison et quelques mots de son accent difficile à situer. « D'où venez-vous ? » lui demandait-on, et elle répondait « du Brésil », ce qui était en partie vrai. Et quand on cherchait à savoir l'origine de ses yeux bleus, elle expliquait que ses grands-parents étaient allemands, ce qui était complètement faux.

Elle était arrivée aux États-Unis sept ans plus tôt, avait d'abord vécu à Miami, puis était montée vers le nord, au gré des petits boulots et des rencontres, avant de rejoindre Washington, sa destination finale. Elle avait trouvé cet emploi au Bruxelles-Midi presque par accident, en rentrant dans Yvette au Starbucks de l'autre côté de la rue. Elle était surqualifiée – elle était titulaire d'un diplôme de biologie moléculaire d'une prestigieuse université – et sous-payée. Pour arriver à joindre les deux bouts, elle donnait trois cours de yoga par semaine à Georgetown et recevait un soutien financier d'un ami qui enseignait l'histoire au Hunter College, à Manhattan. Ces trois sources de revenus combinées lui donnaient l'illusion de l'autosuffisance. Elle vivait seule dans un petit appartement sur Reservoir Road, possédait une Kia Optima et voyageait souvent, principalement au Canada.

Il était 23 h 15 quand Ramon et Claudia partirent. Eva alla chercher son sac à main dans le vestiaire, enclencha l'alarme du restaurant et sortit à son tour. Sa voiture était garée non loin. Il y avait à peine plus d'un kilomètre à parcourir jusqu'à son appartement, mais Eva n'arpentait jamais les rues seule la nuit. Il y avait eu pas mal d'agressions sur MacArthur Boulevard cet hiver, et une semaine plus tôt, une jeune femme avait été emmenée sous la menace d'un couteau dans les bois de Battery Kemble Park et violée. Eva ne doutait pas de se sortir sans dommage d'un vol ou d'une agression sexuelle, mais une telle prouesse aurait semblé suspecte de la part d'une serveuse et prof de yoga à temps partiel. Et elle voulait éviter d'attirer l'attention de la police.

Elle déverrouilla les portières de la Kia avec le bip de sa clé et se glissa rapidement à l'intérieur. Elle posa soigneusement son sac à main sur le siège passager. Il était plus lourd que d'habitude, car il contenait un objet électronique chromé, de la taille d'un livre de poche. Eva avait reçu l'ordre de l'allumer ce soir-là – à 21 heures et pendant quinze minutes seulement – afin qu'un agent du Centre puisse lui transmettre des documents immatériels. L'appareil avait une portée d'environ trente mètres dans toutes les directions. Il était possible que l'agent lui ait transféré les documents depuis le trottoir ou une voiture en mouvement, mais Eva en doutait. Selon toute probabilité, l'échange avait eu lieu à l'intérieur du Bruxelles-Midi. Pour des raisons de sécurité, Eva ne connaissait pas l'identité de l'agent, mais elle soupçonnait quelqu'un. Elle remarquait des choses qui passaient inaperçues aux yeux de la plupart des gens, de petites choses. Sa survie en dépendait.

Une pluie fine tombait sur le MacArthur Boulevard désert. Eva se dirigeait vers l'est en faisant attention à sa vitesse à cause des caméras. Son petit immeuble en brique rouge donnait sur le bassin. Elle gara la Kia à une centaine de mètres et le rejoignit à pied en détaillant les voitures stationnées. Elle les reconnut toutes à l'exception d'un SUV avec des plaques de Virginie qu'elle n'avait jamais vu auparavant. Après avoir mémorisé l'immatriculation – ni en anglais ni en portugais, les langues de sa couverture, mais en russe –, elle entra.

Dans le hall de l'immeuble, elle trouva sa boîte aux lettres remplie à ras bord. Elle jeta les catalogues et autres prospectus dans la poubelle à recycler et emporta deux factures jusqu'à son appartement. Dans la cuisine, elle baissa les stores et tamisa la lumière, puis connecta l'appareil chromé à son ordinateur portable et entra les vingt-sept caractères du mot de passe dans la boîte de dialogue qui apparut à l'écran.

Elle introduisit une carte mémoire vierge et cliqua à l'endroit indiqué. Les fichiers stockés sur l'appareil furent automatiquement transférés vers la carte mémoire, qu'elle devait à présent chiffrer et verrouiller. Une tâche dont elle s'acquitta, comme toujours, avec une application méticuleuse. Pour s'assurer de la réussite de l'opération, elle éjecta la carte mémoire, la rebrancha au port USB et double-cliqua sur l'icône qui apparut. Celle-ci refusa de s'ouvrir sans le mot de passe à vingt-sept caractères. La carte mémoire était bien verrouillée.

Eva déconnecta l'appareil chromé et le plaça dans sa cachette habituelle, sous une latte de parquet mobile elle-même dissimulée par la moquette, dans son dressing. Quant à la carte mémoire, elle la rangea dans une poche à fermeture Éclair de son sac à main. La première étape était terminée : elle avait pris possession des renseignements fournis par l'agent. Elle devait maintenant les envoyer au Centre sans que la NSA s'en aperçoive. Autrement dit, les remettre à un agent de liaison, le maillon suivant de la chaîne qui s'étirait de Washington à Iassenevo. Jusqu'à maintenant, Eva laissait ses cartes mémoire derrière l'évier d'un appartement vide à Montréal. Mais le Centre, pour des raisons qu'il n'avait pas jugé utile de partager avec Eva, avait fermé cette boîte aux lettres et en avait créé une nouvelle.

Pour justifier ses fréquentes incursions au Canada, le Centre avait créé une légende, une couverture – la sœur de sa mère, qui vivait dans le Quartier latin de Montréal, souffrait d'insuffisance rénale et devait subir des dialyses ; le pronostic n'était pas bon. Eva n'avait pas de jours de repos avant le lundi suivant, mais les rapports des agents étaient toujours de la plus haute priorité. Hors de question cependant de s'absenter vendredi ou samedi – Yvette entrerait dans une rage folle si Eva demandait à se faire remplacer l'un de ces deux soirs, surtout en la prévenant si tard. Mais les dimanches étaient calmes, surtout en hiver. Yvette s'en sortirait très bien toute seule. Eva avait seulement besoin de trouver quelqu'un pour assurer son cours de yoga de 9 heures. Ce ne serait pas un problème. Emily, la nouvelle, prenait toutes les heures supplémentaires possibles. Ainsi allaient les choses dans l'économie des petits boulots de l'Amérique d'aujourd'hui.

Eva s'assit devant son ordinateur et envoya trois courts e-mails : un à Yvette, un au gérant de la salle de yoga et un à sa tante imaginaire. Puis elle réserva un siège en classe économique sur le vol United Airlines de dimanche matin à destination de Montréal et prit une chambre au Marriott, en centre-ville. Les deux lui rapportèrent de précieux miles. Son officier traitant à Moscou l'encourageait à s'inscrire à tous les programmes de fidélisation susceptibles d'alléger la facture salée de sa présence à l'Ouest.

Enfin, à 1 h 30, elle éteignit l'ordinateur et s'écroula sur son lit. Ses cheveux sentaient la cuisine du Bruxelles-Midi, les escargots, le saumon grillé à la sauce safran et la carbonnade flamande à la bière brune. Comme toujours, elle rejoua en pensée les événements les plus insignifiants de la soirée. Cette séance de cinéma privée involontaire était un effet secondaire de l'ennui que lui inspirait sa couverture. Elle revivait toutes les conversations et visualisait chacun des visages des vingt-deux tables du Midi. Un groupe avait particulièrement attiré son attention – Crawford, quatre personnes, 20 heures. Eva les avait installés à la table 7. À 20 h 08, ils attendaient leurs entrées. Trois d'entre eux s'étaient lancés dans une conversation animée, tandis que le dernier convive gardait les yeux rivés à son téléphone.

18

Vienne – Berne

Ce jour-là, il ne fallut pas longtemps à Eli Lavon pour comprendre qu'Alistair Hughes cachait quelque chose. De petits signes le mirent sur la piste, comme son baise-en-ville, qu'il laissa chez lui alors qu'il partait pour Berne en début d'après-midi. Comme la voiture qui le conduisait habituellement de l'ambassade au Café Central à 10 h 30, et qui cette fois repartit aussitôt après l'avoir déposé au lieu d'attendre la fin de son rendez-vous. À l'intérieur du célèbre établissement, Hughes rencontra un homme qui semblait avoir acheté son costume chez un tailleur consacré à l'habillement des diplomates de l'Union européenne. Eli Lavon, de son poste d'observation de l'autre côté de la salle encombrée, fut incapable de déterminer la nationalité de l'individu, mais il avait l'impression trouble qu'il était français.

Hughes quitta le café quelques minutes après 11 heures et gagna le Burgring à pied, où il prit un taxi – le premier depuis qu'il était sous surveillance du Bureau. Le chauffeur le déposa à son appartement et l'attendit pendant qu'il récupérait son sac de voyage. Lavon le savait parce qu'il observait la scène depuis le siège passager d'une Opel Astra bleu marine conduite par le dernier membre de son équipe encore à Vienne. Ils parcoururent les dix-sept kilomètres qui les séparaient de l'aéroport en un temps record, doublant le taxi au passage, ce qui permit à Lavon de s'enregistrer pour le vol à destination de Berne avant que Hughes n'arrive au terminal. L'Anglais le fit à son tour sans décoller l'oreille de son BlackBerry.

La jeune hôtesse autrichienne derrière le comptoir SkyWork et Hughes se reconnurent mutuellement. Il se joignit au flot de passagers pour franchir sans attendre le contrôle des passeports et la fouille des bagages à main, puis il alla s'asseoir dans un coin tranquille de la salle d'embarquement, où il envoya et reçut des textos sur son iPhone personnel. C'est en tout cas ce qu'il sembla à Lavon, épaules contre épaules avec les buveurs de la mi-journée au bar à l'autre bout du hall, où il s'était laissé tenter par l'étiquette humide de condensation d'une Stiegl.

À 12 h 40, les haut-parleurs se mirent à brailler ; l'embarquement du vol pour Berne était sur le point de commencer. Lavon but assez de sa bière pour satisfaire la curiosité de tout agent de contre-surveillance du SVR qui pourrait l'observer et gagna la porte d'un pas nonchalant, suivi un moment plus tard par Hughes. L'avion était un Saab 2000, un appareil turbopropulsé de cinquante places. Lavon monta à bord le premier ; il était sagement en train de ranger son bagage à main sous le siège devant lui quand Alistair Hughes passa à son tour la porte de la cabine.

La voisine de l'Anglais, une femme très maquillée d'environ quarante-cinq ans, attirante, vêtue de manière professionnelle, apparut un moment plus tard, parlant suisse-allemand dans son téléphone. Par excès de prudence, Lavon la prit subrepticement en photo puis les observa, elle et Hughes, engager la conversation. Le voisin de Lavon, un type des Balkans visiblement, serbe, ou peut-être bulgare, qui s'était descendu trois bouteilles de bière blonde au bar avant d'embarquer, n'était pas du genre causant. Alors que l'avion était secoué par des turbulences à basse altitude, Lavon se demanda si le visage de cet homme, avec sa barbe de cinq jours, serait le dernier qu'il verrait.

Les nuages se raréfièrent au-dessus de Salzbourg, offrant aux passagers une vue à couper le souffle sur les sommets alpins enneigés. Lavon, cependant, ne quittait pas Hughes et la séduisante germanophone des yeux. Elle buvait du vin blanc, tandis que lui s'en tenait à son habituelle eau gazeuse. Le ronronnement des deux turbo-propulseurs l'empêchait d'entendre leur conversation, mais elle semblait captivée par ce que cet Anglais courtois et charmant lui racontait. Ce n'était guère surprenant ; comme tout officier du MI6, Alistair Hughes était un séducteur expérimenté. Il ne fallait cependant pas écarter l'éventualité que Lavon soit en train d'assister à autre chose qu'une rencontre fortuite entre un homme et une femme dans un avion. Peut-être étaient-ils déjà amants. Ou peut-être était-elle son officière traitante du SVR.

Quarante-cinq minutes après le décollage, Hughes sortit un exemplaire de *The Economist* de sa mallette et le lut jusqu'à ce que le Saab 2 000 se pose sur la piste du petit aéroport de Berne. Il échangea encore quelques mots avec la femme pendant que l'avion rejoignait son lieu de stationnement, mais il traversa le tarmac battu par le vent pendu à son iPhone. La femme marchait quelques pas en retrait, et Lavon se trouvait plusieurs mètres derrière eux. Lui aussi était au téléphone. Avec Gabriel.

— Place 4B, dit-il à voix basse. Femme, Suisse-Allemande, environ quarante ans. Trouve son nom sur la liste des passagers et compare-le à la base de données, je dormirai mieux ce soir.

Le bâtiment bas et gris du terminal, flanqué de sa tour de contrôle, affichait les dimensions caractéristiques d'une aérogare de province. Une poignée de passagers du vol s'agglutinèrent autour du tapis roulant pour récupérer leurs bagages en soute, mais tous les autres se dépêchèrent de rejoindre la sortie, y compris Alistair Hughes et la femme. Une fois dehors, elle monta sur le siège passager d'une Volvo break maculée de projections de boue et embrassa d'abord l'homme derrière le volant, puis les deux enfants à l'arrière.

Une file de taxis attendait de l'autre côté de la route. Hughes entra dans le premier ; Lavon, dans le troisième. Berne était à quelques kilomètres au nord-est. Le majestueux hôtel Schweizerhof dominait le Bahnhofplatz. Au moment où le taxi de Lavon passait devant l'entrée, l'Israélien aperçut Alistair Hughes essayant de repousser les assauts d'un portier empressé.

Comme il l'avait demandé, Lavon se fit déposer de l'autre côté de la place animée. Mais sa véritable destination était le Savoy, un hôtel situé à l'angle d'une élégante rue piétonne, la Neuengasse. Mikhail Abramov buvait un café dans le hall. Gabriel et Christopher Keller les attendaient dans une chambre à l'étage.

Le plateau du bureau était encombré de plusieurs ordinateurs portables. L'écran de l'un d'eux montrait en temps réel le comptoir de l'accueil du Schweizerhof, via la vidéosurveillance de l'hôtel. On y voyait Alistair Hughes en train de donner son passeport au réceptionniste, une obligation dans tout établissement suisse. Précaution inutile dans son cas, tant il était manifeste aux yeux de Lavon que lui et le préposé se connaissaient.

Une fois muni de la clé de sa chambre, Hughes se dirigea vers les ascenseurs, quittant l'écran de l'ordinateur portable pour apparaître sur un autre. Deux autres caméras suivirent sa progression le long du couloir du troisième étage jusqu'à sa petite suite, qui offrait une vue sur les flèches de la vieille ville. Une fois à l'intérieur, d'autres caméras, bien cachées, transmettaient un signal lourdement chiffré qui parvenait sans peine à couvrir la courte distance entre le Schweizerhof et le Savoy. Elles étaient au nombre de quatre – deux dans la pièce à vivre, une dans la chambre et une dans la salle de bains –, secondées par des micros, y compris sur les téléphones de la chambre. Tant qu'Alistair Hughes se trouvait à Berne, une ville en dehors des limites de son territoire et dans laquelle il n'était pas censé être, il ne bénéficiait pas de son immunité. Il était pour le moment à la merci du Bureau.

En entrant dans la chambre, Hughes posa son manteau et son sac de voyage sur le lit, et sa mallette sur le bureau. Son iPhone personnel était maintenant compromis de toutes les façons possibles : appels vocaux, navigateur Internet, textos et e-mails, appareil photo et microphone. Hughes l'utilisa pour envoyer un petit mot à sa femme et à ses enfants à Londres. Puis il passa un coup de fil depuis son BlackBerry professionnel.

Conformément à l'accord entre Gabriel et Graham Seymour, le Bureau n'avait pas tenté de s'introduire dans l'appareil. Par conséquent, seuls les mots de Hughes leur parvenaient. Le ton qu'il employa était celui d'un supérieur s'adressant à un subordonné. Il dit que son déjeuner d'affaires s'était éternisé – alors qu'en réalité il n'avait pas déjeuné – et qu'il avait l'intention de partir en week-end plus tôt. Qu'il n'avait pas d'autre projet que de se remettre à jour dans ses lectures et qu'il serait joignable par téléphone et par e-mail en cas de crise, cas fort improbable quand on travaillait à Vienne. Il se tut pendant plusieurs secondes, écoutant manifestement ce que son subordonné avait à lui dire, puis il conclut en disant : « Ça m'a l'air de pouvoir attendre jusqu'à lundi », avant de raccrocher.

Hughes regarda l'heure – 15 h 47 –, enferma son BlackBerry, son iPhone et son passeport dans le coffre-fort de la chambre et mit son portefeuille dans la poche intérieure de sa veste. Puis il avala deux comprimés d'analgésique avec de l'eau minérale suisse gracieusement mise à disposition par l'hôtel et sortit.

19

Hôtel Schweizerhof, Berne

Le majestueux hôtel Schweizerhof était depuis long-temps prisé des voyageurs britanniques et des espions, notamment parce qu'on y servait le thé tous les après-midi dans le bar lounge. Alistair Hughes était manifestement un habitué. La serveuse l'accueillit chaleureusement et l'installa à une table dominée par le portrait de quelque noble suisse mort des siècles plus tôt. Hughes s'assit à la place de l'espion, celle qui faisait face à l'entrée de l'hôtel, et se cacha derrière un exemplaire du *Financial Times* que lui avait offert Herr Müller, le sinistre concierge.

Six caméras de sécurité de l'hôtel offraient une vue plongeante sur le bar, mais Hughes ayant laissé son télé-phone dans sa chambre, il n'y avait aucune couverture son. Gabriel envoya rapidement un message à Yossi et Rimona, enregistrés à l'hôtel sous de faux noms, pour leur demander de descendre. Ils arrivèrent en moins de quatre-vingt-dix secondes et, feignant une dispute conjugale, s'assirent à la table derrière Hughes. Aucun risque que l'officier du MI6 les reconnaisse. Yossi et Rimona n'avaient joué aucun rôle dans la récupération ratée de Konstantin Kirov – aucun autre, en tout cas, que d'identifier Hughes comme source potentielle de la fuite – et n'avaient jamais, au cours de leurs illustres carrières, travaillé avec lui sur des opérations communes aux deux services.

Les suivants à entrer en scène n'arrivèrent pas de l'intérieur de l'hôtel mais de la rue : un homme et une femme d'Europe centrale ou de Scandinavie, la petite quarantaine. Tous deux étaient séduisants et richement vêtus – l'homme d'un costume sombre et d'une chemise bleu électrique, la femme d'un tailleur-pantalon ajusté –, et l'un comme l'autre paraissaient en parfaite condition physique, surtout la femme. La serveuse les conduisit à une table près du bar, mais l'homme en préféra une autre qui lui permettait d'embrasser d'un même regard l'entrée de l'hôtel et la table de Hughes. Ils commandèrent des boissons fraîches plutôt que du thé et ne regardèrent pas une seule fois leurs portables. L'homme avait la main droite sur son genou et l'avant-bras gauche posé sur le plateau de la table. La femme passa plusieurs minutes à masser son visage sans défaut.

— De qui s'agit-il, d'après toi ? demanda Gabriel.

— Boris et Natasha[1], répondit Lavon dans un murmure.

— Le Centre ?

— Indéniablement.

— Ça ne te dérange pas si je demande un deuxième avis ?

— Si tu insistes.

Lavon zooma avec la caméra 7 et prit un cliché du visage de l'homme. La 12 lui donna un meilleur angle sur celui de la femme. Il copia les deux images dans un dossier, le chiffra et l'envoya à Tel-Aviv.

— Maintenant montre-moi l'extérieur de l'hôtel.

Lavon passa sur la caméra 2, placée au-dessus de l'entrée de l'hôtel, face aux arches de l'arcade. Deux

---

1. Boris Badenov et Natasha Fatale, les deux espions diaboliques (et clairement soviétiques) au service de Fearless Leader dans deux séries d'animation, *Rocky and His Friends* et *The Bullwinkle Show*, successivement diffusés entre 1959 et 1964.

portiers sortaient une montagne de luxueux bagages du coffre d'une Mercedes classe S. Derrière eux, le dense trafic de fin d'après-midi rythmait le Bahnhofplatz.

— Reviens en arrière, demanda Gabriel. Je veux les voir arriver.

Lavon fit remonter la barre de défilement chronologique de cinq minutes, au moment où Boris et Natasha pénétraient dans le bar. Puis il remonta encore de deux minutes et cliqua sur le bouton LECTURE. Quelques secondes plus tard, ils entraient dans le champ.

Lavon mit sur pause.

— Quel joli couple, fit-il d'un ton acide. Ils sont arrivés à pied pour qu'on ne puisse pas voir de plaque d'immatriculation.

Lavon bascula rapidement sur la caméra 9, le plan le plus large du bar. Un nouveau client, un homme massif et bien habillé à la mâchoire carrée et aux cheveux clairs soigneusement peignés. Il demanda une table près de l'entrée du bar et prit place dans le fauteuil qui faisait face à Alistair Hughes. L'officier du MI6 l'examina d'un bref regard impassible par-dessus son *Financial Times*, puis reprit sa lecture.

— C'est qui, celui-là ? interrogea Gabriel.

— Igor, répondit Lavon. Et Boris l'a dans le viseur, devant et derrière.

— Regardons de plus près.

Une fois encore, la caméra 12 offrait la meilleure vue. Ses traits étaient indéniablement slaves. Lavon zooma et prit plusieurs clichés, qu'il envoya au Boulevard du Roi-Saül en demandant une réponse urgente.

— Comment est-il arrivé là ?

Lavon passa sur la caméra 2, le plan extérieur, et remonta suffisamment en arrière pour voir l'homme qu'ils appelaient Igor sortir d'une Audi A8. La voiture était toujours devant l'hôtel, un homme au volant, un autre sur la banquette arrière.

— On dirait qu'Igor n'est pas féru de marche à pied. Même pour le bien de sa couverture.

— Peut-être devrait-il la pratiquer un peu plus, intervint Keller. Ça ne lui ferait pas de mal de perdre quelques kilos.

À cet instant, un message de Tel-Aviv arriva sur le canal sécurisé.

— Alors ? s'enquit Gabriel.

— Je me suis trompé, répondit Lavon. Il ne s'appelle pas Igor mais Dimitri.

— C'est mieux qu'Igor. Quel est son nom de famille ?

— Sokolov.

— Un patronyme ?

— Antonovitch. Dimitri Antonovitch Sokolov.

— Et que fait-il, dans la vie ?

— C'est un employé quelconque de la mission permanente de la Fédération de Russie à Genève.

— Intéressant. Mais que fait-il réellement ?

— C'est un barbouze du Centre.

Gabriel scruta l'écran.

— Et qu'est-ce qu'un barbouze de Moscou fait dans le bar de l'hôtel Schweizerhof à six mètres du chef de poste du MI6 à Vienne ?

Lavon bascula sur la caméra 9, celle qui couvrait le champ le plus large.

— Je ne sais pas, mais nous allons le découvrir.

20

Hôtel Schweizerhof, Berne

Il existe de nombreuses façons pour un atout rémunéré ou agissant sous la contrainte de communiquer avec ses officiers traitants. Il peut laisser des messages ou des films codés dans une boîte aux lettres morte. Il peut subrepticement glisser des renseignements à quelqu'un lors d'une rencontre chorégraphiée, appelée « *brush pass*[1] », envoyer des e-mails chiffrés via Internet ou un satellite en utilisant un émetteur miniature, ou une lettre par la poste traditionnelle en utilisant la méthode rompue de l'écriture codée. Il peut même laisser son message dans des objets d'apparence banale comme des rochers, des bûches ou des pièces de monnaie. Toutes les méthodes présentent des inconvénients et aucune n'est infaillible. Et quand les choses tournent mal, comme ce fut le cas à Vienne la nuit où Konstantin Kirov avait tenté de faire défection, c'est l'atout qui paie la facture, jamais le contrôleur.

Mais quand atout et contrôleur sont tous deux des officiers connus ou déclarés de leurs services respectifs, et quand tous deux détiennent des passeports diplomatiques, il existe une option de communication bien moins dangereuse appelée le « contact fortuit ». Il peut se produire

1. Anglicisme en vigueur dans le renseignement. *To brush* : se frôler ; *to pass* : se croiser.

lors d'un cocktail mondain, d'une réception, à l'opéra, au restaurant ou dans le bar d'un luxueux hôtel d'une petite ville tranquille comme Berne. Une certaine forme de communication non verbale peut alors entrer en jeu au cours des préliminaires – un journal, par exemple, ou la couleur d'une cravate. Et si l'officier traitant le souhaite, il peut venir accompagné de deux gardes du corps. Car même le bar d'un hôtel suisse peut se révéler dangereux quand des secrets d'État changent de main.

Durant l'essentiel des cinq minutes qui suivirent, personne ne fit un mouvement. On aurait dit des personnages dans un tableau – ou des acteurs sur scène avant que les projecteurs ne s'allument, songea Gabriel. Seuls les guetteurs de Lavon s'agitaient, mais en coulisses. Deux d'entre eux observaient depuis une Skoda stationnée sur le Bahnhofplatz, et deux autres, un homme et une femme, s'abritaient sous les arcades. Ceux de la voiture suivaient Dimitri Sokolov, tandis que les deux autres s'occuperaient de Boris et Natasha.

Ce qui ne laissait plus qu'Alistair Hughes, qui était censé se trouver à Vienne, à profiter de son week-end. Mais il ne se trouvait pas à Vienne ; il était à Berne, à six mètres d'un officier non déclaré du SVR. Il était possible que ces deux-là soient déjà en contact via un appareil de communication de courte portée entre agents – un SRAC[1] dans le jargon. Cela fonctionnait comme une sorte de réseau Wi-Fi privé. L'agent avait un émetteur, l'officier traitant un récepteur. L'agent n'avait qu'à passer à portée du récepteur et le message transitait en toute sécurité d'un appareil à l'autre. Le système pouvait fonctionner de telle sorte qu'aucune action visible n'était requise de la part de l'agent, pas même presser un bouton. Mais l'agent ne pouvait garder l'appareil éternellement. Arriverait le moment où il devrait le sortir de sa poche ou de sa mallette pour le brancher à un chargeur ou à

1. Pour : Short-Range Agent Communication device.

un ordinateur. Et s'il le faisait à portée d'une caméra ou d'un guetteur, il se trahirait.

Gabriel, cependant, doutait qu'Alistair Hughes utilise un SRAC. Keller et Eli n'en avaient repéré aucun à Vienne, où l'Anglais avait été sous surveillance physique et électronique quasi permanente. De plus, le but du système était précisément d'éviter les rencontres face à face entre un agent et son officier traitant. Non, songea Gabriel, il se passait autre chose dans le bar du Schweizerhof.

Enfin, à 16 h 24, Alistair Hughes demanda qu'on lui apporte son addition, imité un moment plus tard par Dimitri Sokolov. Puis le Russe hissa sa considérable masse hors du fauteuil, boutonna son blazer et franchit les six mètres qui le séparaient de la table où Hughes était en train de signer sa note pour qu'on l'impute à sa chambre.

L'ombre de l'officier du SVR tomba sur Hughes. L'Anglais leva les yeux, sourcils froncés, et écouta Sokolov lui faire un petit discours, à la manière d'un maître d'hôtel énonçant les spécialités de la maison. Un bref échange s'ensuivit. Hughes parla, Sokolov répondit, et Hughes reprit la parole. Puis le Russe sourit, haussa ses épaules imposantes et s'assit. Hughes plia lentement son journal et le posa sur la table entre eux.

— L'enfoiré, murmura Christopher Keller. On dirait qu'on ne s'était pas trompés, qu'il espionne bel et bien pour les Russes.

Oui, songea Gabriel en regardant l'écran, c'était exactement à cela que ça ressemblait.

« Excusez-moi, ne seriez-vous pas M. Alistair Hughes, de l'ambassade britannique à Vienne ? Nous nous sommes rencontrés lors d'une réception l'an dernier. Elle se tenait dans l'un des palais, je ne me rappelle plus lequel. Il y en a tellement à Vienne. Presque autant qu'à Saint-Pétersbourg. »

Tels étaient les mots que Dimitri Antonovitch Sokolov

avait adressés à Alistair Hughes lorsqu'il s'était approché de sa table, aussi fidèlement que Yossi Gavish et Rimona Stern s'en souvenaient. Aucun d'eux n'avait pu entendre ce qui s'était dit par la suite – ni le bref échange qui avait eu lieu tandis que Sokolov se tenait toujours debout ni la conversation qui en avait découlé – car les deux hommes avaient adopté un volume sonore plus approprié à leurs projets de trahison.

Le second échange avait duré deux minutes et douze secondes. Durant tout ce temps ou presque, Sokolov avait tenu le poignet gauche de Hughes. Le Russe avait fait l'essentiel de la conversation avec un sourire faux aux lèvres. Hughes avait écouté impassiblement, sans esquisser le moindre geste pour récupérer sa main.

Sokolov la lui avait finalement rendue, pour prendre sous un pan de son blazer une enveloppe, qu'il avait glissée sous l'exemplaire du *Financial Times*. Puis il s'était levé précipitamment, l'avait sèchement salué d'un hochement de tête et était parti. La caméra 2 le montrait en train de remonter à l'arrière de l'Audi. Gabriel ordonna aux guetteurs de Lavon de ne pas le suivre.

À l'intérieur de l'hôtel, Boris et Natasha n'avaient pas bougé de leur table. Natasha s'était lancée dans un discours animé, mais Boris ne l'écoutait pas ; il observait Alistair Hughes, qui lui-même ne quittait pas le journal du regard. Au bout d'un moment, l'Anglais jeta un coup d'œil théâtral à sa montre et se leva prestement, comme s'il estimait être resté trop longtemps au bar. Il laissa un billet sur sa note et prit le journal – et l'enveloppe dissimulée à l'intérieur – d'un geste désinvolte.

Il salua les réceptionnistes en quittant le bar et gagna les ascenseurs. La porte de l'un d'eux s'ouvrit quand il appuya sur le bouton. Une fois seul dans la cabine, il sortit l'enveloppe de Dimitri Sokolov et jeta un coup d'œil dedans après l'avoir décachetée. Là encore, son visage demeura parfaitement impénétrable – le masque vide de l'espion professionnel.

136

Il replaça l'enveloppe dans le journal pour parcourir la distance entre l'ascenseur et la porte de sa chambre, mais arrivé là il rouvrit l'enveloppe et en sortit son contenu. Qu'il examina debout près de la fenêtre donnant sur la vieille ville, le cachant sans le vouloir à la vue des caméras.

Puis il alla dans la salle de bains et ferma la porte derrière lui. Peu importait : il y avait une caméra là aussi. Elle pointa son œil accusateur sur Hughes, occupé à mouiller une serviette pour calfeutrer le bas de la porte. Puis il s'accroupit près de la cuvette des W-C et commença à brûler le contenu de l'enveloppe. Là encore, l'angle de la caméra était tel que Gabriel ne put voir clairement les documents. Il se tourna vers Keller, qui scrutait furieusement l'écran.

— Il y a un vol British Airways qui décolle de Genève ce soir à 21 h 40 et qui arrive à Heathrow à 22 h 15, déclara Gabriel. Avec un peu de chance, tu peux être à Easton Square à 23 heures. Qui sait ? Helen t'aura peut-être mis les restes de côté.

— Tu parles d'une veine. Et que veux-tu que je dise à Graham ?

— À toi de voir.

Gabriel regarda Alistair Hughes, le chef de poste du MI6 à Vienne, brûler un dernier objet – l'enveloppe maculée de ses empreintes digitales et de celles de Dimitri Antonovitch Sokolov.

— C'est votre problème, maintenant, ajouta-t-il.

137

21

Hôtel Schweizerhof, Berne

Il avait toujours su que ça finirait comme ça, qu'un jour on le démasquerait. Un secret comme le sien ne pouvait rester éternellement tu. En vérité, il était même surpris d'avoir réussi à le garder si longtemps. Pendant des années, personne ne l'avait soupçonné, même à Bagdad, où il avait passé dix mois à chercher des armes de destruction massive inexistantes, mais qui avaient pourtant servi de prétexte à entraîner son pays dans une guerre désastreuse. Il aurait pu devenir fou, là-bas, s'il n'y avait pas eu Rebecca. Il avait eu beaucoup d'aventures – trop, sans doute –, mais Rebecca, il l'avait aimée. Elle lui avait damé le pion dans la course au poste de CP/Washington, le tapis roulant qui ferait d'elle la première directrice générale du MI6. Peut-être pourrait-elle utiliser son influence grandissante pour l'aider. Non, songea-t-il, pas même Rebecca ne pouvait le sauver à présent. Il n'avait d'autre choix que de tout avouer et d'espérer que Graham consente à balayer sa perfidie sous le tapis.

Il ôta la serviette mouillée du bas de la porte et la jeta dans la baignoire, où elle atterrit aussi dignement qu'un animal mort. L'incinération de ses mensonges avait laissé un petit nuage de fumée accusateur dans l'air confiné de la salle de bains. Il en sortit et referma rapidement la porte derrière lui pour ne pas déclencher l'alarme incendie. Quelle fin comique aurait connue son grand œuvre, songea-t-il. Quel panache !

Il présumait que sa chambre était truffée de micros et de caméras. Son appartement aussi. La sensation persistante qu'on le suivait ne l'avait pas lâché au cours des deux dernières semaines. Il jeta un coup d'œil à sa montre ; il était en retard à son rendez-vous. En dépit des circonstances, il ressentit une pointe de profonde culpabilité. Ils avaient accepté de rester tard pour lui rendre service, mais il n'avait à présent d'autre choix que de les planter et de fuir Berne aussi vite que possible.

Il n'y avait plus de vol pour Vienne ce jour-là, mais un train de nuit qui arrivait à 6 h 30. Il pourrait passer le reste de la journée du samedi à son bureau, tel un parfait employé zélé. Comme Rebecca, songea-t-il subitement. Elle ne prenait jamais un jour de repos. Raison pour laquelle elle serait bientôt cheffe. Si elle avait accepté sa demande en mariage, il l'aurait tirée vers le bas, elle aussi. À présent, il n'était plus qu'une tache dans son dossier par ailleurs immaculé, une regrettable indiscrétion.

Il tapa le code du coffre-fort – la date de naissance de Melinda, à l'envers, répétée deux fois – et jeta son iPhone et son BlackBerry dans sa mallette. Les téléphones étaient sans aucun doute compromis. Et sans aucun doute l'observaient-ils en ce moment même, enregistrant les moindres de ses méfaits et gestes. Il n'était pas mécontent de les avoir laissés dans la chambre, comme il le faisait habituellement quand il allait prendre le thé au bar du Schweizerhof. La dernière chose qu'il souhaitait lorsqu'il s'accordait cette demi-heure de liberté était un coup de fil de la maison ou, pire, de Vauxhall Cross.

Il claqua le couvercle de la mallette et remit les loquets en place. Le couloir sentait le parfum de Rebecca, ce truc dont elle avait coutume de s'asperger pour masquer l'odeur de ses misérables L&B. Il appuya sur le bouton d'appel de l'ascenseur, et quand la cabine le déposa au rez-de-chaussée, il se coula dans le hall avec soulagement.

Herr Müller, le concierge, remarqua le sac sur son épaule et demanda avec une expression inquiète s'il y avait un problème avec la chambre de Herr Hughes. *Il y avait un problème*, mais il n'avait rien à voir avec la chambre. Il concernait les deux barbouzes du SVR qui observaient Herr Hughes depuis le bar.

Il les dépassa sans même un regard et gagna les arcades. La nuit avait apporté une neige inattendue. Elle tombait, épaisse, sur le trafic dense du Bahnhofplatz. Un coup d'œil par-dessus son épaule lui apprit que les deux acolytes du SVR marchaient sur ses pas. Et comme si ça ne suffisait pas, il entendit son téléphone hurler dans sa mallette. D'après la sonnerie, il s'agissait de l'iPhone ; ce devait être Melinda qui se demandait où il était. Encore un mensonge à inventer…

Il devait se dépêcher, sans quoi il allait manquer son train. Il passa sous l'une des arches de l'arcade et s'engagea sur la place. Il l'avait presque traversée quand il entendit la voiture. Il ne vit jamais les phares, car ils étaient mouchés par la neige. Pas plus qu'il ne se souviendrait de la douleur de l'impact initial ni de la collision avec le trottoir, qui lui brisa le dos. La dernière chose qu'il vit fut un visage penché au-dessus de lui. Celui de Herr Müller. Ou bien était-ce Rebecca ? Rebecca qu'il avait aimée. « Raconte-moi tout, lui murmura-t-elle aux derniers instants de son agonie. Tes secrets sont bien gardés avec moi. »

DEUXIÈME PARTIE

Pink gin au Normandie

22

Berne

L'article parut peu après minuit sur le site Internet du *Berner Zeitung*, le plus important quotidien de la ville. Avare de détails, il rapportait seulement qu'Alistair Hughes, diplomate britannique, avait été percuté par une automobile et tué alors qu'il traversait le Bahnhofplatz en dehors des clous à l'heure de pointe. La voiture, qui ne s'était pas arrêtée, faisait toujours l'objet de recherches. Selon le porte-parole de la Kantonspolizei de Berne, le parquet avait ouvert une enquête pour délit de fuite.

Le bureau des Affaires étrangères et du Commonwealth attendit le lendemain matin pour faire une brève déclaration, précisant qu'Alistair Hughes était un membre du corps diplomatique britannique à Vienne. Les journalistes les plus futés – ceux qui savaient lire entre les lignes des mensonges officiels de Whitehall – relevèrent dans la formulation un flou caractéristique qui pointait droit sur la mystérieuse organisation, dont les locaux, vaste complexe connu sous le nom de Vauxhall Cross, défiguraient les bords de la Tamise. Ceux qui tentèrent de voir leurs soupçons confirmés en contactant le superflu attaché de presse du MI6 furent accueillis par un silence tonitruant. Selon la version officielle du gouvernement de Sa Majesté, Alistair Hughes était un diplomate mineur décédé alors qu'il conduisait une affaire privée.

Ailleurs, cependant, les journalistes n'étaient pas contraints par les traditions et les lois draconiennes relatives aux activités des services secrets. L'une d'entre eux, la correspondante à Vienne de la chaîne de télévision allemande ZDF, prétendait avoir déjeuné avec Alistair Hughes dix jours avant sa mort, en sachant pertinemment qu'il était le chef de poste du MI6 à Vienne. D'autres lui emboîtèrent le pas, parmi lesquels une reporter du *Washington Post* qui affirmait que Hughes lui avait fourni des renseignements pour un article sur les prétendues armes de destruction massive en Irak. À Londres, le bureau des Affaires étrangères n'était pas de cet avis. Alistair Hughes était un diplomate, insistait le porte-parole, et quiconque prétendait le contraire prenait ses désirs pour des réalités.

Le seul endroit où tout le monde se fichait de savoir ce qu'Alistair Hughes faisait dans la vie était celui où il avait trouvé la mort. Pour la presse suisse, Hughes était un *Scheiß Ausländer !* – un « foutu étranger » – qui serait toujours vivant s'il avait traversé où et quand il fallait. La Kantonspolizei suivit les recommandations de l'ambassade britannique, qui n'aurait pas vu d'un très bon œil une enquête approfondie. La police recherchait le véhicule du chauffard – heureusement immatriculé en Allemagne et non en Suisse –, mais laissa Alistair Hughes reposer dans une relative paix.

Il y avait néanmoins un homme à Berne qui ne donnait pas crédit à la version officielle de l'histoire. Son investigation était d'ordre privé et invisible, même aux yeux de ceux qui en étaient témoins. Il commença par la mener depuis sa chambre à l'hôtel Savoy, où il se trouvait toujours, au grand déplaisir de son Premier ministre et de sa propre femme, après avoir ordonné à ses subalternes d'évacuer rapidement le pays. La direction du Savoy le connaissait sous l'identité de Herr Johannes Klemp, citoyen allemand originaire de Munich. Mais son véritable nom était Gabriel Allon.

En toute justice, il aurait pu se laisser aller au minimum à un triomphe tranquille, mais à dire vrai, ça n'avait jamais été son style. Il s'accorda malgré tout une petite célébration privée. Après tout, c'était lui qui avait soutenu qu'une taupe russe se cachait dans les rangs du MI6. Lui qui avait convaincu le directeur général des services secrets britanniques de mener l'enquête sur le probable coupable. Il avait mis Alistair Hughes sous surveillance et l'avait suivi à Berne, où Hughes avait rencontré Dimitri Sokolov, un officier non déclaré du SVR, au bar de l'hôtel Schweizerhof. Gabriel avait assisté à la rencontre en temps réel, avec certains de ses officiers les plus dignes de confiance. C'était arrivé, indéniablement. Dimitri Sokolov avait remis à Hughes une enveloppe, Hughes l'avait acceptée. Une fois dans sa chambre, il en avait brûlé le contenu, puis l'enveloppe elle-même. Quatre minutes et treize secondes plus tard, il gisait mort sur le Bahnhofplatz.

Une part de Gabriel ne pleurait pas la disparition de Hughes, car il avait connu la fin qu'il méritait. Mais pourquoi était-il mort ? Un banal accident de la route était *possible*, mais peu probable. Gabriel ne croyait pas aux accidents ; lui-même en provoquait. Et les Russes aussi.

Si la mort d'Alistair Hughes n'était pas un accident mais un meurtre, pour quelle raison l'avait-on ordonné ? Pour répondre à cette question, Gabriel devait d'abord déterminer la véritable nature de la rencontre dont il avait été témoin et qu'il avait enregistrée au bar du célèbre hôtel Schweizerhof à Berne.

À cette fin, il passa l'essentiel des trois jours suivants courbé au-dessus d'un ordinateur portable, à regarder en boucle la même demi-heure de vidéo. Alistair Hughes arrivant au Schweizerhof après un vol sans incident depuis Vienne. Alistair Hughes dans sa chambre compromise, mentant à son subordonné sur sa position et ses plans pour le week-end. Alistair Hughes mettant sous clé ses téléphones avant de descendre, sans doute pour que personne ne puisse les utiliser pour enregistrer son rendez-vous avec Dimitri Sokolov du SVR. Pour le meilleur ou pour le pire, Gabriel n'avait aucune vidéo de la mort d'Alistair Hughes sur le Bahnhofplatz. La vue de la caméra 2 du système de sécurité du Schweizerhof était bouchée par les arches de l'arcade.

Les femmes de chambre du Savoy prenaient Gabriel pour un écrivain et s'efforçaient de faire le moins de bruit possible dans le couloir. Il leur permettait d'entrer dans la chambre l'après-midi, quand il quittait l'hôtel pour aller se promener dans la vieille ville, l'ordinateur portable à l'épaule dans un élégant sac. Un éventuel guetteur aurait remarqué qu'il s'était glissé deux fois dans l'ambassade israélienne sur l'Alpenstrasse. Il aurait aussi noté que Gabriel était allé déguster un thé accompagné d'une pâtisserie trois après-midi de suite au bar du principal concurrent du Savoy, le Schweizerhof.

La première fois, il s'assit à la table de Herr Hughes. La deuxième, à celle de Herr Sokolov. La troisième, enfin, il demanda à s'installer à la place de Boris et Natasha. Il choisit le siège de Boris, qui offrait une vision globale de la pièce, et prit soigneusement note de la position de chacune des caméras de sécurité et de l'angle qu'elle couvrait. Rien de tout ceci, songea-t-il, n'était arrivé par hasard. Tout avait été mûrement réfléchi.

De retour dans sa chambre au Savoy, il prit une feuille du papier à lettres de l'hôtel et, s'appuyant sur le support en verre de la table basse pour ne laisser aucune trace de stylo, écrivit deux possibles scénarios expliquant la mort d'Alistair Hughes.

Dans le premier, la rencontre au bar, quoique tradition-nelle dans sa forme, avait tourné à la réunion de crise. Sokolov avait prévenu Hughes qu'on le soupçonnait, qu'on l'avait placé sous surveillance et que son arrestation était imminente. Il lui avait proposé une bouée de sauvetage sous la forme d'une enveloppe contenant des instructions d'exfiltration vers Moscou. Hughes s'en était débarrassé après les avoir lues et avait rapidement quitté l'hôtel pour se lancer dans ce qui deviendrait son exil permanent. On l'avait vraisemblablement informé qu'une voiture l'attendait quelque part à proximité du Bahnhofplatz pour l'emmener jusqu'à un aéroport allié derrière l'ancien rideau de fer, où il récupérerait un passeport russe et s'envolerait pour Moscou. Dans la précipitation et la panique, il avait essayé de traverser la place sans se soucier des règles de circulation et s'était fait renverser, privant le Centre de sa récompense.

C'était, songea Gabriel, parfaitement plausible, à un détail près, et pas des moindres. Alistair Hughes travaillait pour le MI6, un service de renseignement célèbre pour la qualité de ses méthodes et de ses officiers. Et si Hughes espionnait pour Moscou, il marchait en équilibre sur une corde raide depuis plusieurs années. Il n'aurait pas paniqué en se sachant découvert ; il se serait tranquillement évaporé dans la nature. Raison pour laquelle Gabriel rejetait catégoriquement ce premier scénario.

En deuxième hypothèse, il postula que Dimitri Sokolov était venu au Schweizerhof animé d'une tout autre intention : tuer la taupe avant qu'elle puisse être arrêtée et interrogée, et ainsi empêcher le MI6 d'estimer l'étendue de sa trahison. Si ce scénario était avéré, alors Hughes était mort bien avant d'atterrir à Berne, tout comme Konstantin Kirov l'était avant d'arriver à Vienne. Mais à la différence du défecteur russe, Hughes connaissait le destin qui l'attendait, ce qui expliquait son départ précipité de l'hôtel. L'arme du crime attendait patiemment de l'autre côté de la place, et son chauffeur avait saisi l'opportunité au vol. Affaire classée. Plus de taupe.

Gabriel préférait le second scénario au premier, mais il n'était pas entièrement convaincu. Hughes aurait pu continuer à fournir une aide précieuse au SVR pendant encore des années depuis la sécurité d'un appartement moscovite. Voire être utilisé comme un outil de propagande, à l'image d'Edward Snowden et de trois des Cinq de Cambridge durant la guerre froide – Burgess, Maclean et Kim Philby. Le Tsar n'aimait rien tant qu'afficher les prouesses de ses espions. Non, songea Gabriel, les Russes n'auraient pas laissé leur récompense leur filer si facilement entre les doigts.

Ce qui conduisit Gabriel, tard dans la nuit, alors que l'hôtel Savoy somnolait autour de lui et que les chats battaient le pavé sous sa fenêtre, à considérer une troisième possibilité, celle qu'il était lui-même responsable de la mort d'Alistair Hughes. C'est donc avec appréhension qu'il décrocha le téléphone sur sa table de nuit et appela Christoph Bittel.

23

Bittel donna rendez-vous à Gabriel à 9 heures le lendemain matin dans un café proche du quartier général du NDB, le service de renseignement intérieur et extérieur suisse. L'Israélien arriva avec vingt minutes d'avance, le Suisse avec dix de retard, ce qui ne lui ressemblait pas. Grand et chauve, Bittel avait la raideur d'un pasteur calviniste et la pâleur de ceux qui n'ont guère de temps pour les activités d'extérieur. Gabriel avait passé plusieurs heures déplaisantes du mauvais côté d'une table d'interrogatoire avec lui. Ils étaient à présent plus ou moins alliés. Le NDB employait moins de trois cents personnes et disposait d'un budget annuel de soixante millions de dollars, soit moins que ce que dépensaient les services secrets américains en un après-midi. Il voyait dans le Bureau un précieux démultiplicateur de force.

— Bel endroit, commenta Gabriel.

Il embrassa d'un geste le triste petit café, avec son sol en lino craquelé, ses tables bancales en formica et ses posters défraîchis de sommets alpins. Il était situé dans un quartier bâtard d'immeubles de bureaux, d'officines d'artisans et de chantiers de recyclage.

— Vous venez souvent ici ou seulement pour les occasions spéciales ? poursuivit-il.

149

— Vous avez dit souhaiter quelque chose en dehors des sentiers battus.

— Quels sentiers ?

— Depuis quand êtes-vous dans le pays ? demanda Bittel en fronçant les sourcils.

Gabriel réfléchit ostensiblement.

— Je crois que je suis arrivé jeudi.

— Par avion ?

Gabriel acquiesça.

— De Zürich ?

— De Genève, pour être exact.

— Nous vérifions systématiquement les listes de passagers entrants.

Bittel dirigeait la section antiterroriste du NDB. S'assurer que des étrangers non désirés ne mettent pas un pied sur le sol suisse faisait partie de ses missions.

— Je suis à peu près certain de n'avoir lu votre nom sur aucune d'elles, continua-t-il.

— Et pour cause.

Le regard de Gabriel dériva vers l'exemplaire plié du *Berner Zeitung* posé entre eux, sur la table. L'article en une relatait l'arrestation d'un récent migrant marocain qui avait planifié une attaque au camion-bélier et au couteau au nom de l'État islamique.

— *Mazel Tov*, Bittel. On dirait que vous l'avez échappé belle.

— Pas vraiment. Nous le surveillions vingt-quatre heures sur vingt-quatre. Nous avons attendu qu'il ait loué le camion pour passer à l'action.

— Quelle était sa cible ?

— Le Limmatquai, à Zürich.

— Et d'où venait le tuyau qui vous a conduit à lui ?

— Son nom figurait dans un des ordinateurs saisis au Maroc, dans le complexe où Saladin a été tué. Un de nos partenaires nous l'a fourni deux jours après l'attentat à la bombe manqué à Londres.

— Vous m'en direz tant.

Le visage de Bittel s'éclaircit d'un sourire.

— Je ne vous remercierai jamais assez. Ç'aurait été un bain de sang.

— Je suis ravi que nous ayons pu vous être utiles.

Tous deux s'exprimaient en *Hochdeutsch*, ou haut allemand – l'allemand standard. Si Bittel avait parlé le dialecte suisse-allemand du canton de Nidwald où il avait grandi, Gabriel aurait eu besoin d'un interprète.

Une serveuse vint prendre leur commande. Quand ils furent de nouveau seuls, Bittel demanda :

— C'est vous qui avez abattu le poseur de bombe à Londres ?

— Ne soyez pas stupide, Bittel. Je dirige les services de renseignement d'Israël, bon sang.

— Et Saladin ?

— Il est mort, c'est tout ce qui compte.

— Mais l'idéologie de Daech perdure, et elle a fini par trouver son chemin jusqu'en Suisse. (Bittel fixa Gabriel avec un regard incriminant.) Donc je fermerai les yeux sur le fait que vous soyez entré dans le pays sans prendre la peine d'en informer le NDB, et avec un faux passeport par-dessus le marché. Je suppose que vous n'êtes pas venu skier ? La neige est très mauvaise cette année.

Gabriel retourna le journal et tapota du doigt l'article évoquant la mort d'un diplomate britannique sur le Bahnhofplatz.

Bittel haussa un sourcil.

— Une bien vilaine affaire.

— On dit que c'était un accident.

— Depuis quand croyez-vous ce qu'on écrit dans les journaux ? (Bittel ajouta en baissant la voix :) Je vous en prie, ne me dites pas que c'est vous qui l'avez tué ?

— Pourquoi irais-je tuer un diplomate britannique sans importance ?

— Ce n'était pas un simple diplomate, mais le chef de poste du MI6 à Vienne.

— Qui semblait beaucoup aimer votre pays.

— Tout comme vous.

— Est-ce que vous savez pour quelle raison il fréquentait Berne avec une telle assiduité ?

— Selon des rumeurs, il y voyait une femme.

— C'est la vérité ?

— Nous ne sommes sûrs de rien.

— Le NDB ne s'en est pas assuré ?

— Ce n'est pas notre genre. Nous sommes en Suisse. La vie privée est sacrée. (La serveuse leur apporta leurs cafés.) Vous étiez sur le point de me dire pourquoi le chef du renseignement israélien s'intéresse à la mort d'un officier du MI6. Je présume que ça a un rapport avec le Russe que vous avez tué à Vienne il y a deux semaines.

— Je ne l'ai pas tué non plus, Bittel.

— Les Autrichiens ne l'entendent pas de cette oreille. En fait, ils nous ont demandé de vous arrêter s'il vous venait l'idée de mettre un pied en Suisse, ce qui signifie que vous vous trouvez actuellement dans une situation bien précaire.

— Je prends le risque.

— Au point où nous en sommes. (Bittel sucra son café et souffla doucement dessus.) Vous disiez ?

— Nous avions Hughes à l'œil depuis un moment, reconnut Gabriel.

— Le Bureau ?

— En collaboration avec nos alliés britanniques. Nous l'avons suivi depuis Vienne vendredi après-midi.

— Merci de nous avoir informés de votre venue.

— Nous ne voulions pas déranger.

— Combien d'officiers avez-vous fait entrer dans le pays ?

Gabriel leva les yeux au plafond et se mit à compter sur ses doigts.

— Laissez tomber, marmonna Bittel. Ça explique les micros et les caméras qu'on a trouvés un peu partout dans la chambre de Hughes. Du bon matériel, soit dit en passant. Bien meilleur que le nôtre. Mes techniciens sont en train de les rétroconcevoir à l'heure où nous parlons. (Bittel posa pensivement sa cuiller sur la table.) Je suppose que vous n'avez rien manqué de son rendez-vous avec le Russe au bar ?

— Ç'aurait été difficile.

— Il s'appelle…

— Dimitri Sokolov, le renseigna Gabriel. C'est l'homme de Moscou à Genève.

— Vous le connaissez ?

— Pas personnellement.

— Dimitri n'est pas du genre à suivre les règles.

— Il n'y a aucune règle, Bittel. Pas avec les Russes.

— À Genève, si. Mais Dimitri les enfreint régulièrement.

— De quelle manière ?

— Recrutement sauvage, pas mal de coups bas. Il est spécialiste du *kompromat*. (C'était le terme russe désignant les documents embarrassants utilisés pour faire taire les opposants politiques ou pour contraindre par chantage des atouts à obéir au Kremlin.) Il est rentré à Moscou, au fait. Avant-hier soir.

— Vous savez pourquoi ?

— Nous n'avons jamais réussi à percer le chiffrage des Russes, mais Onyx a mis au jour un important trafic entre la *rezidentura* de Genève et le Centre vendredi soir juste après la mort de Hughes. (Onyx était l'organe numérique du renseignement suisse.) Dieu seul sait ce qu'ils se sont dit.

— Beau boulot.

— Vous pensez que les Russes ont tué Hughes ?

— Disons qu'ils figurent en haut de ma liste de suspects.

— Hughes travaillait pour eux ?

— Avez-vous visionné les vidéos de la sécurité de l'hôtel ?

— Et vous ?

Gabriel resta muet.

— Pourquoi les Russes tueraient leur propre agent ? demanda Bittel.

— Je me pose la même question.

— Et ?

— Si je connaissais la réponse, je ne me trouverais pas dans ce trou à rats en train de vous confesser mes péchés.

— Vous devriez savoir, déclara Bittel au bout d'un moment, que les Britanniques ne s'intéressent guère à une enquête minutieuse. L'ambassadeur et le chef de poste à Berne nous mettent la pression pour que nous classions l'affaire au plus vite.

— Permettez-moi d'appuyer cette motion.

— Quoi ? C'est là tout ce que vous me demandez ?

— Je veux récupérer mes caméras et mes micros. (Gabriel s'interrompit un instant.) Et je veux découvrir pourquoi Alistair Hughes passait autant de temps dans votre belle cité.

Bittel avala son café d'une seule traite.

— Où êtes-vous logé ?

— Au Savoy.

— Et le reste de votre équipe ?

— Partie depuis longtemps.

— Des gardes du corps ?

L'Israélien secoua la tête.

— Comment voulez-vous que je vous contacte si je découvre quelque chose ?

Gabriel fit glisser une carte de visite sur le plateau de la table.

— Le numéro est au dos. Appelez de votre ligne la plus sûre. Et soyez discret, Bittel. Les Russes aussi ont un service d'écoute.

— Raison pour laquelle vous ne devriez pas vous trouver à Berne sans personne pour assurer votre sécurité. Je vais mettre deux de mes hommes sur le coup, par précaution.

— Merci, Bittel, mais je m'en sortirai tout seul.

— Je suis certain qu'Alistair Hughes se disait la même chose. Rendez-moi service, Allon. Ne vous faites pas tuer sur mon territoire.

Gabriel se leva.

— Je ferai de mon mieux.

24

Berne

Gabriel repéra les deux gardes du corps dans la rue pavée sous sa fenêtre à midi. Deux voitures en feu auraient été plus discrètes. Il les appela Frick et Frack, mais seulement pour lui-même. Ces Helvètes taillés comme des bœufs manquaient cruellement d'humour.

Ils le suivirent à travers les galeries du musée des Beaux-Arts, au café sur la Kramgasse où il déjeuna, puis jusqu'à l'ambassade d'Israël sur l'Alpenstrasse, où il apprit que son service filait droit même quand il n'était pas là pour tenir la barre. Sa famille aussi. Il en était secrètement ravi. Il n'avait jamais souhaité être indispensable.

Cette nuit-là, tandis qu'il travaillait penché sur son ordinateur dans sa chambre au Savoy, Frick et Frack furent remplacés par une voiture dans laquelle deux agents de la Kantonspolizei de Berne patientèrent jusqu'à leur retour, au matin. Gabriel les entraîna dans le jeu du chat et de la souris durant l'essentiel de l'après-midi. À un moment, ne serait-ce que pour voir s'il y parvenait toujours, il les planta sur place en traversant la Nydeggbrücke, qui reliait la vieille ville à la nouvelle.

Libre de toute surveillance, il alla prendre le thé au Schweizerhof, dans le fauteuil qu'avait occupé Alistair Hughes quelques minutes avant sa mort. Gabriel imagina Dimitri Sokolov assis en face de lui. Dimitri qui ne respectait pas les règles en vigueur à Genève. Dimitri qui s'était spécialisé dans le *kompromat*. Gabriel se souvint comment Sokolov avait tenu le poignet de Hugues – main droite sur poignet gauche. Il supposa que quelque chose avait pu passer entre eux à ce moment-là, une clé USB ou un message codé, mais il en doutait. Il avait visionné la vidéo une bonne centaine de fois. La transaction n'était allée que dans un sens, de Dimitri Sokolov vers Alistair Hughes. C'était l'enveloppe que le Russe avait glissée sous le *Financial Times*. L'Anglais avait brûlé le contenu de l'enveloppe une fois sa chambre réintégrée. Peut-être s'agissait-il d'instructions en vue d'une exfiltration vers Moscou, peut-être d'autre chose. Quatre minutes et treize secondes plus tard, il était mort.

Quand Gabriel retourna au Savoy, Frick et Frack étaient en train de lécher leurs blessures dans la rue en contrebas. Tous trois se réconcilièrent devant quelques verres au bar de l'hôtel ce soir-là. Frick s'appelait Kurt et venait de Wassen, un village de quatre cents âmes dans le canton d'Uri. Frack avait pour prénom Matthias. Il avait grandi dans la catholique Fribourg et avait fait partie de la garde suisse pontificale. Gabriel se rendit compte qu'ils s'étaient déjà rencontrés, à l'époque où il restaurait *La Mise au tombeau* du Caravage dans le laboratoire du musée du Vatican.

— Bittel progresse, dit-il à Gabriel. Il pourrait avoir quelque chose pour vous.

— Quand ?

— Demain après-midi, peut-être avant.

— Le plus tôt sera le mieux.

— Si vous vouliez un miracle, vous auriez dû aller voir votre ami le Saint-Père.

Gabriel se fendit d'un sourire.

— Est-ce que Bittel vous a dit de quoi il s'agissait ?

— D'une femme, lâcha Matthias dans sa pinte de bière.

— À Berne ?

— Münchenbuchsee. C'est…

— Une petite ville un peu plus au nord.

— Comment connaissez-vous Münchenbuchsee ?

— Paul Klee y est né.

Gabriel ne dormit pas cette nuit-là. Le matin, il alla droit à l'ambassade d'Israël, suivi par deux agents en uniforme de la Kantonspolizei de Berne, et y passa l'une des plus longues journées de sa vie, à grignoter des sablés viennois rassis datant de l'époque où les postes gardaient toujours des douceurs à portée de main en prévision d'une visite-surprise d'Uzi Navot, alors chef du Bureau.

À 18 heures, toujours aucune nouvelle. Gabriel envisagea de joindre Bittel, mais décida que la patience était la meilleure ligne de conduite. Bittel l'appela finalement à 20 h 30 depuis une ligne sûre du quartier général du NDB.

— Il se trouve que les rumeurs étaient vraies. Il voyait bel et bien une femme.

— Son nom ?

— Klara Brünner.

— Que fait-elle dans la vie ?

— Psychiatre. Elle travaille à la Privatklinik Schloss à Münchenbuchsee.

Privatklinik Schloss…

Oui, songea Gabriel, cela expliquerait tout.

25

Hampshire, Angleterre

La destruction de la dépouille d'Alistair Hughes eut lieu dans un crématorium du sud de Londres ; l'inhumation, dans un vieux cimetière dans les collines calcaires moutonnantes du Hampshire. Le service funéraire se tint sous la pluie, à l'abri des regards.

— Je suis la résurrection et la vie, récita le pasteur, tandis qu'une averse soudaine faisait jaillir les parapluies. Celui qui croit en moi, même s'il meurt, vivra.

Une épitaphe pour un espion, songea Graham Seymour.

En dépit du caractère privé de la cérémonie, les gens vinrent nombreux. La quasi-totalité des effectifs de Vauxhall Cross et du poste de Vienne était présente. Les Américains avaient envoyé une délégation de Nine Elms, et Rebecca Manning avait fait le trajet depuis Washington, avec un mot personnel du directeur de la CIA, Morris Payne.

À la fin du service, Seymour alla présenter ses condoléances à Melinda Hughes.

— Puis-je vous parler seule à seul ? lui demanda-t-elle. Je crois que nous avons des choses à nous dire.

Ils allèrent marcher au milieu des pierres tombales ; Seymour tenait le parapluie et Melinda Hughes s'accrochait à son bras. Le sang-froid dont elle avait fait preuve durant la cérémonie, ses deux garçons serrés contre elle, l'avait désormais quittée. Elle sanglotait doucement. Seymour aurait voulu trouver les mots pour la réconforter. Mais il n'avait jamais su. Il en rejetait la faute sur son père, le grand Arthur Seymour, une légende du MI6, qui n'avait jamais été capable de montrer le moindre signe de compassion. La seule période d'affection dont il se souvenait remontait à son enfance, lors d'un séjour prolongé à Beyrouth. Mais même alors, son père avait été distrait. C'était à cause de Philby, traître parmi les traîtres.

Philby…

Pourquoi donc pensait-il à son père et à Kim Philby à cet instant ? Peut-être parce qu'il arpentait un cimetière au bras de l'épouse d'un espion russe. *Soupçonné* d'espionnage, se corrigea-t-il. Cela restait à prouver.

Melinda Hughes se moucha bruyamment.

— Regardez-moi, on dirait une Américaine. Alistair serait mortifié s'il me voyait.

Les larmes avaient ruiné son maquillage. Mais même ainsi, elle était l'incarnation de la beauté. Et de la réussite, songea Seymour – financièrement, en tout cas, elle n'avait rien à envier au salaire que versait le gouvernement à son mari. Seymour ne comprenait pas pourquoi Alistair l'avait tant trompée. La trahison lui venait peut-être naturellement. Ou bien estimait-il que c'était un avantage en nature du poste, comme la possibilité de se soustraire aux longues files d'attente du contrôle des passeports à l'arrivée à Heathrow ?

— Croyez-vous qu'il le puisse ? demanda abruptement Melinda Hughes.

— Je vous demande pardon ?

— Nous voir. Pensez-vous qu'Alistair soit là-haut ? (Elle leva les yeux vers le ciel ardoise.) Avec le Christ, les apôtres, les anges et les saints ? Ou bien n'est-il rien de plus que quelques os réduits en cendres dans la terre glacée du Hampshire ?

— Quelle réponse préférez-vous ?

— La vérité.

— Je crains de ne pas savoir ce qui se passe dans la tête du président russe, alors la question de la vie éternelle…

— Êtes-vous croyant ?

— Non, reconnut Seymour.

— Moi non plus. Mais aujourd'hui, j'aimerais l'être. C'est comme ça que tout finit ? Il n'y a vraiment rien de plus ?

— Vous avez vos enfants. Peut-être survit-on à travers eux…

Les pensées de Seymour revinrent inopinément à son père, puis à Philby, lisant son courrier au bar de l'hôtel Normandie.

Je m'appelle Kim, et toi ?

Graham.

Graham comment ?

Seymour. Mon père est…

Je sais qui est ton père. Tout le monde le sait. Un pink gin ?

J'ai douze ans.

Ne t'inquiète pas, ça sera notre petit secret.

Une secousse sur son bras ramena Seymour au présent ; Melinda Hughes avait mis le pied dans une légère cavité et perdu l'équilibre. Elle parlait de la Barclays, où elle envisageait de retourner travailler, maintenant qu'Alistair était enfin rentré au pays pour de bon.

— Y a-t-il quelque chose d'autre que nous puissions faire pour vous ?

— Les membres du service du personnel se sont montrés très disponibles, et étonnamment prévenants. Alistair les a toujours détestés pourtant.

— Comme nous tous, mais je crains que ça ne fasse partie du métier.

— Ils me proposent une somme rondelette.

— Vous y avez droit.

— Je ne veux pas de votre argent, dit-elle avec une soudaine véhémence. Ce que je veux, c'est la vérité.

160

Ils avaient atteint le bout du cimetière. Les personnes présentes à la cérémonie s'étaient pour la plupart dispersées, mais quelques-unes se tenaient encore près de la tombe, souriant maladroitement et serrant des mains, profitant de l'inhumation d'un collègue pour forger des alliances utiles. Un des Américains était en train d'allumer une cigarette aux lèvres de Rebecca Manning. Elle feignait de s'intéresser à ses paroles, mais son regard ne lâchait pas Seymour et la veuve éplorée d'Alistair Hughes.

— Pensez-vous réellement me faire avaler qu'un agent hautement entraîné du MI6 soit mort en traversant la rue ? lança Melinda Hughes.

— Ce n'était pas une simple rue, mais la place la plus fréquentée de Berne.

— Le Bahnhofplatz ? fit-elle dédaigneusement. Nous ne sommes pas en train de parler de Trafalgar Square ou de Piccadilly. Et que faisait-il à Berne, pour commencer ? Il m'avait dit qu'il prévoyait de passer le week-end à Vienne avec un bon livre. Clement Attlee. Vous imaginez ? Le dernier livre que mon mari a lu était une biographie de Clement Attlee.

— Il n'est pas inhabituel pour un chef de poste d'agir au-delà des frontières de son pays.

— Je suis certaine que le chef de poste à Berne ne partage pas votre avis. D'ailleurs, pourquoi ne pas le lui demander ? (Melinda tourna les yeux vers le groupe agglutiné à côté de la sépulture de son mari.) Ça tombe bien, il est là.

Seymour ne répondit pas.

— Ne me prenez pas pour une bleue, Graham. J'ai été mariée au service pendant près de trente ans.

— Alors vous savez qu'il y a certaines choses que je ne peux pas dire. Un jour, peut-être, mais pas maintenant.

Elle lui rendit un regard désapprobateur.

— Vous me décevez, Graham. Vous êtes tellement prévisible. Vous vous cachez derrière le paravent des secrets, comme Alistair le faisait toujours. Chaque fois que j'évoquais quelque chose dont il ne voulait pas parler, il me répondait invariablement : « Désolé, chérie, tu connais les règles. »

— C'est une réalité, je le crains. Sans ces règles, nous ne pourrions pas fonctionner.

Mais Melinda Hughes ne l'écoutait plus. Elle dévisageait Rebecca Manning.

— Ils ont été amants à Bagdad. Vous le saviez ? Pour je ne sais quelle raison, Alistair était fou d'elle. Elle va devenir le prochain « C », et Alistair est mort.

— Je puis vous assurer que le prochain directeur général n'a pas encore été choisi.

— Vous savez, pour un espion, vous êtes un très mauvais menteur. (Melinda Hughes s'interrompit soudain et se tourna face à Seymour sous le parapluie.) Graham, dites-moi au moins ce que mon mari faisait à Berne. Voyait-il une autre femme ? Espionnait-il pour les Russes ?

Ils arrivaient au parking. Les Américains grimpaient bruyamment dans leurs voitures de location, comme au sortir d'un pique-nique. Seymour raccompagna Melinda Hughes auprès de sa famille et, repliant son parapluie, rejoignit sa limousine. Rebecca Manning l'y attendait, adossée contre la portière arrière. Elle était en train d'allumer une nouvelle L&B.

— De quoi voulait-elle te parler ? demanda-t-elle calmement.

— Elle voulait en savoir plus sur la mort de son mari.

— Les Américains aussi.

— C'était un accident.

— Vraiment ?

Seymour resta muet.

— Et pour le reste ? demanda Rebecca. Ce dont nous avons parlé à Washington ?

— L'enquête est concluante.

— Et ?

— Rien. (Seymour jeta un regard à la tombe d'Alistair Hughes.) L'affaire est morte et enterrée. Retourne à

Washington et fais-le savoir à qui veut l'entendre. Laisse le robinet ouvert.

Elle jeta sa cigarette sur la terre humide et se mit en route vers la voiture qui l'attendait.

— Rebecca ? la rappela Seymour.

Elle s'arrêta et se retourna. Dans la semi-pénombre, sous la pluie fine, il eut l'impression de voir son visage pour la première fois. Elle lui rappelait quelqu'un qu'il aurait connu longtemps auparavant, dans une autre vie.

— Toi et Alistair… c'est vrai ?

— Qu'est-ce que t'a dit Melinda ?

— Que vous aviez eu une liaison à Bagdad.

— Alistair et moi ? fit-elle en riant. Ne sois pas ridicule.

Seymour s'engouffra à l'arrière de sa voiture et l'observa s'éloigner à travers la vitre maculée de gouttes d'eau. Même compte tenu de l'exigence des critères du MI6, songea-t-il, c'était une sacrée bonne menteuse.

26

Hampshire, Angleterre

À proximité de Crawley, le BlackBerry de Graham Seymour signala l'arrivée d'un texto de Nigel Whitecombe, son assistant personnel et garçon de courses officieuses.

— Changement de programme, dit Seymour à son chauffeur.

Quelques minutes plus tard, ils prenaient l'A23 vers le sud, en direction de Brighton. De là, ils bifurquèrent vers l'ouest en suivant la côte, dépassèrent Shoreham, Worthing, Chichester et Portsmouth avant d'arriver à leur destination : Gosport.

La vieille forteresse, avec ses douves asséchées et ses murs de pierre grise, était accessible par un étroit sentier qui croisait le premier fairway du Gosport & Stokes Bay Golf Club. La voiture de Seymour franchit le poste de contrôle extérieur, puis un portail qui ouvrait sur une cour intérieure, convertie bien des années plus tôt en parking à l'usage de l'équipe dirigeante. Le plus ancien de ses membres, George Halliday, l'intendant, se tenait droit comme un I devant l'aile ouest.

— Bonjour, monsieur. Quelle agréable surprise. J'aurais aimé que la Croix[1] nous informe un minimum de votre visite.

---

1. Vauxhall Cross signifie littéralement « l'intersection de Vauxhall », mais *cross* est aussi une croix, en anglais.

— Nous sommes un peu à court d'effectifs, George. Les funérailles avaient lieu aujourd'hui.

— Ah, oui, bien sûr. Quelle terrible histoire. Je me souviens de lui, quand il était venu pour le IONEC[1]. Un bon gars. Aussi affûté qu'un couteau, n'est-ce pas ? Comment va sa femme ?

— Comme on peut l'imaginer.

— Dois-je faire préparer votre chambre, monsieur ?

— C'est inutile. Je ne resterai pas longtemps.

— Je suppose que vous êtes venu voir notre invité. La Croix ne nous a pas informés de sa venue non plus. M. Whitecombe l'a déposé dans un panier sur le pas de notre porte et a pris la poudre d'escampette.

— Je lui en toucherai deux mots, promit Seymour.

— Oui, s'il vous plaît.

— Et notre invité ? Où donc est-il ?

— Je l'ai bouclé dans l'ancienne chambre de M. Marlowe.

Seymour grimpa la volée de marches en pierre qui menaient au quartier résidentiel de l'aile ouest. La chambre au bout du couloir ne contenait qu'un lit simple, un secrétaire et une armoire. Gabriel se tenait devant la meurtrière qui faisait office de fenêtre, les yeux perdus dans la mer de granit.

— Tu nous as manqué, à la cérémonie, déclara Seymour. La moitié de la CIA était là. Tu aurais dû venir.

— Ça n'aurait pas été bien.

— Pourquoi ça ?

Gabriel se retourna et regarda son homologue britannique pour la première fois.

— Parce que c'est à cause de moi qu'Alistair Huges est mort. Et cela, je ne me le pardonnerai jamais.

Seymour fronça les sourcils, pensif.

— Il y a deux heures, dans un cimetière pas très loin

1. Pour Intelligence Officer New Entry Course : programme d'entraînement de six mois suivi par les nouveaux officiers du renseignement britannique.

d'ici, Melinda Hughes m'a demandé si son mari était un espion russe.

— Que lui as-tu répondu ?

— Rien.

— Tant mieux. Car Alistair Hughes n'était pas un espion. C'était un patient. De la Privatklinik Schloss.

27

Fort Monckton, Hampshire

Fort Monckton était officiellement propriété du ministère de la Défense et vaguement connu sous le nom de « Centre d'entraînement militaire n° 1 ». Officieusement, il s'agissait de l'académie des apprentis espions du MI6. La plupart des cours se tenaient dans les amphithéâtres et les laboratoires de l'aile principale, mais les vieux murs d'enceinte abritaient également un pas de tir, un héliport, des courts de tennis, une salle de squash et un terrain de croquet. Des gardes du ministère de la Défense patrouillaient le périmètre. Aucun d'eux ne suivit Gabriel et Graham lorsqu'ils partirent pour la plage, l'Israélien en jean et veste de cuir, l'Anglais vêtu de son costume d'enterrement anthracite, d'un manteau et d'une paire de bottes en caoutchouc que George Halliday avait dénichées dans la réserve.

— La Privatklinik Schloss ?

— Un endroit très sélectif. Et très privé, comme son nom l'indique. Hughes y consultait son médecin, le Dr Klara Brünner. Elle le traitait pour des troubles bipolaires et une dépression lourde, ce qui explique la présence des médicaments que nous avons trouvés chez lui. Elle les lui fournissait en toute discrétion. Elle le voyait le dernier vendredi de chaque mois, après sa journée de travail. Il utilisait un pseudonyme, Richard Baker. Cela n'a rien d'inhabituel dans ce genre d'endroit.

— D'après qui ?

— Christoph Bittel, du NDB.

— On peut lui faire confiance ?

— Vois-le comme notre banquier suisse.

— Qui d'autre est au courant ?

— Les Russes, bien sûr. (Quatre courageux golfeurs interrompirent leurs laborieux efforts sur le green battu par le vent pour regarder passer les deux hommes.) Ils savaient aussi qu'Alistair avait décidé de ne pas informer ses supérieurs de sa maladie, car il risquait de compromettre sa carrière. Le Centre a sans aucun doute envisagé d'utiliser cette information pour le contraindre à travailler pour eux – c'est exactement ce que nous aurions fait dans leur position. Mais ce n'est pas ce qui s'est passé.

— Alors que s'est-il passé ?

— Ils ont gardé ça sous le coude jusqu'à ce que Dimitri Sokolov, un barbouze du Centre adepte du *kompromat*, donne à Hughes une enveloppe au bar de l'hôtel Schweizerhof à Berne. Si je devais émettre une supposition, je dirais qu'elle contenait des photos de Hughes entrant et sortant de la clinique. C'est pourquoi il l'a acceptée plutôt que de la jeter au visage de Dimitri. Et c'est aussi pourquoi il a essayé de quitter Berne en urgence. Incidemment, Dimitri est retourné à Moscou. Le Centre l'a rappelé deux jours après que Hughes a été tué.

Ils avaient atteint le poste de secours en mer de Gosport. Seymour ralentit jusqu'à s'arrêter.

— Tout cela n'était donc qu'un subterfuge pour nous faire croire qu'Alistair était un espion ?

Gabriel hocha la tête.

— Pourquoi ? demanda le directeur du MI6.

— Vladimir Vladimirovitch Gribkov. Tu te souviens de Vévé, n'est-ce pas, Graham ? Il voulait son cottage dans les Cotswolds et dix millions de livres sur son compte en banque, à Londres. En échange, il proposait de vous donner le nom d'une taupe russe au sommet de la hiérarchie du renseignement anglo-américain.

— Évidemment que je m'en souviens.

— Les Russes ont récupéré Vévé avant qu'il ne puisse faire défection, poursuivit Gabriel. Mais de leur point de vue, c'était trop tard. Gribkov avait déjà informé le MI6 qu'il y avait une taupe. Le mal était fait. Le Centre a dû faire face à un dilemme. Rester les bras croisés et espérer que ça se tasse, ou prendre des mesures pour protéger ses investissements. Ils ont choisi la deuxième option. Les Russes ne croient pas en l'espoir.

Ils quittèrent la plage et suivirent une route étroite qui coupait un champ en deux, telle une balafre. Gabriel marchait sur l'asphalte, tandis que Seymour, avec ses bottes en caoutchouc, pataugeait dans l'herbe grasse.

— Et Konstantin Kirov, demanda-t-il. Que vient-il faire là-dedans ?

— Je n'ai que des suppositions.

— Comme pour tout le reste. Pourquoi s'arrêter en si bon chemin ?

— Kirov, continua Gabriel en ignorant le sarcasme de Seymour, valait de l'or.

— Et le secret phénoménal qu'il prétendait avoir découvert ? Celui qui justifiait sa défection ?

— Un miroir aux alouettes. Très convaincant, mais un miroir aux alouettes quand même.

— Inventé par le Centre ?

— Bien sûr. Possible aussi qu'ils lui aient murmuré quelque chose à l'oreille pour le rendre nerveux, mais ce n'était probablement pas nécessaire. Heathcliff était déjà bien assez nerveux comme ça. Tout ce qu'il leur restait à faire, c'était de l'envoyer faire une course et attendre qu'il fasse le grand saut lui-même.

— Ils *voulaient* qu'il fasse défection ?

— Non, ils voulaient qu'il *essaie*. Il y a une énorme différence.

— Pourquoi l'avoir laissé quitter la Russie ? Pourquoi

ne pas l'avoir pendu par les pieds pour faire tomber tous les secrets de ses poches ? Pourquoi ne pas lui avoir logé une balle dans la nuque, point final ?

— Parce qu'il leur était encore utile. Ils avaient besoin de l'adresse de l'appartement refuge où je l'attendais, mais ça, c'était facile. La liste de diffusion était longue comme le bras, et le nom de la taupe y figurait certainement. Quand Heathcliff est arrivé à Vienne, ils avaient déjà un assassin en place et une équipe de surveillance avec un téléobjectif de l'autre côté de la rue.

— J'attends la suite, dit Seymour à contrecœur.

— Ils avaient tout à gagner à tuer Heathcliff sous ma fenêtre avant de balancer ma photo sur Internet. Je passais pour le commanditaire du meurtre d'un agent du SVR au beau milieu de Vienne, ce qui affaiblissait le Bureau. Mais ce n'était pas là leur principal mobile. Ils voulaient que je lance une enquête et que j'identifie Alistair Hughes comme source probable de la fuite, et je suis tombé dans le piège.

— Mais pourquoi l'ont-ils tué ?

— Le garder en vie compromettait toute l'opération, dont le but était de nous détourner de la vraie taupe. Après tout, quel besoin de chercher une taupe si la taupe est morte ?

Deux hommes se tenaient devant un van banalisé qui patientait au bout du chemin.

— Ne t'inquiète pas, déclara Seymour. Ce sont des hommes à moi.

— Tu en es certain ?

Seymour fit demi-tour en silence et reprit le chemin du poste de secours.

— Le soir où tu es venu me voir chez moi, à Belgravia, tu as obstinément refusé de me donner le nom de la personne qui t'a dit qu'Alistair se rendait fréquemment en Suisse.

— Werner Schwarz.

— Le même qui travaillait pour le BVT ?

Gabriel confirma d'un mouvement de tête.

— Quelle est la nature de vos relations ?

— Nous le payons, il nous donne des informations. C'est comme ça que les choses fonctionnent chez nous. (Un vélo s'approcha d'eux en couinant sur la route, conduit par un homme au visage écarlate.) Tu n'as pas d'arme sur toi, n'est-ce pas ?

— C'est aussi un de mes hommes. (Le vélo les dépassa.) Où penses-tu que se trouve cette taupe ? Dans mon service ?

— Pas nécessairement.

— Langley ?

— Pourquoi pas. Ou peut-être quelqu'un à la Maison-Blanche. Un proche du Président.

— Voire le Président lui-même.

— Ne nous emballons pas, Graham.

— Mais c'est le danger, n'est-ce pas ? Que nous tournions en rond et nous paralysions. Tu te trouves dans une forêt de miroirs, un endroit où tu peux manipuler de prétendues informations et leur faire dire ce que tu veux. Tu as échafaudé un très beau château de cartes, certes, mais si l'une d'elles tombe, tout l'édifice s'écroule.

— Alistair Hughes n'était pas un espion russe mais un patient de la Privatklinik Schloss dans le village de Münchenbuchsee, en Suisse. Et quelqu'un l'a dit aux Russes.

— Qui ?

— Si je devais faire une supposition, je dirais la taupe. La *vraie* taupe.

Ils étaient retournés sur la plage, déserte des deux côtés. Seymour s'approcha de l'eau. Des vaguelettes clapotaient contre ses bottes de pluie.

— Je suppose que nous arrivons au moment où tu me dis que vous suspendez toute relation avec nous tant que la vraie taupe n'est pas démasquée ?

— Je ne peux pas travailler avec toi s'il y a un pipe-line direct entre Langley, Vauxhall Cross et le Centre. Nous sommes en train de réévaluer plusieurs opérations

171

en cours en Syrie et en Iran. Nous considérons qu'elles sont foutues.

— Cette décision vous appartient, répliqua Seymour d'un ton ferme. Mais la position officielle du SIS, c'est que nous n'abritons et n'avons jamais abrité de taupe russe. (Il s'interrompit, puis ajouta :) Tu comprends ce que je te dis ?

— Je crois, oui. Tu voudrais que je trouve cette taupe qui n'existe pas.

Le van s'était déplacé pour rejoindre le petit parking du poste de secours en mer. Seymour ne l'avait pas remarqué ; il regardait la Manche, en direction de l'île de Wight.

— Je pourrais te donner une liste de noms, dit-il au bout d'un moment, mais elle serait longue et guère utile, du moins sans le pouvoir d'attacher quelqu'un à un fauteuil et de ruiner sa carrière.

— J'ai déjà une liste, déclara Gabriel.

— Ah bon ? s'étonna Seymour. Et combien de noms contient-elle ?

— Un seul.

28

Wienerwald, Autriche

Les annales de l'opération qui s'ensuivit – et qui n'eut jamais de nom officiel – rapporteraient que le premier coup dans la traque de la taupe serait porté non par Gabriel, mais par son prédécesseur malchanceux, Uzi Navot. Il était 14 h 30, le même après-midi, dans le pavillon en bois à la lisière de la forêt du Wienerwald, où Navot avait déjeuné deux semaines plus tôt. La décontraction apparente qu'il affichait n'avait rien d'innocent. Il voulait que Werner Schwarz pense que leur entrevue ne sortait en rien de l'ordinaire. Pour sa propre sécurité, il voulait que les Russes croient la même chose.

Avant sa visite à Vienne, cependant, Navot n'avait rien laissé au hasard. Il était arrivé non pas par un des anciens pays du pacte de Varsovie, mais par l'Ouest – en l'occurrence la France, l'Italie du Nord et enfin l'Autriche elle-même. Il n'avait pas voyagé seul ; Mikhail Abramov lui avait servi de compagnon de route autant que de garde du corps. Une fois au restaurant, ils s'étaient séparés. Navot avait rejoint sa table habituelle, réservée au nom de Laffont, et Mikhail s'était installé près d'une fenêtre. Sa veste n'était pas boutonnée, pour lui permettre le cas échéant un accès rapide à son arme. Navot avait également un pistolet sur lui, un Barak SP-21. Cela faisait longtemps qu'il n'avait pas porté d'arme, et il doutait de sa capacité à dégainer dans l'urgence sans se blesser lui-même, ou atteindre Mikhail. Gabriel avait raison : Navot n'avait jamais été très dangereux avec une arme à feu. Mais la douce pression de l'étui contre ses lombaires le rassurait.

— Une bouteille de grüner veltliner ? suggéra le corpulent propriétaire des lieux.

— Un instant, je vous prie, répliqua Navot avec l'accent et les manières de M. Laffont, l'écrivain voyageur français d'origine bretonne. Je vais attendre mon ami.

Dix minutes s'écoulèrent encore sans un signe de lui. Navot n'était cependant pas inquiet ; il recevait des rapports réguliers de ses guetteurs. Werner avait été retardé par les embouteillages à la sortie de la ville. Rien ne semblait indiquer qu'il soit suivi par des éléments du service qui l'employait, ni par quiconque répondant aux ordres du Centre.

Enfin, une voiture s'arrêta devant la fenêtre où se trouvait Mikhail, et la silhouette de Werner Schwarz en émergea. Quand il entra dans le restaurant, le propriétaire lui serra la main aussi vigoureusement que s'il essayait de tirer l'eau d'un puits, et le conduisit à la table de Navot. Werner parut clairement déçu de ne pas voir de bouteille de vin sur la table. Il n'y avait qu'une petite boîte décorative de chez Demel, le chocolatier viennois.

— Ouvrez-la, dit Navot.

— Ici ?

— Pourquoi pas ?

Werner Schwarz souleva le couvercle et jeta un coup d'œil à l'intérieur. Il n'y avait pas d'argent, rien qu'une brève note rédigée en allemand par Navot. L'Autrichien la lut, les mains tremblantes.

— Peut-être devrions-nous aller faire une petite promenade dans les bois avant le déjeuner ? proposa Navot en se levant. Cela nous ouvrira l'appétit.

29

Wienerwald, Autriche

— Ce n'est pas vrai, Uzi ! Où avez-vous été pêcher
une idée pareille ?

— Ne m'appelez pas ainsi. C'est « M. Laffont », ne
l'oubliez pas. Mais peut-être avez-vous du mal à retenir
les noms de vos officiers traitants ?

Ils arpentaient un sentier de neige piétinée. Les arbres
à leur droite s'étiraient en pente douce ; à gauche, ils
s'enfonçaient dans une petite vallée. Le soleil bas sur
l'horizon jetait une lumière orange sur leurs visages.
Mikhail marchait une trentaine de mètres derrière eux,
son manteau à présent boutonné, ce qui signifiait qu'il
avait mis son arme dans sa poche.

— Depuis quand, Werner ? Depuis combien de temps
travaillez-vous pour eux ?

— Uzi, je vous en prie, redescendez sur terre !

Navot s'arrêta brusquement et serra le coude de
Schwarz, qui grimaça de douleur. Il transpirait malgré
le froid mordant.

— Qu'allez-vous faire, Uzi ? En venir aux mains ?

— Je laisse ça à mon ami, répondit Navot en désignant
Mikhail, qui se tenait immobile sur le sentier, son ombre
étirée derrière lui.

— Le cadavre ? ! ricana Schwarz. Un coup de fil et il

ira passer quelques années dans une prison autrichienne pour meurtre. Et vous aussi.

— Je vous en prie, fit Navot en serrant plus fort. Passez donc ce coup de fil.

Werner Schwarz n'esquissa aucun mouvement. Navot, d'une torsion de son épais poignet, le projeta en avant, un peu plus loin dans les bois.

— Depuis quand, Werner ?

— Quelle différence ça peut faire ?

— Une grande différence. En fait, cela pourrait même déterminer si vous vivrez assez longtemps pour revoir Lotte ce soir, ou si je dois demander à mon ami de vous mettre une balle dans la tête.

— Un an. Peut-être un an et demi.

— Essayez encore, Werner.

— Quatre ans.

— Cinq, peut-être ? Ou six ?

— Disons cinq.

— Qui a pris l'initiative ?

— Vous savez comment se passent ces choses-là. C'est un peu comme une histoire d'amour. À la fin, personne ne se rappelle qui a fait le premier pas.

— Essayez, Werner.

— Nous avons flirté un moment, et puis je leur ai envoyé un bouquet de fleurs.

— Des pâquerettes ?

— Des orchidées, précisa Werner Schwarz avec un faible sourire. Les plus belles que j'ai pu trouver.

— Vous vouliez faire bonne impression ?

— Ces choses-là comptent.

— Combien avez-vous obtenu ?

— Assez pour faire un joli cadeau à Lotte.

— Qui est votre officier traitant ?

— Au début, c'était un type de la *rezidentura* de Vienne.

— Risqué.

— Pas vraiment. À l'époque, j'étais au contre-espionnage. Les contacts occasionnels étaient autorisés.

— Et maintenant ?

— Un étranger.

— D'un pays voisin ?

— L'Allemagne.

— La *rezidentura* de Berlin ?

— Une couverture officieuse, en fait. Un cabinet privé.

— Quel est le nom du type ?

— Il se fait appeler Sergueï Morosov. Il travaille pour une société de consultants à Francfort. Ses clients sont des entreprises allemandes qui veulent faire du business en Russie, et ce n'est pas ce qui manque, là-bas, je vous le garantis. Sergueï les met en contact avec les bonnes personnes et s'assure qu'ils mettent leur argent dans les bonnes poches, y compris la sienne. Le client devient une vache à lait, et tout ce cash part directement dans les caisses du Centre.

— Il est du SVR ? Vous êtes sûr de ça ?

— C'est un barbouze du Centre, j'en mettrais ma main à couper.

Ils reprirent leur progression sur la neige glissante et cassante.

— Est-ce Sergueï qui vous donne vos ordres, ou vous agissez de votre propre chef ?

— Un peu des deux.

— Comment procédez-vous ?

— À l'ancienne. Si j'ai quelque chose, je baisse le store d'une des fenêtres du haut le vendredi. Le mardi suivant, je reçois un coup de fil, soi-disant une erreur de numéro. La personne à l'autre bout du fil demande toujours à parler à une femme. Le nom utilisé correspond à l'endroit où Sergueï veut qu'on se voie.

— Par exemple ?

— Trudi.

— Et où se trouve Trudi ?

— Linz.

— Qui d'autre ?

— Sophie et Anna. Elles sont toutes les deux en Allemagne.

— C'est tout ?

— Non, il y a aussi Sabine. C'est un appartement à Strasbourg.

— Comment expliquez-vous tous ces déplacements ?

— Je fais beaucoup de travail de liaison.

— Eh bien. (Quelque part résonnaient des aboiements graves et profonds.) Et moi ? À quel moment avez-vous parlé aux Russes de nos relations ?

— Je ne l'ai jamais fait, Uzi. Je le jure sur la vie de Lotte, je ne leur ai jamais dit.

— Ne jurez pas, Werner. Vous insultez mon intelligence. Dites-moi juste où ça s'est passé. Trudi ? Sophie ? Anna ?

Schwarz secoua la tête.

— C'est arrivé avant que Sergueï n'entre en scène, quand j'étais encore sous le contrôle de la *rezidentura* de Vienne.

— Combien vous ont-ils donné pour moi ?

— Pas grand-chose.

— L'histoire de ma vie. Je suppose que les Russes ont exploité la situation ?

— C'est-à-dire ?

— Qu'ils se sont servis de vous pour m'espionner, moi. Qu'ils vous ont utilisé pour murmurer à mon oreille des informations fausses. En fait, je peux même imaginer que tout ce que vous m'avez dit ces cinq dernières années a été écrit par le Centre.

— Ce n'est pas vrai.

— Alors pourquoi ne pas m'avoir dit que vous aviez été approché par les Russes ? Pourquoi ne pas m'avoir donné l'opportunité de murmurer quelques saletés à *leurs* oreilles ? (Face au silence qui accueillit sa question, Navot répondit lui-même.) Parce que Sergueï Morosov a dit qu'il vous tuerait si vous le faisiez. Vous ne niez pas, Werner ? demanda l'Israélien après une pause.

Schwarz secoua la tête.

— Ils n'y vont pas de main morte, ces Russes.

— Pas autant que nous. (Navot s'arrêta et serra le bras de Werner Schwarz d'une main de fer.) Mais dites-moi autre chose. Où les Russes vous ont-ils dit qu'ils comptaient tuer un défecteur du SVR à Vienne ? Était-ce Trudi ? Anna ?

— Sophie, avoua l'Autrichien. La réunion a eu lieu à Sophie.

— Quel dommage, j'ai toujours apprécié ce prénom.

30

Wienerwald, Autriche

Sophie était un appartement refuge à Berlin-Est, près d'Unter den Linden. L'immeuble, une monstruosité de l'époque soviétique, comportait plusieurs cours et de nombreux accès. Une fille vivait là ; elle se faisait appeler Marguerite. La trentaine, maigre comme un clou, blanche comme un cadavre. L'appartement lui-même était assez vaste. Il avait apparemment appartenu à un colonel de la Stasi avant la chute du mur. Il y avait deux entrées : la porte principale ouvrant sur le palier, et une seconde dans la cuisine qui donnait sur un escalier de service peu fréquenté. Un truc très classique, songea Uzi Navot en écoutant la description qu'en faisait Werner Schwarz. Un barbouze bien entraîné du Centre ne posait jamais le pied dans un appartement qui n'ait pas de sortie de secours. Pas plus qu'un barbouze du Bureau, d'ailleurs.

— Par quelle porte êtes-vous entré ? demanda Navot.

— La porte principale.

— Et Sergueï ? Les portes de service me semblent plutôt son genre.

— Toujours.

— Et la fille ? Elle est restée ?

— En général, elle nous apportait à manger et à boire, mais pas cette fois.

— Qu'a-t-elle fait ?

— Elle n'était pas là.

— À la demande de qui s'est tenue cette réunion ?

— De Sergueï.

— Routine ?

— Crise.

— Comment a-t-elle été organisée ?

— Coup de fil jeudi soir, mauvais numéro. « Pourrais-je parler à Fräulein Sophie ? » J'ai prétexté devoir aller consulter nos partenaires allemands pour régler une question de sécurité urgente et ai pris un avion pour Berlin le lendemain. J'ai passé la matinée au quartier général du BfV[1] et me suis arrêté à l'appartement refuge sur le chemin de l'aéroport. Sergueï était déjà là.

— Qu'est-ce qui était si urgent ?

— Konstantin Kirov.

— Il a mentionné son nom ?

— Bien sûr que non.

— Qu'a-t-il dit exactement ?

— Que Vienne allait devenir le théâtre d'une activité importante impliquant les services secrets israéliens, russes et britanniques. Il voulait que mon propre service reste en dehors de ça. Il a sous-entendu que ça concernait un défecteur.

— Un défecteur du SVR ?

— Allons, Uzi. Quoi d'autre ?

— A-t-il dit qu'un assassin russe allait brûler le cerveau dudit défecteur ?

— Pas spécifiquement. Mais il a dit qu'Allon se joindrait aux festivités. Qu'il demeurerait dans un appartement refuge.

— Il connaissait l'adresse ?

— 2e arrondissement, près du Karmeliterplatz. Il a ajouté qu'il allait y avoir des frictions, et que nous devions

---

1. Bundesamt für Verfassungsschutz : renseignement intérieur allemand.

nous aligner sur Moscou et incriminer directement les Israéliens.

— Et il ne vous est jamais venu à l'idée de me le dire ?

— J'aurais terminé comme ce pauvre Kirov.

— C'est toujours possible. (Le soleil, qui avait presque disparu derrière l'horizon, projetait ses derniers rayons à travers les arbres. Navot estima qu'il leur restait une vingtaine de minutes avant la tombée de la nuit.) Et si Sergueï Morosov vous avait menti, Werner ? S'il avait prévu de tuer mon chef ?

— Les autorités autrichiennes n'auraient pas versé de larmes.

Navot serra et desserra les poings plusieurs fois en comptant lentement jusqu'à dix, mais cela ne lui fit aucun bien. Le coup atterrit dans le ventre rebondi de Werner Schwarz, où il ne laisserait aucune marque. Son poing s'enfonça si profondément que Navot se demanda un instant si son ancien atout se relèverait.

— Mais ce n'est pas tout ce que Sergueï vous a dit, n'est-ce pas ? demanda-t-il à la silhouette qui hoquetait et se tortillait à ses pieds. Il semblait savoir que je vous appellerais après la mort de Kirov ?

Werner Schwarz ne fit aucune réponse. Il était incapable de parler.

— Dois-je continuer, Werner, ou voulez-vous prendre la relève ? C'est le moment où Sergueï vous demande de me laisser croire que le chef de poste du MI6 à Vienne a une petite amie en Suisse. Ils l'ont tuée, elle aussi, soit dit en passant, mentit Navot. Je suppose que vous êtes le prochain sur la liste. Franchement, je suis étonné que vous soyez encore en vie.

Navot se baissa et remit sans effort l'Autrichien sur ses pieds.

— Alors c'était vrai ? haleta Werner Schwarz. Il y avait vraiment une fille ?

Navot posa la main entre les omoplates de Schwarz et le poussa sans ménagement sur le chemin. Le peu de clarté qu'il restait était maintenant dans leur dos. Mikhaïl les précédait dans la lumière déclinante.

— Qu'est-ce qu'ils mijotent ? demanda Schwarz. À quoi jouent-ils ?

— Nous n'en avons pas la moindre idée, mentit à nouveau l'Israélien. Mais vous allez nous aider à le découvrir. Autrement nous dirons à votre directeur et à votre ministre que vous travaillez pour le Centre. Quand nous en aurons fini, le monde croira que c'est *vous* qui conduisiez la voiture qui a tué Alistair Hughes à Berne.

— C'est comme ça que vous me traitez, Uzi ? Après tout ce que j'ai fait pour vous ?

— À votre place, je ferais très attention. Vous avez une seule chance de sauver votre peau. Vous retravaillez pour moi. Exclusivement. Plus de double ou de triple jeu.

Les ombres avaient à présent disparu, et les arbres se fondaient dans l'obscurité. Devant eux, Mikhaïl se réduisait à une fine silhouette noire.

— Je sais que ça ne changera rien, commença Werner Schwarz, mais je veux que vous sachiez…

— Vous avez raison, le coupa Navot. Ça ne changera rien.

— Vous pouvez me dépanner d'un peu d'argent ?

— Faites attention, Werner. Le sol est glissant, et il fait sombre.

31

Andalousie, Espagne

Le même après-midi, dans ce village d'os blanchis des montagnes d'Andalousie, la vieille femme qu'on surnommait ici *la loca* et *la roja*, assise à son secrétaire dans l'alcôve sous l'escalier, décrivait le premier regard qu'elle avait posé sur celui qui modifierait pour toujours le cours de sa vie. Son brouillon, qu'elle avait jeté dans l'âtre avec dégoût, tenait du récit à l'eau de rose, plein de violons, de cœurs palpitants et de souffles courts. Elle adopta alors la prose concise d'une journaliste, en insistant sur l'heure, la date et le lieu – 13 h 30, par un après-midi glacé de l'hiver 1962, au bar du Saint-Georges, un hôtel sur le front de mer de Beyrouth. Il buvait un bloody mary en lisant son courrier. C'était un bel homme d'une petite cinquantaine d'années, aux yeux bleus et au visage buriné, affligé d'un bégaiement qu'elle trouvait irrésistible. Elle-même, une communiste engagée, avait la beauté de ses vingt-quatre ans. Elle lui avait dit son nom, et il lui avait dit le sien, qu'elle connaissait déjà. Il était peut-être le plus célèbre, ou le plus tristement célèbre, correspondant à Beyrouth.

— Pour quel journal écrivez-vous ? avait-il demandé.
— N'importe lequel, pourvu qu'il publie mon article.
— Vous êtes bonne ?

— Je le crois, mais les rédacteurs en chef à Paris n'en sont pas aussi convaincus.

— Peut-être puis-je vous aider. Je connais pas mal de gens importants au Proche-Orient.

— C'est ce que j'ai entendu dire.

Il avait souri chaleureusement.

— Asseyez-vous. B-b-buvez quelque chose avec moi.

— Il est un peu tôt pour ça, non ?

— Foutaises. Ils font un sacré martini. C'est moi qui le leur ai appris.

C'est ainsi, écrivit-elle, que tout avait commencé : un verre à l'hôtel Saint-Georges, puis un autre, puis, imprudemment, un troisième, après lequel elle avait eu du mal à tenir debout, sans parler de marcher. Il avait galamment insisté pour la raccompagner à son appartement, où ils firent l'amour pour la première fois. Pour décrire l'acte lui-même, elle eut à nouveau recours à une prose dépouillée et factuelle, car ses souvenirs étaient embrumés par l'alcool. Elle se rappelait seulement qu'il avait fait preuve d'une grande tendresse et d'une habileté sans faille. Ils avaient refait l'amour l'après-midi suivant, et encore le surlendemain. Ce jour-là, alors que le vent froid de la Méditerranée faisait trembler les carreaux des fenêtres, elle avait pris son courage à deux mains pour lui demander si ce qu'on avait dit de lui en Angleterre dans les années 1950 était vrai.

— Est-ce que j'ai l'air d'être un homme c-c-capable de faire ça ?

— Non, pas du tout.

— C'était une chasse aux sorcières mise en œuvre par les Américains, la pire engeance qui soit, juste devant les Israéliens.

Ses pensées allaient plus vite que son crayon, et sa main commençait à fatiguer. Elle jeta un coup d'œil à sa montre en plastique et constata avec étonnement qu'il était près de 18 heures ; elle avait passé l'après-midi à écrire. Ayant sauté le déjeuner, elle mourait de faim, mais il n'y avait rien de comestible dans le garde-manger, car elle avait également négligé sa visite quotidienne au super-marché. Elle décida qu'une soirée en ville lui ferait le plus grand bien. Un quartette de Madrid jouait du Vivaldi dans une des églises – rien de très audacieux, mais ça lui changerait de la télévision. Le village, quoique prisé des touristes, restait un désert culturel. Il y avait bien d'autres endroits où elle aurait préféré s'installer après le divorce – à commencer par Séville –, mais le camarade Lavrov avait choisi le village blanc dans les montages. « Personne ne te trouvera jamais, là-bas », avait-il dit. Et par « personne », il songeait à son enfant.

Dehors, le vent s'était levé, rafraîchissant encore l'atmos-phère. À quatre-vingt-sept pas de chez elle en suivant le paseo se dressait un van garé n'importe comment le long de l'accotement rocheux, comme abandonné ici. La brise diffusait une odeur de cuisine à travers les rues de la ville ; les fenêtres des petites maisons étaient chaudement éclairées. Elle entra dans le seul restaurant de la *calle* San Juan où on lui témoignait encore un minimum d'égards, et elle se vit attribuer une petite table. Elle commanda un apéritif et un assortiment de tapas, puis ouvrit le roman qu'elle avait apporté pour décourager les importuns. « Et que sait-on des traîtres ? Que sait-on des motivations de Judas ? »... Bonne question, songea-t-elle. Il avait trompé tout le monde, même elle, la femme avec qui il avait partagé le plus intime des contacts humains. Il lui avait menti avec son corps et avec ses lèvres, et quand il lui avait demandé la chose qu'elle aimait par-dessus tout, elle la lui avait donnée. Et c'est ainsi qu'elle le payait, vieille, pitoyable et honnie, assise seule à la table d'un café, dans un pays qui n'était pas le sien. Si seulement ils ne s'étaient pas rencontrés cet après-midi-là au bar de l'hôtel Saint-Georges à Beyrouth. Si seulement elle avait décliné le verre qu'il lui avait offert, puis le suivant, puis, imprudemment, le troisième. *Si seulement...*

Son apéritif arriva, un manzanilla à la robe pâle, rapidement suivi de son hors-d'œuvre. En reposant son livre, elle remarqua l'homme qui l'observait sans vergogne depuis le bout du bar. Puis elle nota la présence du couple attablé non loin d'elle, et comprit instantanément ce que le van mal garé sur le paseo à quatre-vingt-sept pas de chez elle faisait là. Leurs méthodes n'avaient guère changé.

Elle mangea son repas lentement, ne serait-ce que pour les contrarier, puis elle quitta le restaurant et se dépêcha de rejoindre l'église. Les musiciens n'étaient ni inspirés ni très habiles. Le couple du restaurant avait pris place quatre rangées derrière elle ; l'homme s'était mis de l'autre côté de la nef. Il s'approcha d'elle après le concert, alors qu'elle traversait la place aux orangers.

— Ça vous a plu ? lui demanda-t-il dans un espagnol laborieux.

— Des futilités bourgeoises.

Il lui adressa le sourire qu'il réservait aux petits enfants et aux vieilles folles.

— Vous n'avez jamais arrêté le combat ? Vous brandissez toujours la même bannière défraîchie ? Je suis le señor Karpov, au fait. J'ai été envoyé par notre ami commun. Permettez-moi de vous raccompagner chez vous.

— C'est comme ça qu'a commencé tout ce merdier.

— Je vous demande pardon ?

— Laissez tomber.

Elle se mit en route dans la rue sombre. Le Russe marchait derrière elle. Il avait essayé d'adapter sa tenue aux circonstances, mais n'y était pas tout à fait parvenu. Ses mocassins étaient trop brillants, son manteau trop bien coupé. Elle songea à l'époque lointaine où l'on repérait un officier du renseignement russe à son costume bas de gamme et à ses affreuses chaussures. Comme le camarade Lavrov, se souvint-elle, le jour où il lui avait apporté la lettre du célèbre journaliste anglais qu'elle avait connu à Beyrouth. Mais pas celui-ci. Karpov était, à n'en point douter, de la nouvelle génération.

— Votre espagnol est calamiteux, déclara-t-elle. D'où êtes-vous ?

— De la *rezidentura* de Madrid.

— Dans ce cas, l'Espagne n'a rien à craindre du SVR.

— On m'avait prévenu que vous aviez la langue acérée.

— Et que vous a-t-on dit d'autre ?

Il ne répondit pas.

— Ça fait longtemps, reprit-elle. Je commençais à croire que je n'entendrais plus jamais parler du Centre.

— L'argent sur votre compte en banque ne vient pas de nulle part.

— Il tombe le 1er de chaque mois. Jamais un jour de retard.

— D'autres n'ont pas cette chance.

— Mais peu ont donné autant, répliqua-t-elle. (L'écho de leurs pas résonnait dans la rue étroite, comme ceux des deux sbires qui marchaient quelques mètres derrière eux.) J'espérais que vous auriez autre chose pour moi que de l'argent.

— C'est effectivement le cas.

Il sortit une enveloppe de son élégant manteau et la brandit entre ses doigts.

— Faites-moi voir ça.

— Pas ici. (Il remit la lettre à sa place.) Notre ami commun voudrait vous faire une offre généreuse.

— Voyez-vous cela.

— Des vacances en Russie. Tous frais payés.

— La Russie au cœur de l'hiver ? Comment pourrais-je résister ?

— Saint-Pétersbourg est magnifique à cette époque de l'année.

— Je l'appelle toujours Leningrad.

— Comme mes grands-parents. Un appartement avec vue sur la Neva et le palais d'Hiver vous attend. Je puis vous assurer que vous y serez très bien.

— Je préfère Moscou à Leningrad. Leningrad est

une ville importée, alors qu'à Moscou bat le cœur de la vraie Russie.

— Nous vous trouverons quelque chose près du Kremlin, en ce cas.

— Désolée, ça ne m'intéresse pas. Ce n'est plus ma Russie. C'est la vôtre.

— C'est la même.

— Vous êtes devenus tout ce contre quoi nous nous battions ! s'emporta-t-elle. Tout ce que nous méprisions. Bon sang, il doit être en train de se retourner dans sa tombe.

— Qui ça ?

Visiblement, Karpov ne savait pas pourquoi elle recevait la somme substantielle de dix mille euros sur son compte en banque le 1er de chaque mois, sans un jour de retard.

— Pourquoi maintenant ? s'enquit-elle. Pourquoi me veulent-ils en Russie après tout ce temps ?

— Mes ordres sont limités.

— Tout comme votre espagnol. (Il encaissa l'insulte en silence.) Je suis étonnée que vous preniez la peine de me poser la question. Il fut un temps où vous m'auriez jetée dans un avion-cargo pour Moscou sans me demander mon avis.

— Nos méthodes ont changé.

— Permettez-moi d'en douter.

Ils avaient atteint le pied de la ville. Elle distinguait à peine sa petite villa au bord de l'escarpement. Elle avait laissé les lumières de façon à retrouver son chemin dans le noir.

— Comment se porte le camarade Lavrov ? demanda-t-elle soudain. Il est toujours des nôtres ?

— Je ne suis pas autorisé à vous le dire.

— Et Modine ? Il est mort, maintenant, non ?

— Je ne le saurais pas.

— En effet. C'était un grand homme, un vrai professionnel. (Elle le toisa dédaigneusement, ce camarade Karpov, ce nouveau Russe.) Je crois que vous avez quelque chose qui m'appartient.

189

— Qui appartient au Centre, corrigea-t-il en lui tendant l'enveloppe. Vous pouvez lire son contenu, mais pas la garder.

Elle s'écarta de quelques pas pour ouvrir l'enveloppe à la lueur d'un réverbère. Elle contenait une seule feuille de papier, sur laquelle était imprimé un texte dans un français guindé. Elle interrompit sa lecture au bout de quelques lignes ; les mots sonnaient faux. Elle rendit froidement sa lettre au messager et partit seule dans les ténèbres, en comptant ses pas et en pensant à lui. D'une façon ou d'une autre, et de gré ou de force, elle avait la certitude qu'elle se rendrait bientôt en Russie. Peut-être que ça ne serait pas si horrible, après tout. Leningrad était vraiment très belle, et à Moscou elle pourrait aller se recueillir sur sa tombe. *B-b-buvez quelque chose avec moi...* Si seulement elle avait dit non. *Si seulement...*

32

Francfort – Tel-Aviv – Paris

Globaltek Consulting occupait deux étages d'une moderne tour de bureaux en verre sur la Mainzer Landstrasse à Francfort. On trouvait sur son étincelant site Internet toutes sortes de services, qui pour la plupart ne présentaient aucun intérêt pour ses clients. Les entreprises faisaient appel à Globaltek pour une seule raison : avoir accès au Kremlin, et par extension au juteux marché russe. Les consultants les plus expérimentés de Globaltek étaient tous russes, de même que les équipes des fonctions supports et administratives. Le domaine de compétences officiel de Sergueï Morosov concernait le secteur bancaire. Son CV mentionnait les meilleures écoles du pays et une carrière sans tache dans les affaires, mais ne disait nulle part qu'il était un colonel du SVR.

Uzi Navot commença à planifier sa défection vers Israël à la minute même où il quitta Vienne pour le Boulevard du Roi-Saül. Il ne s'agirait pas d'une défection classique, avec une offre d'asile et de nouvelle identité au terme d'un rituel nuptial complexe, mais d'une action coup de poing qui ne lui laisserait guère le choix. De plus, il faudrait qu'elle soit exécutée de telle manière que le Centre ne puisse soupçonner que Sergueï Morosov était aux mains de l'ennemi. Tout officier du renseignement œuvrant sous couverture, quel que soit le pays pour lequel il travaillait, entretenait des contacts réguliers avec son contrôleur à la centrale : principe opératoire de base du métier. Si Sergueï Morosov manquait plus d'un rapport, le Centre conclurait à l'une de ces trois options : qu'il avait fait défection, qu'il avait été kidnappé ou qu'il avait été tué. Seul le troisième scénario garantissait au SVR que ses secrets seraient bien gardés.

— Vous allez donc tuer un *autre* Russe ? demanda le Premier ministre. C'est ce que vous êtes en train de me dire ?

— Juste temporairement, répondit Gabriel. Il ne sera mort que pour ses officiers traitants du Centre.

Il était tard, 22 heures passées de quelques minutes, et le bureau du Premier ministre était plongé dans une semi-pénombre.

— Ils ne sont pas idiots, déclara ce dernier. Ils finiront par découvrir qu'il est en vie, en bonne santé et entre nos mains.

— Ça finira par arriver, oui.

— Vous avez besoin de combien de temps ?

— Trois ou quatre jours. Une semaine, tout au plus.

— Que se passera-t-il ensuite ?

— Ça dépend du nombre de secrets qui s'entrechoquent dans sa tête.

Le Premier ministre considéra un instant Gabriel en silence, tout comme Theodor Herzl, accroché au mur derrière le bureau.

— Il est peu probable que les Russes en restent là. Il y aura des représailles.

— Comment cela pourrait-il être pire qu'aujourd'hui ?

— Je vous assure que c'est possible. Surtout si vous êtes leur cible.

— Ils ont déjà essayé de me tuer. Plusieurs fois, d'ailleurs.

— Un de ces jours, ils y arriveront. (Le Premier ministre ramassa le document, une unique feuille, que Gabriel avait apporté du Boulevard du Roi-Saül.) Cela implique de nombreuses et précieuses ressources. Je ne suis pas prêt à vous les accorder indéfiniment.

— Ce ne sera pas nécessaire. En fait, une fois que j'aurai les mains autour du cou de Sergueï Morosov, je subodore que tout se terminera très rapidement.

— Vous pouvez être plus précis ?

— Trois ou quatre jours. (Gabriel haussa les épaules.) Une semaine, tout au plus.

Le Premier ministre signa l'autorisation et la fit glisser sur le bureau.

— Gardez toujours à l'esprit le onzième commandement de Shamron, dit-il. *Ne vous faites pas prendre.*

Le lendemain était un jeudi – un jeudi ordinaire partout dans le monde, avec son lot habituel de crimes violents et de souffrance –, mais au Boulevard du Roi-Saül, personne n'en parlerait plus jamais sans y accoler l'adjectif *noir*. Ce jeudi noir où le Bureau se mit sur le pied de guerre. Le Premier ministre avait clairement fait comprendre à Gabriel que son temps était compté, et il entendait ne pas perdre une minute. Le vendredi de la semaine suivante, un store serait baissé à la fenêtre d'un appartement viennois. Le mardi d'après, un téléphone sonnerait dans le même appartement, et l'appelant demanderait l'une de ces quatre femmes : Trudi (Linz), Anna (Munich), Sophie (Berlin) ou Sabine (Strasbourg). Le Bureau n'aurait pas son mot à dire dans le choix du lieu ; l'invitation serait à l'initiative de Sergueï Morosov. L'invitation à son pot de départ, ironisa froidement Gabriel.

Trudi, Anna, Sophie, Sabine : quatre appartements refuges, quatre villes. Gabriel donna l'ordre à Yaakov Rossman, son chef des Forces spéciales, d'organiser l'enlèvement de Sergueï Morosov à partir de ces quatre sites.

— Hors de question. C'est impossible, Gabriel, je t'assure. On a déjà du mal à suivre Morosov à Francfort et à garder un œil sur Schwarz à Vienne. Mes guetteurs n'en peuvent plus, ils sont à la limite de craquer.

Mais Yaakov fit exactement ce que Gabriel lui demandait, bien que pour des raisons pratiques, sa préférence aille clairement à Sabine.

— Elle est canon, c'est la fille de nos rêves. Pays allié, plein d'endroits où se planquer. Dégotte-moi Sabine, et je t'amène Morosov dans un paquet-cadeau, avec un joli nœud sur le dessus.

— Je préférerais l'avoir un peu abîmé.

— C'est possible aussi. Mais il faut que ce soit Sabine. Et n'oublie pas le corps, maugréa Yaakov par-dessus son épaule. On a besoin du corps, sinon les Russes n'y croiront pas une seconde.

Jeudi noir fut suivi de vendredi noir, puis d'un week-end noir. Et lorsque le soleil se leva sur un lundi noir, le Boulevard du Roi-Saül était en guerre contre lui-même. Banque et Identité se rebellaient ouvertement, Voyage et Intendance complotaient secrètement, et c'est à peine si Yaakov et Eli Lavon décrochaient un mot. Le rôle de pacificateur et d'arbitre incomba à Uzi Navot, car Gabriel lui-même rendait coup pour coup.

L'origine de sa mauvaise humeur n'était pas un mystère. Elle s'incarnait en la personne d'Ivan Borisovitch Kharkov, trafiquant d'armes international, intime du président russe et bête noire personnelle de Gabriel. À cause de lui, Chiara avait fait une fausse couche, et il avait pointé une arme à feu sur sa tempe dans une forêt de bouleaux enneigés. « Regarde ta femme mourir, Allon… » Pareil événement ne s'oublie pas, et se pardonne encore moins. Ivan était le tir de semonce que le reste du monde avait manqué. Ivan était la preuve que la Russie s'était une fois encore remise en selle.

Le mercredi de cette terrible semaine, Gabriel s'échappa du Boulevard du Roi-Saül et gagna Amman en traversant la Cisjordanie. Il y rencontra Fareed Barakat, le chef anglophile du renseignement jordanien. Après une heure de mondanités, Gabriel demanda poliment qu'on lui prête l'un des nombreux jets Gulfstream de la Couronne dans le cadre d'une opération impliquant un certain gentleman des forces de persuasion russes. Barakat accepta de bon gré, car il haïssait les Russes presque autant que Gabriel. Le boucher de Damas et ses alliés moscovites avaient causé l'exode de plusieurs centaines de milliers de réfugiés syriens en Jordanie. Fareed Barakat ne demandait rien de mieux que de leur rendre la monnaie de leur pièce.

— Mais je veux le récupérer dans un état impeccable. Sinon, je n'ai pas fini d'en entendre parler. Sa Majesté ne plaisante pas avec ses avions et ses motos.

Gabriel l'utilisa pour se rendre à Londres, où il informa Graham Seymour des avancées de l'opération. Puis il fit un saut à Paris, où il eut un entretien discret avec Paul Rousseau qui, sous ses allures de prof d'université, dirigeait le Groupe Alpha, une unité d'élite antiterroriste de la DGSI. Ses officiers, passés maîtres dans l'art de l'intoxication, ne juraient que par leur leader incontesté. Les deux hommes se virent dans un appartement refuge du 20e arrondissement. Gabriel passa le plus clair de son temps à essayer de chasser la fumée de la pipe de Rousseau.

— Je n'ai pas réussi à trouver la tenue parfaitement adéquate, dit le Français en lui tendant une photo. Mais celui-ci devrait faire l'affaire.

— Nationalité ?

— La police n'a jamais réussi à le déterminer.

— Depuis combien de temps est-il…

— Quatre mois. Il pue un peu, mais ça reste supportable.

— Le feu réglera le problème. Et n'oublie pas de faire traîner l'enquête, ajouta Gabriel. Ce n'est jamais bon de précipiter les choses dans ce genre de cas.

Cela se passait vendredi, en milieu de matinée. À peu près au même moment, dans un appartement viennois, un store fut baissé. Le mardi soir suivant, le téléphone sonna dans ce même appartement, et l'on demanda à parler à une femme qui n'habitait pas là. Le lendemain matin, les membres de l'équipe de Gabriel s'envolèrent pour cinq villes européennes différentes, mais tous finiraient par se retrouver au même endroit : chez Sabine, la fille de leurs rêves.

33

Tenleytown, Washington

Samedi matin, Rebecca Manning se réveilla en sursaut d'un mauvais rêve, dont elle ne garda, comme toujours, aucun souvenir. Dehors, le ciel avait une teinte d'eau de vaisselle. Elle regarda l'heure sur son iPhone personnel : 6 h 15, soit 11 h 15 à Vauxhall Cross. Le décalage horaire l'obligeait à se lever tôt. En fait, il était même rare qu'elle s'autorise à dormir si tard.

Elle se leva, enfila une robe de chambre et descendit à pas feutrés dans la cuisine, où elle fuma sa première L&B de la journée en attendant que le café passe. Sa maison de location était située sur Warren Street, dans le quartier de Tenleytown, au nord-ouest de Washington. Elle l'avait héritée d'un officier consulaire qui y avait vécu avec sa femme et leurs deux jeunes enfants. Elle n'était pas plus grande qu'un cottage anglais typique, et dotée d'une curieuse façade Tudor surmontant un portique. Un lampadaire en fer forgé, dont le faible éclat était à peine visible dans la lumière grise du matin, se dressait au bout de l'allée pavée, face au parc public, de l'autre côté de la rue. Rebecca l'avait allumé la veille au soir et avait négligé de l'éteindre avant d'aller se coucher.

Elle but son café agrémenté de mousse de lait dans un bol et parcourut les gros titres sur son iPhone. Plus aucun article n'évoquait la mort d'Alistair. Les nouvelles des

États-Unis n'avaient pas grand-chose d'original : un gel imminent des services fédéraux, une nouvelle fusillade dans une école, un scandale autour d'un rendez-vous galant entre le Président et une star de cinéma. Comme la plupart des officiers du MI6 qui servaient à Washington, Rebecca en était venue à respecter le professionnalisme et l'immense compétence de la communauté du renseignement américain, même si elle ne cautionnait pas toujours les priorités politiques qui sous-tendaient ses actions. Elle avait en revanche beaucoup moins d'admiration pour la culture et la classe dirigeante des États-Unis. C'était à ses yeux un pays de rustres qui vacillait de crise en crise, visiblement ignorant de l'effritement de sa puissance. La sécurité mondiale et les institutions économiques que l'Amérique avait péniblement instaurées après-guerre étaient en train de s'écrouler. Elles seraient bientôt balayées, et avec elles la Pax Americana. Le MI6 se préparait déjà au monde d'après. Rebecca aussi.

Elle emporta son bol de café dans sa chambre à l'étage, où elle enfila un survêtement d'hiver et une paire de Nike. Sa consommation de tabac élevée ne l'empêchait pas de courir quotidiennement. Elle ne voyait aucune contradiction entre ces deux activités, et comptait au contraire sur les bénéfices de l'une pour combattre les méfaits de l'autre. Elle redescendit et zippa son iPhone, la clé de la maison et un billet de dix dollars dans la poche de son pantalon. En sortant, elle éteignit le lampadaire au bout de l'allée.

La lumière du soleil commençait à percer les nuages. Rebecca se livra sans grande conviction à quelques exercices d'assouplissement sous le portique en observant la rue silencieuse. Selon les règles de l'accord anglo-américain sur le renseignement, le FBI n'était censé ni la suivre ni surveiller sa maison. Elle préférait néanmoins s'assurer que les Américains tenaient leur promesse. La rue n'offrant que peu de cachettes pour un guetteur, la tâche était aisée. Elle était parfois empruntée par des gens qui se rendaient à leur travail, mais seuls les riverains et les employés de maison s'y garaient. Rebecca gardait en tête une liste exhaustive des véhicules et des plaques d'immatriculation. Elle avait toujours été bonne aux jeux de mémoire, en particulier ceux qui impliquaient des chiffres.

Elle démarra à petite allure dans Warren Street, puis tourna dans la 42e, qu'elle suivit jusqu'à Nebraska Avenue. Comme toujours, elle ralentit le pas en passant devant la maison qui faisait le coin, une grande demeure coloniale à deux étages aux murs de brique brune, aux moulures blanches et aux volets noirs, avec son extension trapue flanquant le mur sud.

L'extension n'existait pas en 1949, lorsqu'un officier du MI6 profondément respecté, un homme qui avait contribué à mettre sur pied le renseignement américain durant la Seconde Guerre mondiale, avait emménagé dans cette maison avec sa femme souffrant d'une affection chronique et ses enfants en bas âge. Elle devint rapidement un lieu de rendez-vous prisé de l'élite du renseignement de Washington, un lieu où les martinis, le vin et les secrets coulaient à flots. Secrets qui finirent par se frayer un chemin jusqu'au Centre de Moscou. Par une chaude soirée de la fin du printemps 1951, l'officier du MI6 profondément respecté alla chercher un déplantoir dans la remise du jardin. Puis il récupéra dans un endroit secret de son sous-sol une caméra miniature du KGB et des films. Il dissimula les objets dans une boîte en métal, prit sa voiture et s'enfonça dans la campagne du Maryland, où il enterra les preuves de sa félonie dans une tombe peu profonde.

Au bord de la rivière, non loin de Swainson Island, au pied d'un grand sycomore. Le matériel s'y trouve probablement encore...

Rebecca continua sur Nebraska Avenue, passa le département de la Sécurité intérieure, contourna Ward Circle et traversa le campus de l'American University. L'entrée arrière du complexe tentaculaire de l'ambassade de Russie, avec sa gigantesque *rezidentura* du SVR surveillée en permanence par le FBI, se trouvait sur Tunlaw Road, à l'intérieur de Glover Park. De là, elle prit la direction du sud et de Georgetown. Les rues de West Village étaient encore endormies, mais le trafic de l'heure de pointe commençait à se déverser sur M Street par le Key Bridge.

Le soleil brillait à présent. Rebecca entra dans un Dean & DeLuca, commanda un *latte* à emporter et emprunta une ruelle pavée reliant M Street et le C & O Canal. Elle s'assit près de trois jeunes femmes vêtues comme elle d'un survêtement. Il y avait une salle de yoga de l'autre côté de M Street, à trente et un pas de là, vingt-huit mètres exactement. Le cours auquel se rendaient ces trois jeunes femmes commencerait à 7 h 45 et serait dispensé par une Brésilienne blonde et svelte, remarquablement séduisante, répondant au nom d'Eva Fernandes, et qui était justement en train de fouler les pavés maintenant inondés de soleil de la ruelle, un sac de sport à l'épaule.

Rebecca sortit son iPhone et regarda l'heure : 7 h 23. Elle consacra les minutes suivantes à boire son café et à répondre à quelques textos et e-mails personnels en essayant de se couper de la conversation de ses trois voisines. Ces trois dignes représentantes de la génération Y, gâtées et égocentriques, lui étaient insupportables avec leurs tapis de yoga, leurs leggings de créateur et leur mépris de concepts tels que le labeur et la compétition. Elle regrettait de ne pas avoir emporté ses L&B. Un nuage de fumée les aurait efficacement chassées.

7 h 36. Rebecca envoya un dernier texto avant de ranger le téléphone dans sa poche. Elle sursauta lorsqu'il sonna quelques secondes plus tard. C'était Andrew Crawford, un jeune officier du poste.

— Il y a un problème ? demanda-t-il.

— Pas du tout. Je suis juste sortie courir.

— J'ai bien peur que vous ne deviez changer vos plans. Notre ami de Virginie veut vous parler.

— Vous pouvez m'en dire plus ?

— La NSA a capté des borborygmes d'AQPA (Al-Qaida dans la péninsule arabique.) Apparemment, ils ont des velléités de revenir dans la partie. Ils auraient Londres en ligne de mire.

— À quelle heure veut-il me voir ?

— Il y a dix minutes.

Elle jura sous cape.

— Où êtes-vous ?

— À Georgetown.

— Ne bougez pas, je vous envoie une voiture.

Rebecca raccrocha et observa les trois péronnelles traverser la rue d'un pas aérien. Le robinet était à nouveau ouvert, le nuage s'était levé. Elle songea à la maison de Nebraska Avenue, à l'officier du MI6 profondément respecté, enterrant sa caméra dans la campagne du Maryland. *Le matériel s'y trouve probablement encore...* Peut-être qu'un jour elle irait y jeter un œil.

34

Strasbourg, France

Les Allemands avaient marqué durablement l'architecture de Strasbourg, cette cité de la rive ouest du Rhin qui avait si souvent changé de camp. Mais Sabine affichait fièrement ses origines françaises. Elle se dressait au coin des rues de Berne et de Soleure, beige et vaguement méditerranéenne, avec ses grands balcons et ses volets blancs en aluminium. Deux commerces occupaient le rez-de-chaussée, un kebab et un triste salon de coiffure pour hommes dont le propriétaire passait le plus clair de son temps à regarder les passants. L'entrée de l'immeuble, située entre les deux, se distinguait par l'interphone encastré dans le mur à droite. La petite étiquette accolée au bouton de l'appartement 5B indiquait le nom BERGIER.

L'immeuble qui lui faisait face arborait sans complexe sa germanité. Gabriel y arriva sans escorte à 16 h 15. Une nuit sans fin régnait dans l'appartement 3A, où les stores avaient été baissés et les ampoules tamisées. Eli Lavon était penché au-dessus d'un ordinateur portable, comme cette autre nuit à Vienne. Mais cette fois Yaakov Rossman se tenait derrière lui, le doigt pointé sur l'écran tel un sommelier conseillant un client indécis. Mikhail et Keller, pistolets en mains, bras tendus, exécutaient un ballet silencieux entre la porte d'entrée et la cuisine.

— Tu peux leur dire d'arrêter ? supplia Yaakov. Ils

nous distraient. Et puis, ce n'est pas comme s'ils n'avaient jamais sécurisé une pièce.

Gabriel observa Mikhail et Keller répéter l'exercice. Puis il s'intéressa à l'écran de l'ordinateur et vit une lumière bleue clignotante se déplacer vers le sud entre Heidelberg et Karlsruhe, du côté allemand de la frontière.

— C'est Sergueï ?

— Deux de mes gars, expliqua Lavon. Sergueï se trouve plusieurs centaines de mètres devant eux. Il a quitté Francfort il y a environ quarante minutes. Aucun gorille du SVR, aucun allemand. Il est clean.

— Tout comme l'était Konstantin Kirov, rappela sinistrement Gabriel. Et Werner ?

— Il a pris le premier Vienne-Paris express et est arrivé au ministère de l'Intérieur à 10 heures. Lui et ses homologues français, parmi lesquels un certain Paul Rousseau du Groupe Alpha, ont fait un déjeuner de travail. Puis Werner s'est plaint d'une migraine et a dit qu'il partait se reposer à son hôtel. En réalité, il s'est rendu à la gare de l'Est et est monté dans le 14 h 55 pour Strasbourg. Il doit arriver à 16 h 40. De la gare, il ne faut pas plus de dix minutes à pied pour rejoindre l'appartement.

Gabriel tapota la lumière bleue qui traversait la petite ville allemande d'Ettlingen.

— Et Sergueï ?

— S'il vient directement, il devrait être à l'appartement à 16 h 20. En revanche, s'il fait un coup de sécurité...

Un deuxième ordinateur offrait une vue extérieure de l'immeuble ayant pour nom de code Sabine. Gabriel désigna la silhouette sur le pas de la porte du salon de coiffure.

— Et lui ?

— Yaakov préconise de le tuer, dit Lavon. J'espérais trouver une solution un peu moins radicale.

— La solution, avança Gabriel, c'est un client.

— Il n'en a eu que deux de toute la journée.

— Alors nous lui en fournirons un troisième.

— Qui ?

Gabriel ébouriffa la tignasse indisciplinée de Lavon.

— Je suis un peu occupé, pour le moment.

— Pourquoi pas Doron ?

— C'est l'un de mes meilleurs guetteurs. Et il est très à cheval sur sa coupe de cheveux.

Gabriel se pencha et pressa quelques touches du clavier. Puis il observa Mikhail et Keller pirouetter silencieusement dans le couloir.

— N'y pense même pas, fit Eli Lavon.

— Moi ? Pour l'amour du ciel, je suis le chef des services secrets israéliens.

— Oui, dit Lavon sans quitter des yeux la lumière bleue qui approchait. Va dire ça à Saladin.

La lumière bleue entra dans Strasbourg à 16 h 15. Sur ordre de Gabriel, les guetteurs mirent un terme à leur surveillance. Suivre un barbouze du SVR à cent soixante kilomètres-heure sur l'Autobahn était une chose, le filer dans les rues silencieuses d'une vieille ville franco-allemande sur les rives du Rhin en était une autre.

De toute façon, Gabriel savait où se rendait le barbouze en question : dans l'immeuble ayant pour nom de code Sabine, situé juste de l'autre côté de la rue de Berne, et dont le rez-de-chaussée était occupé par deux commerces – un kebab où deux anciens soldats d'élite, l'un israélien, l'autre britannique, partageaient un déjeuner tardif, et un salon de coiffure pour hommes qui venait à l'instant d'accueillir son troisième client de la journée.

Le barbouze du SVR passa une première fois en voiture à 16 h 25, puis une deuxième à 16 h 31. Enfin, à 16 h 35, il gara sa berline BMW juste sous les fenêtres de l'appartement refuge et traversa la rue à pied. Ils le revirent ensuite à 16 h 39, accoudé au balcon de l'appartement 5B, une cigarette pas encore allumée au coin de la bouche et la main droite serrée sur ce qui semblait être une pochette d'allumettes. La cigarette était le signal :

allumée, elle signifiait que la voie était libre ; éteinte, qu'il fallait annuler. Vieille école jusqu'au bout, songea Gabriel. *Les règles de Moscou...*

À 16 h 40, un train entra en gare de Strasbourg, et dix minutes plus tard un officier de la police secrète autrichienne, censé se reposer dans une chambre d'hôtel à Paris, passa devant la vitrine du kebab. Il jeta un coup d'œil au balcon du cinquième étage, où le bout de la cigarette du barbouze du SVR brillait comme le fanal d'un bateau. Puis il gagna la porte de l'immeuble et appuya sur le bouton de l'appartement 5B. Cinq étages plus haut, le barbouze du SVR jeta négligemment sa cigarette d'une pichenette dans la rue et disparut à l'intérieur par la baie vitrée.

— Action ! dit Yaakov Rossman dans le micro de sa radio miniature.

Dans le restaurant, les deux anciens soldats d'élite se levèrent simultanément. Une fois dehors, ils marchèrent sans hâte apparente jusqu'à la porte de l'immeuble, où l'Autrichien leur tint la porte. Puis celle-ci se referma et les trois hommes disparurent du champ de vision.

À cet instant précis, pour des raisons connues de lui seul, Eli Lavon se mit à enregistrer les images de la caméra de surveillance extérieure. La séquence de cinq minutes et dix-huit secondes qu'il obtint deviendrait par la suite, à l'instar de la vidéo des caméras de sécurité de l'hôtel Schweizerhof, un incontournable du répertoire du Boulevard du Roi-Saül, du moins pour le personnel autorisé.

L'action débute par l'arrivée d'un fourgon Ford, dont deux hommes descendent avant d'entrer dans l'immeuble d'un pas nonchalant. Ils en ressortent quatre minutes plus tard, portant, chacun par un bout, un sac marin manifestement lourd contenant un officier du renseignement russe. Le sac est chargé dans le coffre du fourgon, lequel démarre à l'instant même où deux anciens soldats d'élite, l'un israélien, l'autre britannique, sortent à leur tour de l'immeuble. Ils traversent la rue et prennent place dans une berline BMW. Le moteur s'anime, les phares s'allument. Puis la voiture s'engage dans la rue de Soleure et glisse hors du champ de la caméra.

Il n'existe aucun enregistrement de ce qui se produisit ensuite, car Gabriel ne l'aurait jamais autorisé. Il avait même insisté pour que la caméra soit déconnectée avant qu'il remette le pied dans le silence morose de la rue de Berne. Là, il s'installa sur le siège passager d'une Citroën qui ne s'arrêta jamais totalement. L'homme derrière le volant n'était autre que Christian Bouchard, le chambellan et puissant bras droit de Paul Rousseau. Il avait l'air tout droit sorti d'un film français où le héros couche avec des femmes qui fument après l'amour.

— Tout va bien ? demanda-t-il.

— Mon dos me fait un mal de chien, répondit Gabriel. En dehors de ça, aucun problème.

L'aéroport était au sud-ouest de la ville, au milieu des champs. Le temps que les deux hommes y parviennent, le fourgon Ford était déjà garé près de la queue d'un jet Gulfstream appartenant au roi de Jordanie. Gabriel emprunta l'escalier escamotable et se baissa pour entrer dans la cabine. Le long sac marin se dressait là à la verticale. Il tira sur la fermeture Éclair, révélant un visage rouge et tuméfié, bardé de ruban adhésif couleur argent. Les yeux étaient fermés et le resteraient durant tout le vol. Voire plus longtemps, selon le métabolisme du Russe. En général, les Russes tenaient aussi bien les sédatifs que la vodka.

Gabriel referma le sac et s'installa dans un des sièges pivotant pour le décollage. Les Russes n'étaient pas idiots, songea-t-il. Ils finiraient par comprendre. Il estima qu'il avait trois ou quatre jours pour trouver la taupe au sommet du renseignement anglo-américain. Une semaine, tout au plus.

35

Haute Galilée, Israël

Des centres de détention sont disséminés partout sur le territoire d'Israël, certains dans des zones interdites d'accès dans le désert du Néguev, d'autres dissimulés au cœur même des villes. L'un d'eux borde une route sans nom qui relie Rosh Pina, l'une des plus vieilles colonies juives en Israël, au hameau perché d'Amuka. Seuls les 4x4 peuvent emprunter la piste poussiéreuse et caillouteuse qui y mène. Un mur d'enceinte surmonté de fil barbelé et une guérite tenue par de jeunes malabars en veste kaki gardent son entrée. Derrière la clôture, quelques cabanes en bois entourent un unique bâtiment en tôle ondulée où sont enfermés les prisonniers. Les gardes ont l'interdiction de dire à quiconque où ils travaillent, même à leur femme et à leurs parents. Le site est aussi noir que possible. Il est l'absence même de couleur et de lumière.

Sergueï Morosov ne savait rien de tout cela. En fait, il ne savait pas grand-chose. Ni l'endroit où il se trouvait, ni l'heure qu'il était, ni l'identité de ses ravisseurs. Il savait seulement qu'il avait très froid, qu'il était cagoulé et attaché à une chaise en métal, à moitié nu, et qu'on lui faisait écouter de la musique à un volume dangereusement élevé – « Angel of Death », du groupe de trash metal Slayer. Même les gardes, pourtant des professionnels endurcis, avaient pitié de lui.

Sur recommandation de Yaakov Rossman, interrogateur expérimenté, Gabriel prolongea la phase de stress et d'isolement durant trente-six heures, bien plus longtemps qu'il l'aurait souhaité. Le temps jouait en leur défaveur. Les médias français s'intéressaient à un accident de la route survenu dans les environs de Strasbourg. Les faits connus étaient maigres – une BMW, un choc violent, un seul corps gravement brûlé, non identifié à ce jour, ou dont l'identité n'avait pas été révélée par les autorités françaises. Le Centre, en revanche, semblait savoir de qui il s'agissait, ou du moins croyait-il le savoir, car une paire de barbouzes de la *rezidentura* de Berlin se rendit à l'appartement de Sergueï Morosov à Francfort le soir même de sa disparition. L'appartement en question se trouvant sous la surveillance du Bureau, Gabriel ne pouvait l'ignorer. Il craignait que le SVR remonte jusqu'au dernier contact connu de Morosov, un officier haut placé des services de sécurité autrichiens, Werner Schwarz. Raison pour laquelle ce dernier était également sous surveillance du Bureau.

À 12 h 17 – l'heure était soigneusement consignée dans le registre du complexe –, la musique tonitruante s'arrêta, et le silence tomba enfin dans la cellule d'isolement. Les gardes détachèrent les mains et les chevilles de Morosov et le conduisirent jusqu'à une douche dans laquelle il fut autorisé à se laver, mais pas à ôter la cagoule et le bandeau qui le maintenaient dans le noir. Ils l'habillèrent ensuite d'un survêtement bleu et blanc et l'amenèrent de force, les yeux toujours bandés, à la cabane où se déroulaient les interrogatoires, et l'attachèrent à une autre chaise. Cinq minutes supplémentaires s'écoulèrent avant qu'on ne lui ôte cagoule et bandeau. Le Russe cligna plusieurs fois des paupières pendant que ses yeux s'habituaient à la lumière soudaine. Il fut alors agité d'un sursaut et se mit à se débattre furieusement.

— Doucement, Sergueï, dit Gabriel d'une voix calme. Tu risquerais de te démettre une articulation. Et tu n'as rien à craindre. Bienvenue en Israël. Et, oui, nous acceptons ton offre de défection. Nous aimerions commencer ton débriefing dès que possible. Plus tôt nous nous y mettrons, plus vite débutera ta nouvelle vie. Nous t'avons dégotté un joli petit coin dans le Néguev, un endroit où tes petits copains du Centre ne te trouveront jamais.

Gabriel dit tout cela en allemand ; Morosov, quand il cessa enfin de s'agiter, répliqua dans la même langue.

— Vous avez commis une grossière erreur, Allon.

— En acceptant l'offre de défection d'un officier du SVR ? Ça arrive tout le temps. Ce sont les règles du jeu.

— Je n'ai fait aucune offre. Vous m'avez kidnappé.

Le Russe jeta un coup d'œil aux quatre murs aveugles de la salle d'interrogatoire, aux deux gardes du corps qui se tenaient à sa gauche, et à Mikhail, étendu à sa droite. Enfin, il considéra Gabriel et demanda :

— Je suis vraiment en Israël ?

— Où pensais-tu te trouver ?

— Je croyais être aux mains des Britanniques.

— Tu n'as pas cette chance. Cela dit, le MI6 meurt d'envie d'avoir une petite conversation avec toi. Je ne peux pas vraiment leur en vouloir. Après tout, tu as assassiné leur chef de poste à Vienne.

— Alistair Hughes ? Les journaux ont dit que c'était un accident.

— Tu serais bien avisé de choisir un autre chemin, l'avertit Gabriel.

— Ah oui ? Et lequel ?

— La coopération. Tu nous dis ce qu'on veut savoir, et tu seras traité mieux que tu ne le mérites.

— Et si je refuse ?

Gabriel se tourna vers Mikhail.

— Tu le reconnais, Serguei ?

— Non, mentit – mal – Morosov. On ne s'est jamais rencontrés.

— Ce n'est pas ce que je t'ai demandé. Ce que je t'ai demandé, c'est si te le reconnaissais. Il était à Vienne, ce soir-là. Ton assassin lui a tiré quatre fois dessus, et quatre fois il l'a manqué. Il s'était montré beaucoup plus habile, avec Kirov. Konstantin en a pris deux dans le visage, des balles à tête creuse, si bien qu'on n'a même pas pu laisser le cercueil ouvert lors de ses funérailles. À moins que tu te décides à te mettre à table, mon associé et moi te rendrons la politesse. Oh ! nous ne le ferons pas nous-mêmes. Nous t'offrirons en cadeau à certains de nos amis, de l'autre côté de la frontière syrienne. Ils ont beaucoup souffert aux mains du boucher de Damas et de ses bienfaiteurs russes. Ils seraient enchantés de disposer d'un officier du SVR en chair et en os.

Un silence épais s'abattit dans la pièce. Sergueï Morosov finit par le briser.

— Je n'ai rien à voir avec Kirov.

— Bien sûr que si, Sergueï. Tu as averti Werner Schwarz quelques jours avant l'assassinat qu'il allait y avoir du grabuge à Vienne impliquant un transfuge du SVR. Et puis tu as exigé de lui qu'il suive les directives de Moscou et qu'il jette le discrédit sur notre service.

— C'est un homme mort. Et vous aussi, Allon.

Gabriel poursuivit comme s'il ne l'avait pas entendu.

— Tu as aussi ordonné à Werner d'aller murmurer à l'oreille de mon adjoint des rumeurs sur la vie privée d'Alistair Hughes. Quelque chose à propos de ses fréquents séjours en Suisse. Tu l'as fait parce que tu voulais que nous croyions qu'Alistair travaillait pour vous. Le but de cette opération était de protéger le *véritable* espion, la taupe au sommet du renseignement anglo-américain.

— Une taupe ? Vous lisez trop de romans d'espionnage, Allon. Il n'y a aucune taupe. Alistair était notre atout. Je suis bien placé pour le savoir, j'étais son officier traitant. Ça faisait des années qu'il était sous mes ordres.

Gabriel se contenta de sourire.

— Bien essayé, Sergueï. J'admire ta loyauté, mais ici elle n'a aucune valeur. La seule devise que nous acceptons, c'est la vérité. Si tu ne veux pas finir entre les mains de nos amis syriens, tu as intérêt à nous la dire.

— Je dis la vérité !

— Essaie encore.

Morosov feignit de garder son sang-froid.

— Si vous savez déjà tout ça, fit-il observer au bout d'un moment. Pourquoi avez-vous besoin de moi ?

— Tu vas nous aider à remplir les blancs. En échange de quoi, tu seras généreusement dédommagé et il te sera permis de vivre le reste de ton existence dans notre beau pays.

— Un joli petit coin dans le Néguev ?

— Je l'ai choisi moi-même.

— Je préfère tenter ma chance en Syrie.

— Tu serais bien avisé de choisir un autre chemin.

— Désolé, Allon, répliqua le Russe. Vous n'aurez pas cette chance.

Le Black Hawk survola le plateau du Golan en direction de l'est et entra dans l'espace aérien syrien au-dessus du village de Kwdana. Il avait pour destination Jasim, une petite ville du gouvernorat de Deraa tenue par des rebelles de l'Armée syrienne libre. Sous l'égide de Gabriel, le Bureau avait noué des liens étroits avec l'opposition syrienne non djihadiste, et plusieurs milliers de Syriens avaient été amenés en Israël pour y être soignés. Dans certains endroits du gouvernorat de Deraa, et nulle part ailleurs dans le monde arabe, Gabriel était célébré en héros.

L'hélicoptère ne toucha jamais le sol syrien ; là-dessus, au moins, tout le monde était d'accord. Les deux gardes à bord prétendirent que Mikhail avait attaché un câble aux menottes de Sergueï Morosov et l'avait suspendu au-dessus d'un campement de combattants rebelles excités. Mikhail, cependant, contestait cette version. Oui, il avait *menacé* de le faire, mais il n'était pas passé à l'acte. Après un aperçu du destin qui lui était promis, le Russe avait supplié – oui, *supplié* – qu'on le ramène en Israël.

Quelle que soit la vraie version, le colonel Sergueï Morosov était devenu un autre homme quand il réintégra la salle d'interrogatoire. Après s'être excusé de son intransigeance initiale, le Russe affirma qu'il serait plus que ravi d'offrir son aide au Bureau en échange d'un sanctuaire et d'une compensation financière raisonnable. Il fit cependant remarquer qu'Israël n'aurait pas été son premier choix pour démarrer une nouvelle vie. Il n'était pas antisémite, bien sûr, mais il avait ses opinions sur la situation au Proche-Orient. Il était sensible à la détresse des Palestiniens et n'avait aucun désir de vivre parmi des gens qu'il considérait comme des colons et des oppresseurs.

— Si dans quelques mois tu penses toujours la même chose, dit Gabriel, j'en toucherai deux mots à un de nos amis.

— Je ne savais pas que vous en aviez.

— Un ou deux.

Là-dessus, ils le conduisirent dans un des bungalows et l'autorisèrent à dormir. Il était presque 22 heures quand il se réveilla enfin. Ils lui donnèrent de quoi se changer – de vrais habits, pas un nouveau survêtement – et lui servirent du borchtch et du poulet à la Kiev pour le dîner. À minuit, reposé et repu, il fut ramené à la salle d'interrogatoire, où l'attendait Gabriel, un bloc-notes ouvert devant lui.

— Comment vous appelez-vous ? demanda-t-il.

— Sergueï Morosov.

— Pas votre nom de travail. Votre vrai nom.

— Ça fait si longtemps… je ne suis même pas sûr de m'en souvenir.

— Essayez, nous avons tout le temps qu'il faut.

Ce qui était absolument faux ; le temps jouait contre eux. Ils avaient trois ou quatre jours pour trouver la taupe. Une semaine, tout au plus.

36

Haute Galilée, Israël

Son vrai nom était Aleksander Yurchenko, mais il s'en était débarrassé bien des années plus tôt, lorsqu'il avait été affecté pour la première fois à l'étranger, si bien que plus personne, pas même sa mère, une sainte femme, ne l'appelait autrement que Sergueï. Elle avait été dactylo à Loubianka, avant de devenir la secrétaire personnelle du président du KGB, Iouri Andropov, qui devait succéder à Leonid Brejnev à la tête d'une Union soviétique agonisante. Le père de Sergueï était aussi un serviteur de l'ordre ancien. Brillant économiste et théoricien du marxisme, il avait travaillé pour le Gosplan, qui dressait la feuille de route de l'économie soviétique centralisée, les fameux plans quinquennaux, des documents orwelliens qui tenaient du vœu pieux, et qui exprimaient souvent les objectifs de production en termes de poids plutôt qu'en nombre d'unités. Le père de Sergueï, qui avait perdu toute foi dans le communisme à la fin de sa carrière, possédait un dessin humoristique occidental encadré au-dessus de son bureau, dans leur appartement, à Moscou. On y voyait un groupe d'ouvriers abattus autour d'un unique clou de la taille d'un missile soviétique.

« Félicitations, camarades. Nous avons atteint notre quota pour ce plan quinquennal ! »

Les parents de Sergueï ne comptaient pas parmi les élites du Parti – les privilégiés de la *nomenklatura* qui, dans leurs limousines Zil, se jouaient du trafic moscovite en arpentant les voies qui leur étaient réservées –, mais ils n'en étaient pas moins des membres du Parti, et à ce titre jouissaient de conditions de vie auxquelles le Russe moyen n'aurait pu prétendre. Leur appartement était plus vaste que la plupart des autres, et ils l'avaient pour eux seuls. Sergueï avait fréquenté une école réservée à ses pairs et, à dix-huit ans, avait intégré l'Institut d'État des relations internationales de Moscou, la plus prestigieuse université de l'Union soviétique. Il y avait étudié les sciences politiques et l'allemand. Nombre de ses camarades de classe avaient rejoint le corps diplomatique, mais pas Sergueï. Sa mère, la secrétaire personnelle d'une légende du KGB, avait d'autres projets en tête.

L'institut de l'Ordre du drapeau rouge, l'académie du KGB, possédait quatre sites isolés dans les environs de Moscou, mais son campus principal se trouvait à Chelobit'yevo, au nord de la ceinture périphérique de la capitale. Sergueï y entra en 1985. Il y avait, parmi ses camarades de classe, le fils d'un général du KGB, et pas n'importe lequel : le chef de la Première direction générale du KGB, la division du renseignement extérieur, un homme extrêmement puissant.

— Enfant, le fils avait été pourri. Il avait été élevé à l'étranger et exposé à la culture occidentale. Il portait des jeans, écoutait les Rolling Stones et se croyait beaucoup plus cool que nous. Il ne s'est pas révélé particulièrement brillant. Après son diplôme, il a été envoyé à la Cinquième direction générale, la sécurité intérieure. Grâce à son père, il s'en est plutôt bien sorti après la chute du mur. Il a fondé une banque et s'est lancé dans plusieurs activités, comme le trafic d'armes international. Vous avez peut-être entendu parler de lui, il s'appelle…

— Ivan Kharkov.

Sergueï Morosov sourit.

— Votre vieil ami.

Parce qu'il avait intégré l'Ordre du drapeau rouge directement après l'université, la formation de Morosov avait duré trois ans. Après cela, il avait été assigné à la Première direction générale et affecté au bureau des opérations allemandes au Centre, le quartier général du service au cœur des bois de Iassenevo. Un an plus tard, on l'avait envoyé à la *rezidentura* de Berlin-Est, où il avait été témoin de la chute du mur, conscient que l'effondrement de l'Union soviétique ne tarderait pas. La fin survint en décembre 1991.

— J'étais à Iassenevo quand on a descendu le marteau et la faucille du Kremlin. On s'est tous bourré la gueule, et on est restés dans cet état pendant la majeure partie de la décennie suivante.

Dans l'ère postsoviétique, le KGB fut dissous, renommé, réorganisé, puis renommé à nouveau. À la fin, les éléments de base de la vieille institution se répartirent en deux nouveaux services : le FSB et le SVR. Le premier, qui s'occupait de la sécurité intérieure et du contre-espionnage, s'installa dans l'ancien quartier général du KGB, place Loubianka. Le SVR devint le nouveau service du renseignement extérieur russe. Basé à Iassenevo, il ne différait en rien de la Première direction générale du KGB, nantie d'un nouveau nom. Les États-Unis, prétendument alliés de la Russie, demeuraient le sujet d'obsession principal du SVR, bien qu'officiellement ce dernier se référât à l'Amérique sous le vocable de « principal objectif » plutôt que de « principal ennemi ». L'OTAN et la Grande-Bretagne constituaient également des objectifs principaux.

— Et Israël ? s'enquit Gabriel.

— Nous ne vous avons jamais accordé plus qu'une pensée passagère. Enfin, jusqu'à ce que vous vous lanciez dans cette vendetta contre Ivan.

— Et vous ? Comment s'en est tiré Sergueï Morosov dans le nouvel ordre mondial ?

Il était resté à Berlin, où il avait mis sur pied un

réseau dormant d'agents qui espionnèrent sans relâche l'Allemagne réunifiée au cours des années à venir. Il avait ensuite servi à Helsinki, sous un nouveau nom, comme *rezident* adjoint, puis il était devenu *rezident* à son tour à la Hague en 2004, avant de partir en 2009 exercer ses fonctions à Ottawa, un poste important du fait de sa proximité avec les États-Unis. Malheureusement, il s'était mis là-bas dans une situation délicate – « À cause d'une fille et du ministre canadien de la Défense, mais c'est de l'histoire ancienne » –, et les Canadiens l'avaient envoyé se faire voir ailleurs, discrètement, afin d'éviter un scandale en représailles. Il s'était tourné les pouces au Centre pendant deux ans, avait changé de nom et de visage, puis il était retourné en Allemagne sous l'identité de Sergueï Morosov, un expert du secteur bancaire au service de Globaltek Consulting.

— Les services secrets allemands étaient nuls ; personne ne se souvenait que j'avais travaillé à Berlin-Est.

— Est-ce que Globaltek fait réellement du consulting ?

— Pas mal, oui. Et nous sommes plutôt bons, je dois dire. Mais nous fonctionnons principalement comme une *rezidentura* au cœur de la communauté des affaires allemandes, dont je suis le *rezident*.

— Plus maintenant, corrigea Gabriel. Désormais vous êtes un transfuge. Mais je vous en prie, continuez.

Globaltek, expliqua Morosov, avait deux fonctions. Sa tâche principale consistait à identifier de potentiels atouts et à voler la technologie industrielle allemande, dont la Russie avait désespérément besoin. Pour ce faire, Globaltek menait de nombreuses opérations de *kompromat* contre des hommes d'affaires allemands de premier plan. La plupart de ces opérations portaient sur des pots-de-vin ou du sexe.

— Femmes, enfants, animaux… (Morosov haussa les épaules.) Les Allemands, Allon, vivent en roue libre.

— Et la deuxième fonction ?

— Nous gérons les atouts sensibles.

— Des atouts qui demandent une attention particulière car leur découverte créerait des problèmes au Kremlin ? (Gabriel s'interrompit, puis il ajouta :) Des atouts comme Werner Schwarz ?

— Exact.

À tout point de vue, poursuivit Morosov, l'opération Globaltek était un éclatant succès. Raison pour laquelle il avait été surpris de recevoir ce message sur la boîte aux lettres chiffrée par un après-midi d'octobre inhabituellement doux.

— De quoi s'agissait-il ?

— Une convocation du Centre.

— Je présume que vous retourniez fréquemment là-bas pour participer à des réunions.

— Certes, mais cette fois c'était différent.

— Qu'avez-vous fait ?

Sergueï Morosov avait fait ce que tout officier du SVR aurait fait dans de telles circonstances. Il avait mis ses affaires en ordre et écrit une lettre d'adieu à sa mère, cette sainte femme. Et au petit matin, certain de sa mort prochaine, il avait embarqué sur un vol de l'Aeroflot à destination de Moscou.

37

Haute Galilée, Israël

— Vous êtes déjà allé à Moscou, n'est-ce pas ?
— Plusieurs fois, reconnut Gabriel.
— Vous aimez ?
— Non.
— Et Loubianka ?

Gabriel acquiesça de nouveau. Son arrestation et son interrogatoire violent dans les sous-sols de Loubianka étaient des faits bien connus des officiers assez âgés pour s'en souvenir et suffisamment gradés pour être au courant.

— Mais vous n'avez jamais mis les pieds à Iassenevo, n'est-ce pas ? demanda Sergueï Morosov.
— Non, jamais.
— Quel dommage. Ça vous plairait.
— J'en doute.
— Oh ! on laisse entrer presque n'importe qui à Loubianka, de nos jours. C'est presque devenu une attraction touristique. Mais Iassenevo est spécial. Iassenevo est…
— Le Centre.

Morosov sourit.

— Serait-il possible d'avoir une feuille de papier et de quoi écrire ?
— Pourquoi ?
— Je voudrais dessiner un plan des lieux afin de vous permettre de mieux visualiser ce que je vais vous dire.

— J'ai une excellente imagination.

Iassenevo, résuma Morosov, est un monde en lui-même, un monde de privilèges et de pouvoir, entouré par des kilomètres de fil barbelé et patrouillé à toute heure du jour et de la nuit par des gardes accompagnés de chiens d'attaque vicieux. Le bâtiment principal a la forme d'une croix géante. Un kilomètre et demi à l'ouest se trouve une vingtaine de datchas réservées aux plus haut gradés. L'une d'elles se tient un peu à l'écart des autres et porte un panonceau où l'on peut lire COMITÉ DE RECHERCHE DE LA BALTIQUE INTÉRIEURE, un non-sens, même selon les critères du SVR. C'est dans cette datcha que Sergueï Morosov avait été conduit sous escorte armée. À l'intérieur, au milieu de milliers de livres et de piles de dossiers poussiéreux – dont certains portaient le tampon du NKVD, le précurseur du KGB –, un homme l'attendait.

— Décrivez-le, s'il vous plaît.

— Il aurait pu remporter un concours de sosies de Lénine.

— Âge ?

— Assez vieux pour se souvenir de Staline, et l'avoir craint.

— Nom ?

— Appelons-le Sasha.

— Sasha comment ?

— Peu importe. Sasha est un fantôme. Sasha est un état d'esprit.

— Aviez-vous déjà rencontré cet état d'esprit ?

Non, répondit Morosov, il n'avait jamais eu l'honneur d'être présenté au grand Sasha, mais il avait entendu beaucoup de murmures sur son compte au fil des années.

— Des murmures ?

— Des bavardages. Vous connaissez les espions, Allon. Ils raffolent des rumeurs.

— Que disait-on de Sasha ?

— Qu'il contrôlait un seul atout. Que cet atout était

l'œuvre de sa vie. Qu'il avait été assisté dans cette tâche par une figure légendaire de notre métier.

— Quelle figure légendaire ?

— Les murmures étaient muets sur ce point.

Gabriel fut tenté d'approfondir la question, mais il se ravisa. Il avait appris depuis longtemps que pour débriefer une source, mieux valait parfois rester assis à écouter silencieusement et prendre son temps. Il laissa donc momentanément de côté l'identité de la figure légendaire et s'intéressa à la date.

— Je vous l'ai dit, Allon. C'était en octobre.

— Octobre dernier ?

— Non, de l'année précédente.

— Il vous a proposé du thé ?

— Non.

— Du pain noir et de la vodka ?

— Sasha considère la vodka comme la plaie de la Russie.

— Combien de temps a duré le rendez-vous ?

— Les entrevues avec Sasha ne sont jamais courtes.

— Et le sujet ?

— Le sujet en était un traître du nom de Konstantin Kirov.

Gabriel ouvrit une nouvelle page de son bloc-notes avec un air indifférent, comme s'il n'était pas surpris d'apprendre que la précieuse source du Bureau était grillée depuis plus d'un an.

— Pourquoi un homme tel que Sasha s'intéresserait-il à Kirov ? demanda-t-il, le crayon suspendu au-dessus de la page. Kirov n'était rien du tout.

— Pas dans l'esprit de Sasha. Il voyait dans sa trahison une occasion inespérée.

— De quoi ?

— De protéger son atout.

— Et la raison de cette convocation de mauvais augure ?

— Sasha voulait que je travaille avec lui.

— Vous avez dû vous sentir honoré.

— Grandement.

— Pourquoi croyez-vous qu'il vous ait choisi ?

— Il savait que ma mère avait travaillé pour Andropov. À ses yeux, cela faisait de moi une personne de confiance.

— Et l'objet de votre collaboration ?

— Alistair Hughes.

Initialement, le dossier du Centre sur le chef de poste du MI6 à Vienne était une lecture assommante. Il mentionnait qu'Alistair Hughes était loyal à son service et à son pays, qu'il n'entretenait aucun vice personnel ou sexuel, et qu'il avait rejeté plusieurs propositions de recrutement, y compris lorsqu'il était encore étudiant à Oxford et était promis – aux yeux du Centre, en tout cas – à une carrière dans le renseignement britannique.

À ces maigres informations, Sasha ajouta son propre dossier. Il contenait des photos de la femme de Hughes et de ses deux enfants, ainsi que des détails sur ses préférences sexuelles, qui étaient assez particulières, et sur sa santé mentale, qui n'était pas bonne. Hughes souffrait de troubles bipolaires et de crises d'angoisse aiguës. Son état s'était aggravé durant son séjour à Bagdad, et il espérait que son mandat à Vienne, parfaitement ennuyeux en comparaison, l'aiderait à retrouver son équilibre. Il consultait une éminente spécialiste de la question à la Privatklinik Schloss en Suisse voisine, fait qu'il dissimulait à ses supérieurs à Vauxhall Cross.

— Et à sa femme, ajouta Morosov.

— Quelle était la source de ces informations ?

— Le dossier ne le disait pas, et Sasha ne m'a pas renseigné sur ce point.

— Quand le dossier a-t-il été ouvert ?

— Sasha ne datait jamais ses dossiers privés.

Gabriel demanda à Morosov de se hasarder à une estimation.

— Je dirais vers le milieu des années 1990. À cette

époque, il travaillait au poste de Berlin. J'ai fait partie des officiers qui lui ont fait des avances.

— Donc vous et Alistair vous connaissiez déjà.

— On se tutoyait.

— Quand avez-vous commencé à le surveiller à Vienne ?

— L'opération a été finalisée et lancée à la mi-novembre. Sasha en avait revu tous les détails, jusqu'à la marque des voitures et aux tenues des guetteurs.

— Une surveillance de quel ordre ?

— Totale, répondit Morosov, à l'exception du poste lui-même. Le SVR avait essayé de le mettre sur écoute durant de nombreuses années, mais sans succès.

— Racontez-moi ça en détail, je vous prie, demanda Gabriel.

— Nous avions deux appartements sur la Barichgasse, un de chaque côté de la rue. L'intérieur de l'appartement de Hughes était truffé de micros, et nous contrôlions son réseau Wi-Fi. Chaque jour, nous avions vingt à trente guetteurs à notre disposition. On les avait fait venir par ferry fluvial de Budapest, déguisés en touristes. Quand Alistair déjeunait avec un diplomate ou un de ses collègues du renseignement, nous étions à la table d'à côté. Quand il s'arrêtait boire un café ou un verre, nous buvions un café ou un verre. Et puis il y avait les filles qu'il ramenait chez lui.

— Il y en avait à vous, dans le lot ?

— Deux, admit Morosov.

— Et ses voyages à Berne ?

— Idem, dans une autre ville. On prenait le même avion que Hughes, on descendait avec lui au Schweizerhof, et on l'accompagnait à ses rendez-vous à Münchenbuchsee. C'est à trente minutes en taxi. Il ne le commandait jamais depuis l'hôtel, mais marchait jusqu'à une station, jamais deux fois la même d'affilée. Et quand il revenait à Berne après son rendez-vous, il demandait au chauffeur de le déposer ailleurs que devant l'hôtel.

— Il ne voulait pas que le personnel sache où il allait.

— Il voulait que *personne* ne le sache.

— Et quand il n'était pas à la clinique ?

— C'est là qu'il a commis une erreur, répondit Morosov. Notre ami Alistair était assez prévisible.

— C'est-à-dire ?

— Il n'y a qu'un vol par jour entre Vienne et Berne, le SkyWork de 14 heures. À moins que l'avion n'ait été retardé, ce qui était rare, Alistair arrivait toujours à l'hôtel à 16 heures au plus tard.

— Ce qui lui laissait plus d'une heure et demie avant son rendez-vous.

— Exactement. Et ce temps, il l'occupait toujours de la même manière.

— En buvant son thé au bar de l'hôtel.

— Même table, même heure, le dernier vendredi de chaque mois.

À l'exception de décembre, précisa Morosov. Alistair avait passé les vacances en famille en Grande-Bretagne et aux Bahamas. Il était revenu aux affaires trois jours après le nouvel an, et une semaine plus tard, un mercredi, il avait été rappelé au poste tard le soir pour prendre connaissance d'un télégramme urgent et confidentiel de Vauxhall Cross. Ce qui les ramena une fois de plus à Kirov et à la nuit enneigée où il avait été assassiné.

38

Haute Galilée, Israël

En temps normal, il aurait été arrêté et interrogé pendant des jours, des semaines, peut-être même des mois, jusqu'à ce que, essoré du moindre de ses secrets, exténué, rendu fou de douleur, il devienne incapable de donner une réponse cohérente à la plus simple des questions. Puis il aurait probablement été passé une dernière fois à tabac avant d'être emmené au sous-sol de la prison de Lefortovo, entre les quatre murs de béton d'une cellule aveugle et seulement percée d'une bonde d'évacuation pour les excréments et les eaux usées. Là, on l'aurait forcé à s'agenouiller et on lui aurait collé le canon d'un pistolet de gros calibre contre la nuque, à la mode russe. Un coup de feu aurait été tiré. La balle serait ressortie par le visage, rendant impossible la tenue de funérailles décentes. Auxquelles il n'aurait de toute façon pas eu droit. Son corps aurait été jeté dans un trou anonyme et rapidement recouvert de terre russe. Personne, pas même sa mère, n'aurait été informé du lieu de sa sépulture.

Mais les circonstances n'avaient rien de normal, continua Sergueï Morosov. Elles étaient dictées par Sasha, et Sasha disposait du traître avec un soin extraordinaire. Il avait envoyé Kirov faire de nombreuses courses, sans surveillance, sachant pertinemment qu'il rencontrerait ses officiers traitants israéliens. Car c'était précisément ce qu'il voulait. À cette fin, il s'assurait que Kirov ait connaissance d'informations assez sensibles pour que les Israéliens et leurs alliés anglo-américains ne soupçonnent rien. Dans le jargon, on appelle ça « l'or des fous ». Il brillait, mais n'avait aucune valeur stratégique ou opérationnelle.

Sasha avait fini par confier au traître une course qui scellerait sa décision de faire défection. Elle avait tout d'une mission de routine. Kirov avait pour instruction de vider une boîte aux lettres morte à Montréal et de rapporter son contenu au Centre. La boîte aux lettres en question était un appartement utilisé par une Brésilienne, résidente permanente de la terre promise des États-Unis. Sauf que cette femme n'était pas du tout brésilienne, mais une illégale russe opérant sous couverture à Washington.

— Que faisait-elle là-bas ?

— Sasha ne m'a jamais révélé la nature de sa mission.

— Une supposition ?

— Je dirais qu'elle était au service d'une taupe.

— Car les officiers de la *rezidentura* locale sont sous constante surveillance du FBI, si bien qu'il leur est impossible de driver un atout de haut niveau.

— Difficile, corrigea Morosov, mais pas impossible.

— Est-ce que Sasha vous a communiqué le nom de cette illégale russe opérant à Washington ?

— Sasha ? Ne soyez pas stupide.

— Son métier de couverture ?

— Non.

Gabriel demanda ce qui avait été déposé dans l'appartement.

— Une carte mémoire. Cachée derrière l'évier de la cuisine. Je l'y ai mise moi-même.

— Que contenait-elle ?

— Des contrefaçons.

— De quoi ?

— De documents de la plus haute classification possible.

— Américains ?

— Oui.

— De la CIA ?

— Et de la NSA, ajouta Morosov en hochant la tête. Sasha m'a ordonné de ne pas verrouiller la carte mémoire, de façon à ce que Kirov puisse en voir le contenu.

— Comment saviez-vous qu'il y jetterait un œil ?

— Aucun agent de terrain du SVR ne prendrait le risque de franchir une frontière avec une carte mémoire déverrouillée et non chiffrée. Il faut toujours s'assurer qu'elles le sont.

— Et s'il n'était pas rentré à Moscou ? demanda Gabriel. Et s'il s'était précipité directement dans nos bras ?

— C'est la seule course que nous avons surveillée. S'il avait fait ne serait-ce qu'un pas de côté, on l'aurait renvoyé au Centre dans une boîte.

Mais ça n'avait pas été nécessaire, poursuivit Morosov. Kirov était revenu à Moscou par ses propres moyens. Là, il avait dû faire face à un cruel dilemme. Les documents qu'il avait vus étaient bien trop dangereux pour qu'il les partage avec son contrôleur israélien. Si le Centre apprenait qu'ils avaient disparu, Kirov serait immédiatement soupçonné. Par voie de conséquence, la défection était sa seule option.

Le reste de la conspiration de Sasha s'était déroulé exactement comme prévu. Le traître se rendit d'abord à Budapest, puis à Vienne, où Gabriel Allon, chef du renseignement israélien et implacable ennemi de la Fédération de Russie, l'attendait dans un appartement refuge. Un tireur l'attendait aussi, l'un des meilleurs du Centre. Sa mort sur la Brünnerstrasse avait été la seule fausse note de la soirée. Sans cela, la représentation aurait été parfaite. Kirov le traître s'était vu infliger la mort indigne qu'il méritait tant. Et Allon l'ennemi se lancerait bientôt dans une enquête téléguidée par la main invisible de Sasha, qui identifierait Alistair Hughes comme la taupe de Moscou infiltrée dans le renseignement britannique.

— Comment saviez-vous que nous l'avions pris pour cible ? demanda Gabriel.

— Nous avons vu Eli Lavon et votre ami Christopher Keller s'installer dans un appartement d'observation sur la Barichgasse. Et nos guetteurs ont repéré les vôtres alors qu'ils filaient Alistair. Sur ordre de Sasha, nous avons réduit nos équipes à l'essentiel pour minimiser les risques de détection.

— Mais pas à Berne. Ce couple que vous avez envoyé dans le Schweizerhof était difficile à manquer. Tout comme Dimitri Sokolov.

— Un protégé de Sasha.

— Je suppose que Sasha l'a délibérément envoyé pour qu'il n'y ait aucune confusion possible.

— Son élégance fait mouche dans les soirées mondaines genevoises.

— Qu'y avait-il dans l'enveloppe ?

— À vous de me le dire.

— Des photographies de Hughes entrant et sortant de la clinique, répondit Gabriel.

— *Kompromat.*

— Je suppose qu'Alistair n'avait aucune chance de quitter Berne vivant ?

— Pas la moindre. Mais nous-mêmes avons été surpris de le voir courir comme un fou après être sorti de l'hôtel.

— Qui conduisait la voiture ?

Sergueï hésita puis finit par dire :

— Moi.

— Et si Alistair ne vous avait pas donné une si belle opportunité de le tuer ?

— Il nous restait l'avion.

— L'avion ?

— Le vol de retour à Vienne. Pendant que nous surveillions Alistair, nous avons trouvé comment mettre une bombe à bord. L'aéroport de Berne, ce n'est pas vraiment Heathrow ou Ben Gourion.

— Vous auriez condamné tous ces innocents pour tuer un seul homme ?

— On ne fait pas d'omelettes…

— Je doute que le monde civilisé partage votre point de vue. Surtout s'il l'entend de la bouche d'un officier supérieur du KGB.

— Ça s'appelle le SVR maintenant, Allon. Et nous avions un accord.

— Nous en avions un, en effet. Vous étiez censé tout me dire en échange de votre vie. Malheureusement, vous n'avez pas été à la hauteur de vos engagements.

Sergueï Morosov parvint à sourire.

— Le nom de la taupe, c'est ça que vous voulez ?

Gabriel lui rendit son sourire.

— Vous croyez vraiment, demanda le Russe d'un ton méprisant, que le grand Sasha m'aurait confié une chose pareille ? Seule une minuscule fraction des cadres du Centre connaissent son identité.

— Et cette femme ? L'illégale qui se fait passer pour une Brésilienne ?

— Vous pouvez être sûr que la taupe et elle ne se sont jamais rencontrées en chair et en os.

Gabriel demanda l'adresse de la boîte aux lettres morte à Montréal. Morosov lui répondit que cette information était obsolète. Sasha l'avait fermée et en avait mis en place une nouvelle.

— Où ?

Le Russe demeura silencieux.

— Voudriez-vous que je demande aux techniciens de vous repasser la séquence où vous confessez avoir tué le chef de poste du MI6 à Vienne ?

La boîte aux lettres morte se situait maintenant au 6822 rue Saint-Denis.

— Appartement ou maison ?

— Ni l'un ni l'autre. C'est une Ford Explorer. Gris foncé. L'illégale laisse la carte mémoire dans la boîte à gants, et un des coursiers de Sasha l'emporte à Moscou.

— Vieille école.

— Sasha préfère les bonnes vieilles méthodes.

Gabriel s'autorisa un sourire.

— Ce qui nous fait un point commun.

39

Haute Galilée, Israël

Il restait une dernière question à régler. Celle que Gabriel, bien des heures plus tôt, avait laissée de côté. Rien de sérieux, se disait-il, tout au plus quelques grains de poussière à balayer avant de laisser Sergueï Morosov aller dormir quelques heures.

En vérité, il n'avait pas songé à grand-chose d'autre au cours de cette longue nuit. Tel était le talent d'un maître interrogateur, capable de garder une seule question sans réponse en réserve tout en explorant d'autres pistes. En cours de route, Gabriel avait exhumé une montagne de renseignements de valeur, comme l'adresse d'une boîte aux lettres morte à Montréal utilisée par une illégale russe opérant à Washington. Une illégale russe dont la tâche principale était de servir un agent de pénétration infiltré au sommet du renseignement anglo-américain. L'unique atout de Sasha. Le grand œuvre de Sasha. L'œuvre d'une vie. Dans le jargon du métier, une taupe.

La boîte aux lettres morte seule justifiait le coût et les risques de l'enlèvement de Sergueï Morosov. Mais qui était la figure légendaire ayant aidé Sasha à créer la taupe ? Gabriel posa de nouveau la question, comme une pensée après coup, alors qu'il s'apprêtait à sortir.

— Je vous l'ai dit, Allon. Les rumeurs n'ont jamais répondu à cette question.

— Je vous ai entendu la première fois, Sergueï. Mais qui cela pouvait-il bien être ? Un homme ? Deux ? Une équipe d'officiers ? Une femme ? (Puis, après une pause :) Était-il au moins russe ?

Et cette fois, peut-être parce qu'il était trop fatigué pour mentir, peut-être parce qu'il savait que ça ne servirait à rien, Morosov répondit sincèrement.

— Non, Allon. Il n'était pas russe. Sympathisant, oui. Historiquement engagé, sûrement. Mais il demeurait anglais jusqu'à la moelle, même après nous avoir rejoints. Il mangeait de la moutarde anglaise et de la marmelade, buvait du whisky vieilli en fût, et suivait religieusement les résultats du cricket dans le *Times*.

Ces mots ayant été prononcés en allemand, les deux gardes dans le dos de Gabriel ne réagirent pas. Pas plus que Mikhail, qui somnolait à la droite de Morosov et semblait être celui qu'on avait interrogé toute la nuit. Gabriel ne laissa transparaître aucune réaction non plus, mais ses gestes, alors qu'il rassemblait ses notes, se firent plus lents.

— Sasha vous a dit ça ? demanda-t-il à voix basse, comme pour ne pas rompre l'enchantement.

— Non, répondit Morosov en secouant vigoureusement la tête. C'était dans un de ses dossiers.

— Quel dossier ?

— Un vieux.

— Du temps où le KGB s'appelait encore le NKVD ?

— En fait, vous écoutiez.

— J'ai écouté chacun des mots que vous avez prononcés.

— Sasha l'avait laissé sur son bureau, un soir.

— Et vous y avez jeté un coup d'œil ?

— C'était contre les règles de Sasha, mais, oui, j'ai mis le nez dedans un jour où il a été convoqué à l'improviste par le patron.

— Que se serait-il passé, s'il vous avait vu ?

— Il aurait pensé que j'étais un espion.

— Et il vous aurait tué, compléta Gabriel.

— Sasha ? Il l'aurait fait de ses mains.

— Pourquoi avoir pris ce risque ?

— Je n'ai pas pu m'en empêcher. Des dossiers comme celui-ci sont les textes sacrés de notre service. Notre Torah. Même un homme comme moi, dont la mère avait travaillé avec Andropov, est rarement autorisé à les voir.

— Et quand vous avez ouvert ce dossier, qu'avez-vous vu ?

— Un nom.

— *Son* nom ?

— Non. Otto. C'était le nom de code d'un agent du NKVD. Le dossier concernait une réunion organisée par Otto à Regent's Park, à Londres.

— Quand ?

— En juin, répondit Morosov. Juin 1934.

Otto, Regent's Park, juin 1934… Il s'agissait sans doute de la plus célèbre et la plus décisive réunion de toute l'histoire de l'espionnage.

— Vous avez vu le dossier *original* ? demanda Gabriel.

— C'était comme de lire les Tables de la Loi. Je voyais à peine la page tant l'excitation m'aveuglait.

— Il y avait d'autres dossiers ?

Oui, beaucoup, dont certains rédigés dans un russe laborieux par le légendaire allié de Sasha, l'homme qui était russe de cœur mais anglais jusqu'au bout des ongles. L'un d'eux concernait une femme qu'il avait connue à Beyrouth, où il avait travaillé plusieurs années comme journaliste début 1956.

— Qui était-elle ?

— Une journaliste elle aussi. Mais surtout une communiste engagée.

— Quelle était la nature de leur relation ?

— Pas professionnelle, si c'est ce que vous voulez savoir.

— Elle était sa maîtresse ?

— L'une de ses maîtresses, répondit Morosov. Mais c'était différent avec elle.

— En quoi ?

232

— Ils ont eu un enfant.

Le rythme rapide des questions de Gabriel tira Mikhail de sa rêverie.

— Le nom de cette femme ?

— Le dossier ne le disait pas.

— Nationalité ?

— Non.

— Et l'enfant ? C'était un garçon ou une fille ?

— Je vous en prie, Allon. J'ai eu mon compte pour la nuit. Laissez-moi dormir, et nous reprendrons demain matin.

Mais le matin était déjà là, et même bien avancé. Il n'y avait pas de temps à perdre à dormir. Gabriel accentua la pression, et Morosov, ivre de fatigue, lui décrivit le contenu du dernier dossier qu'il avait osé ouvrir ce soir-là avant que Sasha ne revienne à la datcha.

— C'était une évaluation privée rédigée par l'Anglais au début des années 1970, qui prédisait l'effondrement du communisme.

— Hérésie ! s'écria Gabriel.

— Aucun citoyen soviétique, pas même mon père, n'aurait osé écrire une chose pareille.

— L'Anglais était libre de dire tout haut ce que d'autres pensaient tout bas ?

— Publiquement, non. Mais en interne, il avait toute latitude pour le faire.

— Pourquoi produire un tel document ?

— Il craignait qu'en cas d'effondrement du communisme, l'Union soviétique ne puisse plus faire office de phare pour tous les déçus du capitalisme, à l'Ouest.

— Les idiots utiles.

— Une expression dont le camarade Lénine aurait pu, pour une fois, s'abstenir.

L'Anglais, poursuivit Morosov, ne se considérait certainement pas lui-même comme un idiot utile, ni même comme un traître. Il se voyait avant tout comme un officier du KGB. Et il avait peur que l'échec du communisme dans le seul pays où il était mis en œuvre ne décourage les Occidentaux des strates supérieures de la société à suivre son exemple et à jurer secrètement allégeance à Moscou, ne laissant au KGB d'autre choix que de compter sur des atouts motivés par l'argent ou la contrainte. Mais si le KGB voulait un véritable agent de pénétration au cœur du renseignement occidental – une taupe jouant un rôle d'influence et espionnant pour des raisons morales et non financières –, il devait en fabriquer un de toutes pièces.

Telle était la nature de l'entreprise de Sasha : créer le parfait espion avec l'aide du plus grand traître de tous les temps. Voilà pourquoi Konstantin Kirov avait subi le châtiment suprême à Vienne. Voilà pourquoi Alistair Hughes, dont le seul crime était d'avoir souffert de troubles psychiatriques, avait été assassiné sur le Bahnhofplatz à Berne.

Ils ont eu un enfant...

Oui, songea Gabriel, ça expliquerait tout.

40

Wormwood Cottage, Dartmoor

Wormwood Cottage se dressait au sommet d'un tertre, au milieu de la lande. La pierre du Devon dont on avait érigé ses murs s'était assombrie avec les années. Derrière la maison, de l'autre côté d'une cour livrée à elle-même, la grange avait été convertie en bureau et en quartiers d'habitation pour le personnel. Quand le complexe était inoccupé, un gardien solitaire nommé Parish venait y jeter un œil de temps à autre. Mais lorsque les lieux accueillaient des visiteurs – la « compagnie » dans le jargon du cottage –, le personnel pouvait compter jusqu'à dix membres, sécurité incluse. Tout dépendait de la nature du visiteur et de ceux dont il se cachait. Un invité sans histoire pouvait jouir de l'endroit en toute tranquillité. Mais pour un homme traqué par de nombreux ennemis, Wormwood Cottage devenait la maison refuge du MI6 la plus sûre de toute la Grande-Bretagne.

Bien que l'homme qui se présenta au cottage le lendemain en début d'après-midi relève de la seconde catégorie, Parish ne fut averti que quelques minutes avant son arrivée. L'information ne lui était pas parvenue par les canaux habituels de Vauxhall Cross, mais pas Nigel Whitecombe, le jeune assistant personnel du directeur et factotum en chef. Whitecombe s'était fait les dents au

MI5, un péché que Parish, qui était de la vieille école, ne lui avait jamais pardonné.

— Et combien de temps va-t-il rester avec nous, cette fois ? demanda sèchement Parish.

— Cela reste à déterminer, répondit Whitecombe sur la ligne sécurisée.

— Combien de convives ?

— Il viendra seul.

— Des gardes du corps ?

— Non.

— Et que ferons-nous s'il lui prend l'envie d'aller se balader sur la lande ? Il adore marcher, vous savez. Lors de sa dernière visite, il a couvert la moitié du trajet jusqu'à Penzance sans prévenir personne.

— Laissez-lui un pistolet avec les bottes en caoutchouc. Il peut se débrouiller tout seul.

— Est-ce qu'il aura des invités ?

— Un seul.

— Son nom ?

— Troisième lettre de l'alphabet.

— Quand doit-il arriver ?

— Indéterminé.

— Et notre compagnie ?

— Regardez par la fenêtre.

Parish s'exécuta et vit un fourgon anonyme rebondir sur le chemin défoncé, avant de s'immobiliser sur le parvis gravillonné du cottage. Une unique silhouette en descendit par le hayon. Un mètre soixante-dix et des poussières, yeux verts et brillants, cheveux noirs coupés court, tempes grisonnantes. La dernière fois que Parish l'avait vu, c'était le soir où le très sérieux *Telegraph* avait annoncé sa mort. En fait, c'était Parish qui lui avait apporté la version imprimée de l'article depuis le site du *Telegraph*. La compagnie n'avait pas le droit d'utiliser de téléphone ou d'ordinateur. Telles étaient les règles du cottage.

— Parish, appela l'homme aux yeux verts avec une surprenante chaleur. J'espérais bien vous voir.

— Les choses ne changent pas beaucoup, sur la lande.

— Que le ciel en soit remercié. (Il tendit son portable à Parish sans que celui-ci ait eu besoin de le demander.) Faites-y attention, d'accord ? Je ne voudrais pas qu'il tombe entre leurs mains.

Là-dessus, l'homme aux yeux verts sourit inopinément et s'engouffra dans le cottage comme s'il rentrait chez lui après une longue absence. Quelque temps plus tard, Parish le vit ressortir comme une flèche, le col de son Barbour relevé jusqu'aux oreilles, voûté comme s'il portait le poids du monde sur les épaules. Que faisait-il encore ? D'après ses antécédents, cela pouvait être n'importe quoi. Quelque chose dans son expression lugubre disait à Parish que Wormwood Cottage allait une fois encore se retrouver au cœur de grands projets. Il l'ignorait encore, mais il avait parfaitement raison.

Il suivit un sentier bordé de haies jusqu'au hameau de Postbridge, un petit groupe de bâtiments agricoles marquant l'intersection de deux routes. Il bifurqua alors vers l'ouest, vers la chaleur déclinante du soleil qui planait déjà au-dessus de l'horizon désert. Il se demanda, en ne plaisantant qu'à moitié, s'il n'était pas en train de jouer le rôle que Sasha avait écrit pour lui. Ou bien était-ce le complice légendaire de Sasha ? L'Anglais qui suivait religieusement les résultats du cricket dans le *Times*, même après avoir trahi son pays ? L'Anglais qui avait aidé Sasha à créer et à infiltrer une taupe au cœur du renseignement occidental, un agent motivé par l'admiration qu'il lui portait ? L'Anglais qui avait vécu quelque temps à Beyrouth, du temps où l'on entendait parler français le long de la Corniche ? Il y avait connu une jeune femme, ils avaient fait un enfant. S'il trouvait la femme, il pourrait bien trouver l'enfant ?

Mais comment ? La femme n'avait ni nom ni nationalité – du moins pas dans les dossiers que Morosov avait vus ce soir-là dans la datcha privée de Sasha –, mais quelqu'un devait avoir eu vent de cette histoire. Peut-être quelqu'un dépendant du poste du MI6 à Beyrouth, une antenne vitale pour tout ce qui concernait le Proche-Orient, à l'époque. Quelqu'un dont la carrière avait pâti de la trahison de l'Anglais. Quelqu'un dont le fils, à présent directeur général du MI6, pouvait accéder aux vieux dossiers sans faire de vagues. Il était possible – mais seulement *possible*, se tança Gabriel – qu'il ait un coup d'avance sur Sasha.

À Two Bridges, Gabriel prit vers le nord. Il suivit la route un moment, puis sauta par-dessus une clôture et s'engagea sur la lande. Arrivé en haut d'une butte rocheuse, il vit une voiture au loin, une limousine qui fendait le paysage nu. Il redescendit par l'autre versant de la colline et trouva un sillon dans le soleil couchant qui le ramena à la porte de Wormwood Cottage. Le loquet ne lui fit aucune difficulté. À l'intérieur, il trouva Mlle Coventry, la cuisinière et gouvernante, penchée au-dessus de plusieurs casseroles bouillantes, un tablier noué autour de ses larges hanches.

Graham Seymour écoutait les nouvelles sur un vieux poste de radio en bakélite dans le salon. Lorsqu'il entra, Gabriel poussa le volume presque au maximum. Puis il raconta à Seymour le grand œuvre de Sasha. Sasha, expliqua-t-il, n'avait pas agi seul. Il avait été assisté par un Anglais. Il y avait une femme, et la femme avait donné naissance à un enfant. L'enfant de la trahison. L'enfant de Kim Philby…

41

Wormwood Cottage, Dartmoor

Il était né le jour de l'an 1912, dans la province du Pendjab, aux Indes britanniques. Son nom complet était Harold Adrian Russell Philby, mais son père – l'irascible diplomate, explorateur et orientaliste converti à l'islam, St John Philby – l'appelait Kim, d'après Kimball O'Hara, le héros d'un roman de Rudyard Kipling mettant en scène des rivalités anglo-russes sur le sous-continent. Le personnage fictionnel de Kipling et le jeune Kim Philby partageaient plus qu'un surnom. Philby pouvait lui aussi se faire passer pour un Indien.

Il arriva en Angleterre à l'âge de douze ans, intégra la prestigieuse Westminster School et, à l'automne 1929, à l'aube de la Grande Dépression, il fut admis à Trinity College, à Cambridge. Là, comme de nombreux jeunes privilégiés de sa génération, il tomba rapidement sous le charme du communisme. Il obtint un diplôme d'économie mention bien et une bourse d'études de quatorze livres sterling[1], qu'il utilisa pour s'offrir les œuvres complètes de Karl Marx.

Avant de quitter l'université en 1933, il avoua à Maurice Dobb, économiste marxiste et chef de la cellule communiste de Cambridge, qu'il désirait dédier sa vie au

1. Environ 900 £ en 2018, soit un peu plus de 1000 €.

Parti. Dobb l'envoya rencontrer un agent du Komintern à Paris, qui se faisait appeler « Gibarti ». Ce dernier le mit en contact avec les milieux communistes de Vienne, alors assiégée. Philby prit part aux affrontements de rue sanglants qui opposaient la gauche autrichienne au régime fasciste du chancelier Engelbert Dollfuss. Il tomba amoureux d'Alice « Litzi » Kohlmann, jeune juive divorcée et communiste engagée ayant des contacts avec le renseignement soviétique. Philby l'épousa à la mairie de Vienne en février 1934 et l'emmena à Londres, étape suivante sur le chemin de la trahison.

Car c'est à Londres, par une chaude journée de juin, sur un banc de Regent's Park, que Philby rencontra un séduisant universitaire d'Europe de l'Est aux cheveux bouclés qui se présenta sous le nom d'Otto. Il s'appelait en réalité Arnold Deutsch et exerçait ses talents de chasseur de têtes et de recruteur pour le NKVD sur tout le territoire de Grande-Bretagne. Bientôt, Philby parlerait à Otto de deux amis de Cambridge qui partageaient sa façon de penser, Guy Burgess et Donald Maclean ; Burgess donnerait peu après à Otto le nom d'un célèbre historien de l'art, Anthony Blunt. John Cairncross, un brillant mathématicien, les rejoindrait par la suite. Philby, Burgess, Maclean, Blunt et Cairncross : les Cinq de Cambridge. Pour protéger leur origine, le Centre les appelait les Cinq Magnifiques.

Sur une idée d'Otto, Philby adopta publiquement le profil d'un sympathisant nazi et se lança dans une carrière de journaliste, d'abord à Londres, puis en Espagne, où la guerre civile éclata en 1936 entre les nationalistes de Franco et les républicains soutenus par Moscou. Philby couvrit la guerre du côté des nationalistes, envoyant de longs papiers à plusieurs journaux londoniens, dont le *Times*, tout en collectant de précieux renseignements sur le champ de bataille à destination de Moscou. En 1937, le jour de la Saint-Sylvestre, au cours de la sanglante bataille de Teruel, un éclat d'obus tomba non loin de la voiture dans laquelle Philby se goinfrait de chocolats et de cognac. Les trois autres passagers moururent sur le coup, mais Philby n'écopa que d'une légère blessure à la tête. Franco lui décerna lui-même la croix de l'ordre du Mérite militaire pour son soutien à la cause nationaliste. Malgré sa haine du fascisme, Philby garda toujours sa médaille.

Son mariage avec Litzi Kohlmann ne survécut pas à sa prétendue conversion aux idées de droite. Le couple se sépara mais ne divorça pas, et Litzi emménagea à Paris. Philby prit un poste à plein temps au *Times* et fit partie, en 1940, de la poignée de journalistes choisis pour accompagner le Corps expéditionnaire britannique en France, et assister à sa débâcle. Dans le train qui le ramenait à Londres après la capitulation des Français, il se trouva fortuitement dans le même compartiment que Hester Harriet Marsden-Smedley, un ancien correspondant de guerre du *Sunday Express*, qui avait de nombreux contacts au sein des services secrets britanniques. Ils parlèrent longuement de l'avenir de Philby. Face à la probabilité d'une invasion allemande, ce dernier croyait n'avoir d'autre choix que de s'enrôler. « Vous pourriez faire obstacle à Hitler de bien plus efficace façon, lui dit Marsden-Smedley. On va vous trouver quelque chose. »

Il n'eut pas longtemps à attendre – quelques jours, en fait – avant d'être contacté par le MI6. Il passa deux entretiens, et le MI5 mena une enquête discrète sur ses antécédents. La sécurité intérieure valida son dossier, en dépit du fait qu'il n'avait jamais caché ses sympathies communistes à Cambridge et qu'il espionnait pour Moscou depuis six ans. Il était entré.

La nouvelle carrière de Philby ne démarra pas sous les meilleurs auspices. Pendant deux semaines, il resta assis dans une pièce vide du quartier général du MI6 au 54 Broadway à ne rien faire, sinon partager des déjeuners arrosés avec Guy Burgess, son acolyte de Cambridge. Mais à l'été 1941, Philby se retrouva à la tête de la division ibérique de la Section V, le département du contre-espionnage du MI6. Sans quitter la sécurité de son bureau, il s'attaqua adroitement au vaste réseau du renseignement allemand en Espagne et au Portugal neutres. Il s'emparait également de tous les secrets sur lesquels il pouvait mettre la main et remettait des mallettes bien remplies à ses officiers traitants de l'ambassade soviétique à Londres. Les autres membres du cercle des espions de Cambridge – Burgess, Maclean, Blunt et Cairncross –, tous bien ancrés dans des postes d'influence en ces temps de guerre, en firent autant.

Mais l'étoile de Philby brillait plus fort. Le quartier général de la Section V ne se trouvait pas sur Broadway mais dans une vaste maison victorienne appelée Glenalmond, dans le village de Saint Albans. Philby vivait dans un cottage non loin de là avec Aileen Furse, une ancienne inspectrice de magasins pour Marks & Spencer qui souffrait de dépression lourde. Elle lui donna coup sur coup trois enfants, entre 1941 et 1944. Les fidèles collègues qui se réunissaient chez lui tous les dimanches auraient été choqués d'apprendre qu'ils n'étaient pas mari et femme. Pour Philby, il n'était pas question d'épouser Aileen ; il était toujours marié à Litzi Kohlmann. Même dans sa vie personnelle, il était enclin à la supercherie.

À la fin de la guerre, il ne fit plus aucun doute pour personne au MI6 que Philby était promis à une grande carrière. Mais un élément entachait son CV par ailleurs impressionnant : il avait fait la guerre derrière un bureau, et n'avait jamais mis un pied sur le terrain. Le chef du MI6, Stewart Menzies, s'empressa d'y remédier en nommant Philby chef de poste à Istanbul. Avant de partir pour la Turquie, il mit ses affaires personnelles en ordre en divorçant de Litzi et en épousant Aileen. Ils se marièrent civilement le 25 septembre 1946 à Chelsea, en présence de quelques amis. La fiancée, toujours fragile psychologiquement, était alors enceinte de sept mois de leur quatrième enfant.

Une fois en Turquie, Philby installa sa famille dans une villa sur le Bosphore et commença à recruter un réseau d'émigrés anticommunistes appelés à infiltrer l'URSS. Puis il trahit son propre réseau en le livrant au Centre, en se servant de Guy Burgess comme intermédiaire. À la même époque, sa situation personnelle se détériora. Aileen se convainquit qu'il avait une liaison avec sa secrétaire. Folle de douleur, elle s'injecta sa propre urine et tomba gravement malade. Philby l'envoya se faire soigner dans une clinique suisse.

Sa vie domestique chaotique n'eut aucun impact sur son ascension météoritique au sein du MI6 et, à l'automne 1949, Philby fut nommé chef de poste à Washington. Au sein de la communauté du renseignement américain en pleine expansion, Philby était respecté et admiré pour son intelligence et son charme irrésistible. Son plus proche confident n'était autre que James Jesus Angleton, le chef légendaire du contre-espionnage de la CIA, avec qui il s'était lié d'amitié à Londres durant la guerre. Tous deux déjeunaient régulièrement au Harvey's Restaurant sur Connecticut Avenue, ingérant de phénoménales quantités d'alcool et échangeant des secrets, que Philby s'empressait de transmettre à Moscou. Sa grande maison sur Nebraska Avenue était un abreuvoir bien connu des espions américains tels qu'Allen Dulles, Frank Wisner ou Walter Bedell Smith. Les réceptions de Philby étaient réputées pour leur débauche d'alcool, situation qu'aggrava encore l'arrivée à l'ambassade de Washington de Guy Burgess, alcoolique notoire, qui s'installa dans le sous-sol de Philby.

La tournée triomphale de Philby à Washington devait cependant connaître une fin prématurée. Le programme américain le plus classifié de toute la guerre froide portait le nom de code Venona. À l'insu de Moscou, les cryptanalystes américains étaient parvenus à déchiffrer un code soviétique supposément inviolable et décortiquaient patiemment des milliers de câbles interceptés entre 1940 et 1948. Ces derniers révélèrent la présence de quelque deux cents espions soviétiques à l'intérieur du gouvernement des États-Unis, ainsi qu'un réseau d'espions influents en Grande-Bretagne. L'un d'eux avait pour nom de code Homer. Un autre se faisait appeler Stanley. Philby savait ce qu'aucun cryptanalyste ne savait. Homer était Donald Maclean, et Stanley le nom de code d'un espion qui dirigeait le poste du MI6 à Washington : Philby en personne.

En avril 1951, l'équipe Venona n'avait plus aucun doute quant à l'identité de Homer. Ce n'était qu'une question de temps avant qu'ils ne découvrent celle de Stanley, et Philby le savait. Alors que le nœud se resserrait autour de leur cou, il envoya Guy Burgess à Londres dire à Maclean de prendre le premier avion pour Moscou. Contre l'avis de Philby, Burgess s'enfuit lui aussi, avec l'aide d'un officier du NKVD basé à Londres appelé Youri Modine. Quand la nouvelle de leur défection atteignit Washington, Philby réagit apparemment avec le plus grand calme, alors qu'en son for intérieur la perspective d'être rattrapé par son passé le terrifiait. Ce soir-là, il enterra la caméra miniature et la pellicule fournies par l'URSS dans une tombe peu profonde dans la campagne du Maryland. Puis il retourna chez lui attendre l'inévitable convocation de Londres.

Elle arriva quelques jours plus tard, sous la forme d'une lettre manuscrite, suivie par un télégramme, invitant Philby à rentrer à Londres pour discuter de la disparition de ses deux amis de Cambridge. Son premier interrogatoire eut lieu à Leconfield House, le quartier général du MI5. Bien d'autres suivraient. Jamais Philby n'admit être celui qui avait averti Maclean de son arrestation imminente ni être le « Troisième Homme » du cercle de Cambridge, en dépit des certitudes du MI5. Le MI6 n'était pas convaincu. Mais sous la pression des Américains, Menzies, le chef du MI6, n'eut d'autre choix que de se séparer de sa plus brillante étoile. Malgré de généreuses indemnités de licenciement, les finances de Philby se détériorèrent rapidement. Il prit un emploi dans une petite entreprise d'import-export, et Aileen alla travailler dans la cuisine d'une maison d'Eaton Square. Leur mariage se dégrada au point que Philby dormait souvent dans une tente dans le jardin.

Petit à petit, cependant, le nuage de suspicion se leva, et au terme d'un ultime et convivial entretien en octobre 1955, le MI6 lava Kim Philby de tout soupçon d'espionnage pour le compte des Soviétiques. Le MI5 réagit violemment, tout comme J. Edgar Hoover, le virulent anticommuniste à la tête du FBI, à l'origine d'un article dans le *New York Times* dans lequel il accusait Philby d'être le Troisième Homme et qui fit sensation. Un scandale public s'ensuivit. Des accusations furent lancées au Parlement ; des journalistes suivaient Philby partout. C'est le secrétaire d'État des Affaires étrangères qui y mit un terme. Le 7 novembre 1955, au Parlement, il se leva et déclara : « Je n'ai aucune raison de conclure que M. Philby a, à aucun moment, trahi les intérêts de son pays. » Le lendemain, Philby lui-même organisa une conférence de presse dans le salon de l'appartement de sa mère à Draycott Gardens. Dans un numéro de charme et de tromperie inégalé, il affirma lui aussi son innocence. L'orage était passé. Kim Philby était formellement innocenté.

Ce qui signifiait qu'il était libre de reprendre sa carrière. Un retour officiel aux affaires n'était pas encore possible, mais Nicholas Elliott, le plus proche ami de Philby au MI6, s'arrangea pour qu'il soit envoyé à Beyrouth comme pigiste pour l'*Observer* et l'*Economist*, une occupation qui lui permettrait d'espionner un peu à la marge. Délesté de ses cinq enfants et de sa femme souffrante, qu'il fut heureux d'abandonner à Crowborough, morne banlieue de la capitale britannique, Kim Philby arriva dans le Paris du Proche-Orient le 6 septembre 1956, où il gagna rapidement le bar de l'hôtel Saint-Georges. Le lendemain il rencontrait un officier du poste du MI6 à Beyrouth. Un certain Arthur Seymour.

42

Wormwood Cottage, Dartmoor

— Tu l'as connu ?

— Kim Philby ? Je ne suis pas sûr que quiconque l'ait connu. Mais on s'est vus. Il m'a offert mon premier verre. Mon père a failli nous tuer tous les deux.

— Ton père désapprouvait l'alcool ?

— Bien sûr que non. Mais il haïssait Kim.

Gabriel et Graham Seymour étaient attablés dans un coin de la cuisine, près d'une fenêtre à petits carreaux qui habituellement offrait une vue sur la lande, mais qui pour l'heure était noire et striée de gouttes de pluie. Entre eux gisaient les reliefs du souper typiquement anglais que leur avait préparé Mlle Coventry. À la demande de Seymour, elle était partie tôt, laissant aux deux chefs des services secrets le soin de débarrasser eux-mêmes. Ils étaient seuls dans le cottage. Pas entièrement seuls, songea Gabriel. La présence de Philby était palpable.

— Qu'est-ce qu'il t'a fait boire ?

— Un pink gin, répondit Seymour avec un mince sourire. Au bar du Normandie. Il en avait fait son bureau. Il y arrivait vers midi, lisait son courrier et buvait un ou deux verres pour soigner sa gueule de bois. C'est là que les Russes ont repris contact avec lui. Un officier du KGB appelé Petukhov s'est présenté à lui et lui a tendu une carte. Ils se sont revus le lendemain après-midi à l'appartement de Philby et ont mis au point les procédures de contact. Si Philby avait quelque chose à partager avec Moscou, il se tiendrait à son balcon le mercredi soir avec un journal à la main. Lui et Petukhov se rencontraient dans un restaurant reculé du quartier arménien de Vrej.

— Si je me souviens bien, il s'est marié une troisième fois, fit remarquer Gabriel. Avec une Américaine, pour changer.

— Elle s'appelait Eleanor Brewer. Il l'avait volée à Sam Pope Brewer, le correspondant du *New York Times*. Elle buvait presque autant que Philby. Il l'a épousée peu de temps après qu'Aileen a été retrouvée morte dans leur maison de Crowborough. Philby était littéralement fou de joie quand il a reçu la nouvelle. Mon père ne le lui a jamais pardonné.

— Ils ont travaillé ensemble ?

— Mon père refusait tout rapport avec lui, dit Seymour en secouant la tête. Il l'avait connu pendant la guerre et n'avait jamais été séduit par son fameux charme irrésistible. Pas plus qu'il n'était convaincu de son innocence dans l'affaire du Troisième Homme. En fait, il était même persuadé du contraire. Il croyait Philby coupable au dernier degré et n'a pas décoléré quand il a appris qu'on lui avait offert un poste à Beyrouth et une belle avance sur frais. Il n'était pas le seul. Plusieurs officiers vétérans à Londres partageaient le même état d'esprit. Ils comptaient sur mon père pour garder un œil sur lui.

— Il l'a fait ?

— Au mieux de ses capacités. Il a été aussi choqué que tout le monde quand Philby a disparu de la circulation.

— C'était en 1963.

— En janvier, précisa Seymour.

— Rafraîchis-moi la mémoire. Je peux réciter le CV du Titien et du Caravage en dormant, mais Kim Philby n'entre pas vraiment dans mon domaine de compétences.

Seymour se ressert consciencieusement de bordeaux.

— Ne te fous pas de moi, dit-il. Si j'en crois tes yeux

injectés de sang, tu as profité du vol depuis Tel-Aviv pour remettre tes connaissances à jour. Tu en sais autant que moi.

— George Blake a été arrêté pour trahison.

— Et rapidement condamné à quarante-deux ans de prison.

— Puis il y a eu ce défecteur russe qui a tuyauté le MI6 sur un réseau de cinq agents se connaissant depuis l'université.

— Anatoli Golitsyne, confirma Seymour.

— Et n'oublions pas le vieil ami de Philby à Cambridge, renchérit Gabriel. Celui qui s'est soudainement souvenu qu'il avait essayé de recruter Flora Solomon comme espionne soviétique dans les années 1930.

— Comment pourrait-on oublier Flora Solomon ?

— Philby a commencé à partir en vrille. Dans le cercle mondain de Beyrouth, il n'était pas inhabituel de le trouver inanimé sur le pas de sa porte. Son déclin n'a pas échappé au Centre, et le KGB était parfaitement conscient des menaces qui pesaient sur lui. Youri Modine, l'officier traitant des Cinq de Cambridge, s'est rendu à Beyrouth pour informer Philby qu'il courait au-devant de gros ennuis s'il remettait un pied en Grande-Bretagne. Mais ce sont les ennuis qui sont venus le trouver, en la personne de son plus proche ami, Nicholas Elliott.

Seymour prit la relève.

— Ils se sont vus dans un appartement du quartier chrétien le 12 janvier, à 16 heures. L'endroit avait été truffé de micros. Mon père était assis derrière les magnétophones dans la pièce d'à côté. Philby avait la tête bandée et deux yeux au beurre noir. Ivre, il était tombé par deux fois le soir de la Saint-Sylvestre et seul un miracle lui avait évité de se rompre le cou. Elliott a bêtement ouvert la fenêtre pour aérer la pièce, laissant entrer le brouhaha de la rue. Une grande part de la conversation demeure inintelligible.

— Tu as entendu ces enregistrements ?

Seymour hocha lentement la tête.

— C'est une des prérogatives de ma charge, dont j'ai

profité peu de temps après avoir pris mon poste. Philby niait en bloc. Mais le lendemain, dans le même appartement, il a proposé une confession partielle en échange de l'immunité. Elliott et Philby se sont revus plusieurs fois, dont une au restaurant Chez Temporel, l'un des établissements les plus sélects de Beyrouth. Puis Elliott a quitté la ville sans prendre aucune disposition pour la sécurité de Philby. Celui-ci s'est enfui la nuit du 23 janvier, avec l'aide de Petukhov, son contact au KGB. Quelques jours plus tard, il était à Moscou.

— Quelle a été la réaction de ton père ?

— Il était outré, bien sûr. Surtout par l'attitude de Nicholas Elliott, qui avait selon lui commis une grosse erreur en ne mettant pas Philby sous les verrous. Mais par la suite, il s'est avisé que ça n'avait rien eu d'une erreur : Elliott et ses amis à Londres *voulaient* que Philby s'échappe.

— Évitant ainsi un nouveau scandale.

Seymour changea soudainement de sujet.

— Que sais-tu du temps que Philby a passé à Moscou ?

— Les Russes l'ont installé dans un confortable appartement dans le quartier des Étangs du Patriarche. Il tuait le temps en lisant de vieilles éditions du *Times* qu'il recevait par la poste, en écoutant les nouvelles sur BBC World Service et en buvant de grandes quantités de Johnnie Walker Red Label, presque chaque fois jusqu'à l'inconscience. L'ex-Mme Brewer a vécu avec lui un moment, mais le mariage a périclité quand elle a découvert qu'il avait une liaison avec la femme de Donald Maclean. Plus tard, Philby s'est remarié, avec une Russe, une dénommée Rufina, mais il était malheureux la plupart du temps.

— Et ses relations avec le KGB ?

— Ils l'ont gardé à portée de main pendant quelque temps. La facilité avec laquelle il avait fui de Beyrouth leur donnait à penser qu'il était un agent triple. Ils lui ont confié des projets de moins en moins importants, juste pour le tenir occupé, comme l'entraînement des nouvelles recrues de l'institut de l'Ordre du drapeau rouge. (Gabriel s'interrompit, avant d'ajouter :) Et c'est là que Sacha entre en scène.

— Oui. L'insaisissable Sasha.

— Tu avais déjà entendu son nom ?

— Non, pour la simple et bonne raison que Sasha n'existe que dans l'imagination de Sergueï Morosov. Il t'a concocté une jolie petite histoire de trahison et tu t'es fait avoir comme un bleu.

— Pourquoi aurait-il menti ?

— Pour que tu ne le tues pas, bien sûr.

— Je n'ai jamais menacé de le tuer, juste de le livrer à l'opposition syrienne.

— Un euphémisme qui ne fait aucune différence.

— Et la femme ? demanda Gabriel. La communiste que Philby a rencontrée à Beyrouth ? Celle qui portait son enfant ? Morosov l'a inventée, aussi ?

Seymour prit une pose exagérément pensive.

— Et que suis-je censé dire au Premier ministre et aux membres émérites du Comité mixte du renseignement ? Que Philby est revenu d'entre les morts pour créer un dernier scandale ? Qu'il a fait de son enfant naturel un agent russe ?

— Pour le moment, tu ne leur dis rien du tout.

— Ne t'inquiète pas, je ne le ferai pas.

Un silence s'appesantit entre eux, seulement troublé par le crépitement de la pluie sur les carreaux.

— Et si je parvenais à la trouver ? finit par dire Gabriel. Tu me croirais ?

— La maîtresse de Philby de Beyrouth ? Encore faudrait-il qu'il n'y en ait eu qu'une. Kim Philby est l'homme le moins fiable de l'histoire. Crois-moi, je le sais.

— Ton père le savait aussi.

— Mon père est mort depuis près de vingt ans. Difficile de lui poser la question.

— Peut-être bien que c'est possible.

— Comment ?

— Les vieux espions ne meurent jamais, Graham. Ils vivent éternellement.

— Où ?

Gabriel sourit.

— Dans leurs dossiers.

43

Slough, Berkshire

Dans un service de renseignement, l'archivage des
dossiers est un sujet on ne peut plus important. L'accès à
l'information doit être limité à ceux qui en ont vraiment
besoin, et il est impératif de garder trace de qui a lu quoi
et à quelle date. Au MI6, c'est le travail des Archives
centrales. Les dossiers en cours sont à portée de main à
Vauxhall Cross, mais l'essentiel de la mémoire institu-
tionnelle du MI6 est stocké dans un entrepôt à Slough,
non loin de l'aéroport de Heathrow. Il est surveillé jour
et nuit par des gardes et des caméras, mais en ce mardi
soir pluvieux, un seul archiviste dénommé Robinson,
était de service. Robinson, tout comme Parish, le gardien
de Wormwood Cottage, était de la vieille école. Il était
affublé d'un long visage et d'une fine moustache. L'odeur
de la brillantine dont il se gominait les cheveux empuan-
tissait le vestibule. Il considéra Nigel Whitecombe et sa
demande écrite d'un œil froid.

— *Tous ?* finit-il par demander.

Pour unique réponse, Whitecombe lui retourna un
sourire aimable. Il dissimulait l'esprit d'un criminel
professionnel derrière le visage d'un curé de campagne –
une dangereuse combinaison.

— Sept ans de la vie d'un seul officier ? C'est du
jamais vu.

— Regardez le nom de l'officier en question.

Whitecombe le lui indiqua du doigt, au cas où Robinson, qui était myope comme une taupe, l'aurait manqué.

SEYMOUR, ARTHUR.

— Oui, j'ai bien vu, mais il n'y a rien que je puisse faire. Pas sans la contre-signature de l'archiviste en chef.

— C'est la prérogative du chef. Son droit de naissance, également.

— Alors le chef devrait peut-être formuler cette requête en personne.

Cette fois, le sourire de Whitecombe fut beaucoup moins aimable.

— C'est ce qu'il *fait*, Robinson. Considérez-moi comme son émissaire personnel.

Robinson louchait sur le formulaire.

— Un des plus grands, Arthur. Un pro parmi les pros. Je l'ai connu, vous savez ? Oh ! nous n'étions pas intimes, notez. Je ne boxais pas dans la même catégorie. Mais on se connaissait.

Whitecombe n'était pas surpris. Le vieux fossile avait sans doute connu Philby, aussi. Durant la guerre, les Archives centrales étaient voisines de la Section V de Philby, à Saint Albans. L'archiviste en chef, William Woodfield, était un ivrogne de première. Philby l'abreuvait de pink gin au King Harry, et l'autre lui donnait accès aux dossiers. La nuit, il les recopiait à la main sur sa table de cuisine, au bénéfice de son officier traitant soviétique.

Philby...

Whitecombe sentit le sang lui monter au visage à la seule évocation de ce bâtard de traître. Ou peut-être était-ce seulement le gel pour les cheveux de Robinson ? L'odeur qu'il dégageait lui faisait tourner la tête.

Robinson leva les yeux vers l'horloge murale, qui indiquait 22 h 53.

— Ça va prendre un bout de temps.

— Combien ?

— Deux jours, peut-être trois.

— Désolé, mon vieux, mais il me les faut ce soir.

— Vous rigolez, ou quoi ! Ils sont éparpillés dans tout le complexe. Je dois éplucher tous les renvois, sans quoi je risquerais de manquer quelque chose.

— Ne le faites pas. Le chef a spécifiquement demandé tous les dossiers de son père sur cette période. Et quand il dit *tous*, c'est à prendre au pied de la lettre.

— Ça m'aiderait si vous me donniez le nom d'une opération ou d'une cible en particulier.

Sans aucun doute, songea Whitecombe. En fait, il lui aurait suffi d'ajouter *Philby, H.A.R.* au formulaire, et Robinson aurait trouvé les dossiers correspondants en quelques minutes. Mais le chef voulait que la recherche ait l'air aussi large et anodine que possible, afin que l'information n'atteigne pas la mauvaise paire d'oreilles à Vauxhall Cross.

— Je peux peut-être vous aider, proposa Whitecombe.

— N'y pensez même pas, répliqua Robinson avec un regard noir. Il y a une salle de repos de l'autre côté du hall. Vous pouvez attendre là-bas.

Formulaire en main, il s'en fut en traînant les pieds dans les ombres du vaste entrepôt. L'endroit était objectivement déprimant. Il rappelait à Whitecombe le IKEA de Wembley où il avait acheté ses meubles en vitesse. Il traversa le hall jusqu'à la salle de repos et se prépara une tasse d'un Darjeeling infect. Pire qu'infect, se dit le jeune homme en se mettant à l'aise en prévision de cette longue nuit. Ça n'avait aucun goût.

Le changement d'équipe aurait lieu à 6 heures. L'archiviste du matin, Mme Applewhite, était une mégère insensible aux charmes de Whitecombe et totalement imperméable à ses menaces voilées. C'est donc avec soulagement qu'il vit Robinson passer la tête dans la salle de repos à quatre heures et demie et annoncer qu'il avait terminé.

Les dossiers remplissaient huit cartons, marqués chacun

des avertissements d'usage quant à leur confidentialité et à leur manipulation, et rappelant l'interdiction de les sortir du complexe. Whitecombe s'empressa de violer ce point particulier du règlement en les chargeant dans le coffre d'une Ford. Robinson, horrifié, comme on pouvait s'y attendre, menaça de réveiller l'archiviste en chef, mais Whitecombe eut une nouvelle fois le dessus. Les dossiers en question, argua-t-il, n'avaient *aucune* espèce d'importance en matière de sécurité nationale. De plus, ils étaient réservés à l'usage privé du chef. Et le chef, ajouta-t-il d'un ton dédaigneux, n'allait certainement pas les lire dans un entrepôt plein de courants d'air à Slough. Que le chef se terre dans un cottage aux confins du Dartmoor ne regardait en rien Robinson.

Whitecombe avait une réputation, au demeurant justifiée, d'excité du volant. À cinq heures et demie, il était déjà à Andover, et avait traversé le plateau crayeux de Cranborne Chase avant le lever du soleil. Il s'arrêta boire un café et manger un sandwich au bacon à la station Esso de Sparkford, survécut au déluge à Taunton et s'engagea sans même ralentir sur le chemin privé de Wormwood Cottage à 8 heures. De la fenêtre de son bureau, Parish l'observa décharger les cartons, assisté par nul autre que « C » en personne et le tristement célèbre chef des services secrets israéliens, qui semblait souffrir des reins. Le grand projet avait démarré ; de cela, Parish était certain.

44

Wormwood Cottage, Dartmoor

Mis bout à bout, les dossiers racontaient l'histoire secrète du Proche-Orient entre 1956 et 1963, une époque qui avait vu la Grande-Bretagne s'effacer, l'Amérique s'affirmer, l'URSS gagner du terrain, le jeune État d'Israël bander ses muscles tout neufs et les États arabes flirter avec toutes sortes d'ismes voués à l'échec – panarabisme, nationalisme arabe, socialisme arabe – mais qui finiraient par mener à la montée en puissance de l'islamisme et du djihadisme et à la situation actuelle.

Arthur Seymour, de par sa position d'espion en chef du MI6 dans la région, s'était trouvé aux premières loges. Il était officiellement attaché au poste de Beyrouth, mais en pratique, il n'y restait que le temps d'y accrocher son chapeau. Son champ d'action s'étendait à toute la région, et il ne devait rendre des comptes qu'à ses supérieurs à Londres. Il était presque constamment en mouvement, petit déjeuner à Beyrouth, dîner à Damas, Bagdad le lendemain matin. Nasser le recevait souvent, tout comme les Al Saoud. Il était même le bienvenu à Tel-Aviv, quoique le Bureau le vît, en partie à juste titre, comme un opposant à l'embarrassante question israélienne. La rancune de Seymour contre l'État juif était d'ordre personnel. Il s'était trouvé à l'intérieur de l'hôtel King David le 22 juillet 1946 quand une bombe de l'Irgoun avait fait quatre-vingt-onze victimes, dont vingt-huit sujets britanniques.

Étant donné les exigences de la mission de Seymour, le cas de Kim Philby relevait du hobby. Ses rapports à Londres étaient au mieux irréguliers. Il les envoyait directement à Dick White, la principale Némésis de Philby au MI5, qui fut nommé à la tête du MI6 la veille de l'arrivée de Philby à Beyrouth. Dans ses télégrammes, Seymour se référait au traître sous le nom de code Romeo, ce qui donnait à leur correspondance un air vaguement comique.

« Je suis tombé sur Romeo sur la Corniche, mercredi dernier, écrivait-il en septembre 1956. Il était en forme et de bonne humeur. Nous avons discuté, de quoi, je ne m'en souviens plus, car Romeo est très fort pour ne rien dire du tout. »

Puis, trois semaines plus tard : « Je me suis rendu à un pique-nique dans les montagnes autour de Beyrouth, où j'ai croisé Romeo. Il a pris une cuite mémorable. »

Le mois suivant : « Romeo, complètement ivre, s'est mis à insulter tout le monde lors d'une réception chez Miles Copeland, l'Américain. Je ne sais pas comment il arrive à exercer son métier de correspondant. Je crains pour sa santé, s'il continue comme ça. »

Gabriel et Graham Seymour s'étaient réparti équitablement les dossiers des huit cartons. Gabriel travaillait sur une table pliante dans le salon, Seymour dans la cuisine. Ils se voyaient par la porte de communication ouverte entre eux, mais leurs regards ne se croisaient que rarement ; tous deux lisaient aussi vite que possible. Seymour avait beau douter de l'existence de la femme, il n'en était pas moins déterminé à la trouver avant son compagnon.

C'est cependant Gabriel qui découvrit la première référence à la complexe vie sentimentale de Philby. « Romeo a été vu dans un café appelé le Shaky Floor avec la femme d'un important correspondant américain. Si leur liaison est avérée, elle pourrait porter atteinte aux intérêts britanniques. » L'important correspondant américain n'était autre que Sam Pope Brewer du *New York Times*.

D'autres rapports faisaient suite à celui-ci. « J'ai appris d'une source bien informée que la relation entre Romeo et l'Américaine est d'ordre intime. Son mari, parti en reportage pour une durée indéterminée, n'est pas au courant de la situation. Quelqu'un devrait peut-être intervenir avant qu'il ne soit trop tard. » Mais c'était peine perdue, comme s'en avisa bientôt Seymour. « J'ai appris d'une source bien informée que Romeo avait fait part au correspondant américain de son intention d'épouser sa femme. Apparemment, l'Américain a plutôt bien pris la nouvelle, et aurait répondu à Philby : "Cela semble être la meilleure solution possible. Que proposez-vous pour la situation en Irak ?" »

La politique interne du MI6 à Beyrouth changea radicalement début 1960 quand Nicholas Elliott, le meilleur ami de Philby, fut nommé chef de poste. La situation de Philby s'améliora du jour au lendemain, à l'inverse de celle d'Arthur Seymour, qui n'avait jamais caché ses soupçons à son sujet. Peu importait ; il avait son propre accès à Dick White à Londres, dont il usait et abusait pour saper les positions de Philby. « J'ai eu l'occasion de compulser les renseignements fournis par Romeo au CP/Beyrouth. Ils sont aussi douteux que ses articles de presse. Je crains que le CP/Beyrouth n'y soit aveugle du fait de l'amitié qui les lie. Ils sont inséparables. »

Mais Elliott quitta Beyrouth en 1962 et regagna Vauxhall Cross pour y devenir officier traitant de la zone Nord Afrique. L'alcoolisme de Philby, déjà dramatique, s'aggrava encore. « Il a fallu porter Romeo hors d'une réception hier soir, écrivit Seymour le 14 octobre. Consternant. » Trois jours plus tard : « Romeo est tellement saturé d'alcool qu'il lui suffit d'un seul whisky pour être ivre. » Puis, le 27 octobre : « Romeo a jeté un objet au visage de sa femme. Situation extrêmement embarrassante pour nous autres qui nous trouvions là sans pouvoir détourner le regard. Je crains que leur mariage ne soit en train de se désintégrer sous nos yeux. Je sais de source bien informée que la femme de Romeo est convaincue de l'infidélité de son mari. »

Gabriel sentit un picotement au bout de ses doigts. « Je sais de source bien informée que la femme de Romeo est convaincue de l'infidélité de son mari… » Il se leva, emporta le télégramme dans la cuisine et le posa avec sollicitude devant Graham Seymour.

— Elle existe, murmura-t-il avant de se retirer de nouveau dans le salon.

Le grand projet était entré dans la dernière ligne droite.

Un dernier carton attendait Gabriel. Il en restait encore un et demi à Seymour. Malheureusement, les dossiers n'étaient pas classés dans un ordre particulier. Gabriel sautait d'une année à une autre, d'un endroit au suivant, de crise en crise, sans aucune espèce de logique. De plus, la manie d'Arthur Seymour d'ajouter de brefs post-scriptum à ses télégrammes obligeait à lire l'intégralité de chacun d'entre eux. Certains étaient proprement captivants. Dans l'un, Gabriel trouva une référence à l'opération Damoclès, une campagne clandestine du Bureau visant à assassiner d'anciens scientifiques nazis qui avaient aidé Nasser à mettre au point des missiles dans une base secrète connue sous le nom d'« Usine 333 ». Il y avait même des références indirectes à Ari Shamron. « Un des agents israéliens est un individu parfaitement déplaisant qui a combattu du côté du Palmah durant la guerre d'indépendance. On dit qu'il a pris part à l'opération Eichmann en Argentine. On entend presque les chaînes cliqueter quand il marche. »

Mais c'est Graham Seymour qui découvrit la référence suivante à la maîtresse de Philby dans les dossiers oubliés de son père. Elle apparaissait dans un télégramme daté du 3 novembre 1962. Seymour le laissa tomber triomphalement sous le nez de Gabriel, tel un étudiant qui venait de réussir à prouver l'improuvable. La phrase la concernant se trouvait dans le post-scriptum. Gabriel la lut lentement, deux fois. Puis il la lut à nouveau.

« J'ai appris d'une source que je tiens pour sûre que leur liaison dure depuis plusieurs mois, peut-être même un an… »

Gabriel posa le télégramme au-dessus du premier qui mentionnait la liaison et continua de creuser, mais c'est à nouveau Graham Seymour qui exhuma l'indice suivant.

— C'est un message de Dick White à mon père, dit-il sans quitter la cuisine. Envoyé le 4 novembre, le lendemain.

— Qu'est-ce que ça dit ?

— Il s'inquiète du fait que la femme de l'ombre puisse en réalité être la contrôleuse de Philby au KGB. Il donne l'ordre à mon père de découvrir son identité.

— Ordre qu'il ne s'est pas vraiment empressé d'exécuter, répliqua Gabriel un moment plus tard.

— De quoi parles-tu ?

— Il n'a envoyé sa réponse que le 22 novembre.

— Que dit-elle ?

— Qu'il a appris d'une source bien informée que la femme en question est une jeune journaliste.

— Une journaliste indépendante, ajouta Seymour un moment plus tard.

— Qu'est-ce que tu as trouvé ?

— Un télégramme daté du 6 décembre.

— L'a-t-il appris d'une source *sûre* ?

— Par Richard Beeston, répondit Seymour. Le journaliste britannique.

— Y a-t-il un nom ?

Seul le silence répondit à Gabriel. Ils approchaient du but, mais l'un comme l'autre commençaient à manquer de dossiers. Et Arthur Seymour, bien qu'il ne le sût pas, commençait lui à manquer de temps. À la fin de la première semaine de décembre 1962, il n'avait toujours pas découvert l'identité de la maîtresse de Philby. À peine plus d'un mois plus tard, le traître serait parti.

— J'en ai un autre, déclara Seymour. Elle est française, notre fille.

— D'après qui ?

— D'après une source qui s'était montrée fiable dans le passé. Elle précise que les deux tourtereaux se voyaient dans l'appartement de la fille plutôt que chez Philby.

— Daté de quand ?

— Le 19.

— Décembre ou janvier ?

— Décembre.

Il restait à Gabriel environ un pouce de documents. Il trouva une autre trace d'elle dans un télégramme envoyé le 28 décembre. « Ils ont été vus tous les deux au bar du Saint-Georges. Romeo faisait semblant de corriger quelque chose qu'elle avait écrit. C'était manifestement une ruse pour cacher un rendez-vous galant. » Et un autre deux jours plus tard : « On l'a entendue au Normandie parler de marxisme à tort et à travers. Pas étonnant qu'elle plaise à Romeo. »

Et puis, sans aucune transition, décembre laissa place à janvier et elle fut oubliée. Nicholas Elliott était revenu à Beyrouth arracher sa confession à Philby, ainsi qu'une promesse de coopération. Et Arthur Seymour redoutait profondément que l'espion ne prenne la poudre d'escampette. Ce qu'il fit la nuit du 23 : « Romeo est introuvable. Je crains qu'il n'ait quitté le nid. »

C'était le dernier télégramme du lot de Gabriel, mais il en restait plusieurs à Seymour, dans la cuisine. L'Israélien s'assit au bout opposé de la table et regarda la pluie couler sur les carreaux et le vent dessiner des motifs dans l'herbe docile de la lande. On n'entendait aucun autre bruit que le doux froissement du papier. Seymour lisait avec une lenteur horripilante, faisant courir son doigt sur chaque ligne avant de passer à la suivante.

— Graham, *je t'en prie...*

— Silence.

Un moment plus tard, Seymour fit glisser une unique

feuille de papier sur le plateau de la table. Gabriel n'osait la regarder. Il contemplait le fantôme de Kim Philby traverser la lande, en tenant un enfant par la main.

— De quoi s'agit-il ? finit-il par demander.

— Une espèce de rapport après coup, écrit mi-février, après le départ de Philby pour Moscou.

— Y a-t-il un nom ?

— Regarde par toi-même.

Gabriel baissa les yeux sur le document devant lui.

« La femme de l'ombre s'appelle Charlotte Bettencourt. Quoiqu'un peu gauchiste, elle n'est certainement pas un agent de Moscou. Je ne recommande aucune action à son... »

Gabriel releva brusquement la tête.

— Bon Dieu ! On l'a trouvée !

— Et ce n'est pas tout. Lis le post-scriptum.

Gabriel s'exécuta.

« J'ai appris d'une source sûre que Mlle Bettencourt est enceinte de plusieurs mois. Philby est-il au moins au courant ? »

Non, songea Gabriel, il ne l'était pas.

262

45

Dartmoor – Londres

À Wormwood Cottage, le seul ordinateur muni d'une connexion au monde extérieur était celui de Parish. Gabriel l'utilisa pour faire une recherche de pure forme sur le nom Charlotte Bettencourt. Il en trouva plusieurs dizaines, principalement de jeunes actives, dont neuf en France. Aucune n'était journaliste, et l'âge ne correspondait pas. Et quand, sur un coup de tête, il ajouta « Kim Philby » dans le champ de recherche, il obtint quatorze mille résultats non pertinents – l'équivalent numérique d'une invitation à regarder ailleurs.

Ce que Gabriel fit précisément. Pas depuis Wormwood Cottage, mais de la salle de communications sécurisées de l'ambassade d'Israël à Londres. Il y arriva tôt dans la soirée, au terme d'une course à tombeau ouvert dans la Ford de Nigel Whitecombe, et passa un coup de fil à Paul Rousseau, chef du Groupe Alpha, à Paris. Rousseau se trouvait opportunément à son bureau. La France était en état d'alerte en raison d'une menace d'attentat imminent. Un Gabriel contrit lui transmit sa requête.

— Bettencourt, Charlotte.

— Date de naissance ? demanda Rousseau avec un soupir sonore.

— Autour de 1940.

— Et c'était une journaliste, tu dis ?

— Apparemment.

— Apparemment *oui* ou apparemment *non* ? fit-il, sans cacher son impatience.

Gabriel expliqua qu'elle avait travaillé à Beyrouth comme pigiste au début des années 1960, et que selon toute probabilité elle adhérait à des idées de gauche.

— Comme tout le monde au début des années 1960.

— Est-il possible que la DST ait ouvert un dossier sur elle, à l'époque ?

— Possible, en effet. Ils le faisaient pour quiconque affichait sa sympathie pour Moscou. Je vais chercher son nom dans la base de données.

— Discrètement, précisa Gabriel avant de raccrocher.

Et pendant les trois heures qui suivirent, seul dans une boîte isolée de tout bruit au sous-sol de l'ambassade, il énuméra les raisons pour lesquelles la recherche de Rousseau pourrait se révéler infructueuse. Peut-être qu'Arthur Seymour s'était trompé, et que Charlotte Bettencourt n'était pas son vrai nom. Peut-être qu'après avoir donné naissance à l'enfant de Philby, elle avait changé de nom et vivait recluse. Peut-être qu'elle était partie pour Moscou et qu'elle s'y trouvait toujours. Peut-être que le grand Sasha l'avait tuée, comme il avait tué Konstantin Kirov et Alistair Hughes.

Quoi qu'il lui soit arrivé, cela s'était passé il y avait bien longtemps. Et il y avait bien longtemps aussi que Gabriel n'avait pas dormi. À un moment, il posa la tête contre la table et glissa dans l'inconscience. Le téléphone le réveilla en sursaut. Il était onze heures et demie. Du matin ou du soir, il n'en avait pas la moindre idée ; la boîte isolée ne connaissait ni lever ni coucher de soleil. Il plongea sur le combiné et le porta vivement à son oreille.

— Elle a quitté Beyrouth pour Paris en 1965, dit Paul Rousseau. Elle a peu fait parler d'elle durant les événements de mai 1968, après quoi la DST a perdu tout intérêt pour elle.

— Elle est toujours vivante ?

— Apparemment.

Le cœur de Gabriel manqua un battement.

— Apparemment *oui* ou apparemment *non* ?

— Elle touche toujours sa retraite. Les chèques sont envoyés à une adresse en Espagne.

— Tu ne l'aurais pas, par hasard ?

En l'occurrence, si. Charlotte Bettencourt, la mère de l'enfant illégitime de Kim Philby, vivait sur le paseo de la Fuente à Zahara, en Espagne.

46

Zahara, Espagne

Le lendemain après-midi, à 14 heures passées de quelques minutes, Charlotte Bettencourt s'avisa qu'elle était observée par deux hommes, l'un grand et dégingandé, l'autre de taille moyenne mais puissamment bâti. Kim aurait été fier d'elle, mais à la vérité ils ne faisaient pas le moindre effort pour passer inaperçus. On aurait presque dit qu'ils voulaient se faire repérer. Deux Russes envoyés pour la kidnapper ou la tuer ne se seraient pas comportés de la sorte. Elle n'avait donc pas peur d'eux. En fait, elle attendait le moment où ils cesseraient de faire semblant et viendraient se présenter à elle. D'ici là, elle les appellerait Rosencrantz et Guildenstern, deux personnages interchangeables qui fonctionnaient comme un seul.

Elle les avait remarqués pour la première fois plus tôt ce matin-là, rôdant sur le paseo. Puis elle les avait revus calle San Juan, assis sous un parasol à une terrasse de café, le nez dans leurs téléphones portables, apparemment indifférents à sa présence. Et voilà qu'ils réapparaissaient. Charlotte déjeunait au milieu des orangers au Mirador, et les deux hommes traversaient la place pavée en direction de l'église Santa María de la Mesa. Ils ne lui firent pas l'effet d'être très portés sur la religion, surtout le plus grand des deux, à la peau pâle. Peut-être étaient-ils en quête d'absolution. Ils semblaient en avoir bien besoin.

Les deux hommes grimpèrent les marches du perron de l'église – *une*, *deux*, *trois*, *quatre* – et disparurent à l'intérieur. Charlotte ramassa son crayon et essaya de se remettre au travail, mais sans succès ; la vue des deux hommes avait tari le flot de mots. Elle écrivait sur un après-midi de septembre 1962, où Kim, plutôt que de lui faire l'amour, s'était enivré. Il était inconsolable. Jackie, son renard apprivoisé adoré, s'était tué en tombant de la terrasse de son appartement. Mais Charlotte était convaincue qu'il était troublé par autre chose et l'avait imploré de lui confier quoi. « Tu ne c-c-comprendrais pas », avait-il articulé entre deux bredouillements d'ivrogne, les yeux cachés derrière sa mèche. « Je n'ai fait que suivre ma c-c-conscience. » Elle aurait dû comprendre à cet instant que tout était vrai, que Kim était l'espion soviétique, le Troisième Homme, un traître. Elle ne l'aurait pas méprisé. Au contraire, même. Elle ne l'en aurait aimé que davantage.

Elle rangea son crayon et son carnet Moleskine dans son cabas en osier et finit son verre de vin. Il y avait un seul autre client dans le café, un homme aux traits fins et aux cheveux clairsemés affublé d'un visage impossible à décrire. Le temps était idéal, chaud au soleil, frais à l'ombre des orangers. Charlotte portait un pull en laine polaire et un jean à l'horrible taille élastique. Cette poche ventrale qu'elle traînait du matin au soir, tout comme les souvenirs de Kim, était sans nul doute le pire aspect du vieillissement. C'est à peine si elle se rappelait le corps souple et agile qu'il avait dévoré chaque après-midi avant de rentrer à toute vitesse chez Eleanor pour leur dispute du soir. Il avait aimé son corps, même après que son ventre s'était arrondi. « Tu crois que ce sera un g-g-garçon ou une fille ? » avait-il demandé en lui caressant doucement la peau. Non que ça ait eu quelque importance. Deux semaines plus tard, il était parti.

L'homme aux cheveux clairsemés lisait le journal. Pauvre chaton, songea Charlotte. Il était seul au monde, comme elle. Elle fut tentée d'engager la conversation, mais les deux hommes ressortirent de l'église, dans la lumière aveuglante de la place. Ils passèrent devant sa table en silence et s'engagèrent dans la pente raide de la *calle* Marchenga.

Après avoir payé son addition, Charlotte leur emboîta le pas. Elle n'essayait pas de les suivre, mais c'était le plus court chemin pour la supérette El Castillo. À l'intérieur, elle retrouva un des deux. Il scrutait une boîte de lait sous toutes les coutures, comme s'il cherchait la date de péremption. Pour la première fois, Charlotte ressentit une pointe de peur. Peut-être s'était-elle trompée. Peut-être s'agissait-il d'une équipe de souleveurs du SVR, après tout. Elle trouva à Rosencrantz des airs slaves, maintenant qu'elle le voyait de plus près.

Elle jeta à la hâte quelques articles dans son cabas puis abandonna sa monnaie à une caissière à la poitrine proéminente, au ventre découvert et au maquillage outrancier. « *La loca* », siffla dédaigneusement la fille alors que Charlotte emportait ses sacs en plastique dans la rue. Où elle tomba sur Guildenstern, qui l'attendait appuyé contre un oranger, un sourire aux lèvres.

— *Bonjour, madame Bettencourt*[1], dit-il d'une voix aimable. (Il fit un pas prudent dans sa direction.) Pardon de vous importuner, mais je me demandais si nous pouvions nous entretenir en privé.

Il avait les yeux très bleus, comme ceux de Kim.

— Et de quoi ? s'enquit-elle.

— Le sujet dont je voudrais vous parler est un peu sensible.

Charlotte lui retourna un sourire amer.

— La dernière fois que quelqu'un m'a dit ça…

Elle vit l'homme aux cheveux clairsemés descendre la rue dans leur direction. Elle ne l'avait pas soupçonné. Elle en conclut qu'il devait être d'un échelon supérieur.

1. En français dans le texte.

Elle revint à Guildenstern, celui qui avait les yeux de Kim.

— Vous travaillez pour le gouvernement français ?

— Grands dieux, non.

— Pour qui, alors ?

— Pour le ministère des Affaires étrangères britannique.

— Vous êtes donc un espion. Et lui ? ajouta-t-elle en jetant un regard vers l'homme aux cheveux clairsemés.

— Il est avec nous.

— Il ne me donne pas l'impression d'être britannique.

— Il ne l'est pas.

— Et Rosencrantz ?

— Qui ça ?

— Oh ! laissez tomber.

Il y avait de la résignation dans sa voix. C'était enfin terminé.

— Comment diable m'avez-vous trouvée ? reprit-elle.

Sa question sembla surprendre l'Anglais.

— C'est une longue histoire, madame Bettencourt.

— Je n'en doute pas. (Les sacs commençaient à se faire lourds.) Est-ce que j'ai des ennuis ?

— Je ne crois pas, non.

— Je n'ai fait que suivre ma conscience. (Elle était confuse. Était-ce Kim qui parlait, ou elle-même ?) Et à propos de mon...

Charlotte s'interrompit brusquement.

— Qui donc, madame Bettencourt ?

Pas encore, songea-t-elle. Mieux valait garder ça en réserve pour monnayer sa liberté, le cas échéant. Elle n'avait aucune confiance en cet homme, et ne lui en devait aucune. Les Britanniques mentaient comme ils respiraient. Elle était bien placée pour le savoir.

Le grand à la peau claire se tenait maintenant à côté d'elle. Il la débarrassa obligeamment de ses sacs et les rangea dans le coffre d'une berline Renault avant de se glisser d'un mouvement agile derrière le volant. L'homme aux cheveux clairsemés s'assit à l'avant ; Charlotte et l'Anglais aux yeux bleus, à l'arrière. Alors que la voiture démarrait, elle songea aux livres alignés sur l'étagère de son alcôve, à l'antique coffre victorien derrière son bureau, et à l'album relié de cuir qu'il renfermait, si vieux qu'il sentait la poussière. Les interminables déjeuners arrosés au Saint-George et au Normandie, les pique-niques dans les collines, les après-midi dans l'intimité de son appartement, où les masques tombaient. Il y avait aussi huit photos jaunies d'un enfant, dont la dernière avait été prise à l'automne 1984 sur Jesus Lane, à Cambridge.

47

Zahara – Séville

La voiture passa devant la villa de Charlotte sans ralentir. La petite avant-cour était vide, mais elle crut apercevoir un mouvement à l'une des fenêtres. Des chacals, songea-t-elle, fouillant parmi les os. C'était finalement arrivé. Sa vie avait basculé par-dessus le rebord du piton et s'était écrasée au fond de la vallée. Elle y avait largement contribué, certes, mais c'est Kim qui en définitive l'avait attirée dans les profondeurs. Charlotte n'était pas la première ; Kim avait laissé pas mal de monde sur le carreau dans son sillage. Elle pensa de nouveau au coffre victorien derrière son bureau. Ils savaient. Peut-être pas tout, mais ils savaient.

— Où va-t-on ? demanda-t-elle.

— Pas loin, répondit l'Anglais aux yeux bleus.

À cet instant, sa montre Seiko stridula.

— Mes cachets ! s'exclama Charlotte. Je ne peux pas partir sans mes médicaments. Je vous en prie, faites demi-tour.

— Ne vous inquiétez pas, madame Bettencourt. (Il sortit de la poche de sa veste un flacon de pilules orange.) Ceux-ci ?

— L'autre, s'il vous plaît.

Il lui tendit le deuxième flacon. Elle fit glisser un cachet dans sa paume et l'avala sans eau, ce qui sembla impressionner son ravisseur. La villa disparut à sa vue. Charlotte se demanda si elle la reverrait un jour. Cela faisait longtemps qu'elle ne s'était plus aventurée hors des environs immédiats du village. Plus jeune, elle avait sillonné l'Espagne de long en large en voiture – l'argent du camarade Lavrov le lui permettait. Mais à présent, l'âge lui interdisait ce genre de virée, et son monde s'était amenuisé. Oh ! elle aurait pu voyager en autocar, mais la perspective de côtoyer tous ces prolétaires, avec leurs sandwichs à l'ail et leurs mômes braillards, ne l'avait jamais tentée. Charlotte était socialiste – et même communiste –, mais son engagement révolutionnaire ne s'étendait pas aux transports en commun.

Les pluies hivernales avaient verdi la vallée. Rosencrantz ne tenait le volant que de la main gauche. De la droite, il tapotait nerveusement sur la console centrale, empêchant Charlotte de suivre une idée.

— Est-ce qu'il fait toujours ça ? demanda-t-elle à l'Anglais, qui lui répondit d'un sourire.

Ils approchaient de l'embranchement vers l'A375. Un panneau de signalisation indiquant SÉVILLE passa à toute allure devant la fenêtre de Charlotte. Rosencrantz s'engagea dans la voie de sortie sans ralentir ni même mettre son clignotant, à l'instar de la voiture devant eux, observa Charlotte, et de celle qui les suivait.

— C'est encore loin ? s'enquit-elle.

— Une heure et demie, répondit l'Anglais.

— Peut-être un peu moins (Charlotte leva un sourcil désapprobateur en direction de Rosencrantz)… s'il continue à cette allure.

L'Anglais coula un long regard par-dessus son épaule.

— Ils sont toujours derrière nous ? interrogea Charlotte.

— Qui ?

Charlotte avait assez de jugeote pour ne pas poser davantage de questions. Son cachet, les mouvements de la voiture et le soleil qui éclairait le côté de son visage la rendaient somnolente. D'une certaine manière elle était excitée par la tournure des événements. Cela faisait longtemps qu'elle ne s'était pas rendue à Séville.

La première chose qu'elle vit en rouvrant les yeux fut la Giralda, le minaret converti en clocher de la cathédrale de Séville, qui dominait le quartier de Santa Cruz, l'ancien ghetto juif de la ville. Ils s'étaient arrêtés dans une ruelle étroite, devant un café américain. Charlotte fronça les sourcils en voyant l'enseigne blanche et verte familière.

— Ils sont partout, fit l'Anglais en suivant son regard.

— Pas à Zahara. Pas chez les montagnards.

L'Anglais lui adressa un sourire de connivence.

— Je crains que nous ne puissions aller plus loin en voiture. Êtes-vous capable de marcher sur une courte distance ?

— Capable ? (Charlotte fut tentée de lui rétorquer qu'elle marchait pas loin de deux kilomètres par jour. En fait, elle aurait pu lui donner le nombre précis de pas qu'elle parcourait quotidiennement, mais elle ne voulait pas passer pour une folle.) Sans problème. J'ai toujours aimé arpenter les rues de Séville.

Le petit homme aux cheveux négligés ouvrit sa portière avec la sollicitude d'un chasseur. Charlotte accepta la main qu'il lui tendit. Elle était ferme et sèche, comme s'il avait passé du temps à fouiller la terre brûlée par le soleil.

— Et mes courses ? demanda-t-elle. Elles vont se perdre si vous les laissez dans le coffre.

Le petit homme la considéra en silence. C'était un observateur, pas un bavard.

— Par ici s'il vous plaît, fit l'Anglais en tendant le bras vers la Giralda.

Son obséquiosité commençait à devenir presque aussi agaçante que le tambourinement de son compagnon. Tous les sourires et tout le charme du monde ne changeaient rien au fait qu'on la mettait sous les verrous. Elle se promit de lui faire la démonstration de son caractère légendaire au prochain « s'il vous plaît ». Même Kim en avait été impressionné.

Ils empruntèrent une succession de venelles qui s'enfonçaient plus profondément dans le quartier, jusqu'à un passage mauresque donnant sur une cour bordée d'arcades qu'ombraient d'odorants orangers. Un homme seul les y attendait, le regard perdu dans la contemplation de la fontaine centrale. Il se leva dans un sursaut, comme surpris de son arrivée, et l'observa sans dissimuler sa curiosité. Charlotte lui rendit la politesse, car elle reconnut immédiatement en lui l'Israélien qui avait été accusé du meurtre de cet officier du renseignement russe à Vienne.

— Je me doutais que ce serait vous, dit-elle au bout d'un moment.

Il lui répondit par un grand sourire.

— Ai-je dit quelque chose de drôle ?

— Ce sont plus ou moins les mots qu'a prononcés Kim Philby lorsque Nicholas Elliott est arrivé à Beyrouth pour le confondre.

— Je le sais, dit Charlotte. Kim m'a raconté la scène.

48

Séville

La pièce dans laquelle Gabriel emmena Charlotte Bettencourt était sombre, ses murs lambrissés et décorés de tableaux d'origine douteuse que le temps et la négligence avaient assombris. Des éditions reliées de grands classiques de la littérature garnissaient de lourdes étagères en bois, et un buffet du XVIIᵉ siècle supportait le poids d'une horloge en similor déréglée. Un objet déparait légèrement, un antique coffre victorien en bois au vernis craquelé et effacé, qui trônait sur une table basse au centre de la pièce.

Charlotte Bettencourt ne l'avait pas encore remarqué ; elle observait ce qui l'entourait avec une désapprobation manifeste. Ou peut-être était-ce de la familiarité, songea Gabriel. Son nom suggérait des origines aristocratiques. Sa posture également. Même à son âge avancé, elle se tenait droite comme une danseuse. Il retoucha mentalement son visage ridé et tanné par le soleil pour lui rendre ses vingt-quatre ans, l'âge auquel elle s'était installée au Liban pour embrasser le métier de journaliste. Là, pour des raisons qui échappaient encore à Gabriel, elle s'était livrée corps et âme aux volontés de Kim Philby. L'amour expliquait en partie cette abnégation. La politique aussi. Ou peut-être la combinaison des deux, ce qui ferait d'elle un formidable adversaire.

— C'est la vôtre ? s'enquit-elle.

— Je vous demande pardon ?

— La maison.

— Je crains de devoir parfois compter sur les largesses d'étrangers.

— Ce qui nous fait un point commun.

Gabriel sourit à contrecœur.

— À qui appartient-elle ? demanda-t-elle.

— À un ami d'un ami.

— Juif ?

Gabriel évacua la question d'un haussement d'épaules.

— Cet ami me semble très riche.

— Moins qu'il ne l'a été.

— Quel dommage, dit-elle à l'horloge en similor. (Elle se tourna ensuite vers Gabriel et l'observa en détail.) Vous êtes plus petit que je l'imaginais.

— Vous aussi.

— Je suis vieille.

— Ce qui nous fait un autre point commun.

Cette fois, ce fut au tour de Charlotte Bettencourt de sourire. Mais son allégresse retomba rapidement quand elle aperçut l'antique coffre.

— Vous n'aviez aucun droit de vous introduire chez moi et de saisir mes affaires. Mais je suppose que c'est un bien menu larcin au regard de mes péchés. Et maintenant il semble que quelqu'un d'autre s'apprête à en payer le prix.

Gabriel n'osa rien répondre. Charlotte Bettencourt considérait Christopher Keller, qui comparait l'heure de sa montre à celle de l'horloge.

— Votre ami m'a dit être britannique. C'est vrai ?

— Je le crains, confirma Gabriel.

— Et en quoi cette affaire vous intérese-t-elle ? voulut-elle savoir. En quelle qualité êtes-vous là ?

— Dans le cas présent, répondit Gabriel d'un ton très officiel, les renseignements britannique et israélien travaillent de conserve.

— Kim se retournerait dans sa tombe.

Gabriel choisit à nouveau de s'en tenir au silence. Mieux valait ça que de dire à Charlotte Bettencourt ce qu'il pensait des opinions de Kim Philby sur l'État d'Israël. Elle regardait toujours Keller avec une expression légèrement amusée.

— Votre ami a également refusé de me dire comment vous m'aviez trouvée. Peut-être pouvez-vous m'éclairer ?

Gabriel décida que ça ne causerait aucun tort, si longtemps après les faits.

— Nous avons trouvé votre nom dans un vieux dossier du MI6.

— De Beyrouth ?

— Oui.

— Kim m'a assuré que personne n'était au courant de notre liaison.

— Il s'est aussi trompé sur ce point, rétorqua Gabriel froidement.

— Qui nous a démasqués ?

— Un certain Arthur Seymour.

Elle lui décocha un sourire espiègle.

— Kim le détestait.

— La réciproque était vraie. (Gabriel avait l'impression de converser avec un personnage d'un diorama historique.) Arthur Seymour a très tôt soupçonné Philby d'être un espion soviétique. Ses supérieurs à Londres pensaient que vous auriez pu en être une également.

— Et pourtant non. Rien qu'une jeune femme très impressionnable dotée de convictions inébranlables. (Son regard tomba sur le coffre en bois.) Mais vous le savez déjà, n'est-ce pas ? Vous savez tout.

— Pas tout, admit Gabriel.

— Est-ce que j'encours un risque légal ?

— Vous êtes une citoyenne française d'un âge avancé vivant en Espagne.

— Je reçois de l'argent.

— C'est presque toujours le cas.

— Ce n'était pas celui de Kim. Oh ! il en acceptait un

peu, juste assez pour vivre quand il en avait besoin. Mais ses actes étaient motivés par sa foi dans le communisme. Je partage cette foi. Comme beaucoup de vos coreligionnaires, monsieur Allon.

— J'ai été élevé dans cette foi.

— L'avez-vous toujours ?

— Vaste question, que nous explorerons une autre fois.

Elle posa de nouveau les yeux sur le coffre.

— Et qu'en est-il de mes…

— Je crains de ne pouvoir vous offrir aucune garantie.

— Est-ce que je vais être arrêtée ? Mise en examen ? Y aura-t-il un autre scandale ?

— C'est au directeur du MI6 d'en décider, pas à moi.

— C'est le fils d'Arthur Seymour, n'est-ce pas ?

Gabriel acquiesça, surpris.

— Voyez-vous cela, reprit-elle. Je l'ai rencontré, vous savez ?

— Arthur Seymour ?

— Non. Son fils. C'était au bar du Normandie. Kim, d'humeur espiègle, essayait de lui faire boire un pink gin. Je suis sûre qu'il ne s'en souvient pas. Ce n'était qu'un enfant, et ça remonte à si loin… (Elle eut un sourire nostalgique.) Mais je précipite les choses. Peut-être devrions-nous commencer par le début, monsieur Allon. Ainsi vous comprendrez mieux ce qui s'est passé.

— Oui, confirma Gabriel. Cela vaut peut-être mieux.

49

Séville

Tout avait commencé, dit-elle, dans un petit village près de Nantes. Les Bettencourt étaient une famille ancienne, propriétaire de nombreuses terres et d'un patrimoine confortable. Charlotte était assez âgée pour se souvenir de l'arrivée des Allemands, et du capitaine de la Wehrmacht aux bonnes manières qui avait réquisitionné le château familial. Le père de Charlotte traitait l'occupant avec respect – un peu trop au goût de certains du village –, si bien qu'on le taxa à demi-mot de collaboration après la guerre. Les communistes étaient puissants dans le *département*[1]. Les enfants de la classe ouvrière harcelaient Charlotte sans répit, et tentèrent même de la tondre. Elle n'avait dû son salut qu'à l'intervention du père Jean-Marc. Des années plus tard, une commission historique accuserait également le père Jean-Marc, un ami des Bettencourt, de collaboration.

En 1956, Charlotte était montée à Paris pour étudier la littérature française à la Sorbonne. L'automne de cette année avait vu éclater plusieurs crises politiques d'importance. Fin octobre, les troupes israéliennes, britanniques et françaises tentèrent de prendre le contrôle du canal de Suez, dans l'Égypte de Nasser. Et début novembre, les

1. En français dans le texte.

chars soviétiques réprimèrent dans le sang l'insurrection de Budapest. Charlotte prit parti pour Moscou dans les deux cas, car elle était déjà à cette époque une militante communiste.

Elle quitta la Sorbonne en 1960 et passa l'année et demie suivante à écrire des chroniques et des billets politiques pour une petite revue littéraire. Elle s'en lassa et demanda à son père assez d'argent pour financer sa carrière naissante de correspondante à l'étranger. Son père, excédé par ses prises de position politiques – ils se parlaient à peine à cette époque –, fut plus que ravi de se débarrasser d'elle. Elle arriva au Liban en janvier 1962, prit un appartement près de l'université américaine, et se mit à rédiger plusieurs articles pour des journaux de gauche français, qui la payaient au lance-pierre. Aucune importance ; elle vivait sur les subsides familiaux. Pourtant, il lui tardait de se faire un nom dans le journalisme. Elle allait souvent chercher conseil auprès de la vaste communauté de ses pairs, dont un qui buvait au bar du Normandie.

— Philby, la coupa Gabriel.

— Kim, le corrigea-t-elle. Ce sera toujours Kim, pour moi.

Elle était assise au bord d'un fauteuil tapissé de brocart, les mains soigneusement croisées sur ses genoux, les pieds bien à plat au sol. Eli Lavon occupait le fauteuil à côté d'elle, les yeux dans le vide, tel un homme sur un quai de gare attendant un train qui ne vient pas. Mikhail semblait se livrer à un jeu d'intimidation avec un personnage d'un des tableaux sombres, une mauvaise copie du Greco. Keller, qui feignait une parfaite indifférence, avait démonté le panneau arrière de l'horloge et s'affairait sur le mécanisme.

— Vous étiez amoureuse de lui ? demanda Gabriel, qui faisait lentement les cent pas.

— De Kim ? Assurément.

— Pourquoi ?

— Parce qu'il n'était pas mon père, je suppose.

— Vous saviez qu'il était un espion russe ?

— Ne soyez pas stupide. Kim ne m'aurait jamais confié un secret pareil.

— Mais vous avez dû vous en douter.

— Je lui ai posé la question, une fois. Une seule. Il était manifeste qu'il souffrait terriblement. Il faisait de terribles cauchemars après m'avoir fait l'amour. Et son alcoolisme… ne ressemblait à rien de ce que j'avais pu voir.

— Quand vous êtes-vous aperçue que vous étiez enceinte ?

— Début novembre. J'ai attendu fin décembre pour le lui dire.

— Comment a-t-il réagi ?

— Il a manqué de nous tuer. Il était en train de conduire, expliqua-t-elle. Une femme ne devrait jamais annoncer ce genre de chose à son amant quand il est au volant. Surtout s'il est ivre.

— Il était en colère ?

— Il faisait semblant de l'être. En réalité, je pense qu'il avait le cœur brisé. Vous pouvez dire tout ce que vous voulez sur Kim, mais il adorait ses enfants. Il songeait probablement qu'il ne verrait jamais celui que je portais.

Probablement, nota Gabriel.

— Lui avez-vous réclamé de l'argent ?

— À Kim Philby ? Je ne me suis même pas donné cette peine. Il était fauché comme les blés. Il ne fallait attendre de lui aucun soutien financier, et encore moins un mariage. Je savais que si j'avais le bébé, je devrais l'assumer seule.

Philby était né un 1er janvier ; il s'apprêtait à fêter son cinquante et unième anniversaire. Charlotte avait espéré passer au moins quelques minutes avec lui, mais il lui téléphona pour lui dire qu'il ne pourrait pas venir chez elle. Il avait fait deux chutes la veille au soir, s'était ouvert la tête et amoché les deux yeux. Il invoqua son apparence affreuse pour l'éviter durant les deux semaines suivantes.

Mais la véritable raison de ses dérobades, dit-elle, n'était autre que l'arrivée de Nicholas Elliott à Beyrouth.

— Quand l'avez-vous revu ?

— Le 23.

— Le jour de son départ.

Charlotte Bettencourt acquiesça.

— Kim est passé me voir en fin d'après-midi. Il avait une mine épouvantable. Il dégoulinait, à cause de la pluie torrentielle. Il m'a dit qu'il ne pouvait rester que quelques minutes. Il était censé retrouver Eleanor pour dîner à la résidence du premier secrétaire de l'ambassade britannique. Je lui ai fait des avances, mais il les a repoussées et m'a demandé un verre. C'est là qu'il m'a dit que Nicholas l'avait accusé d'être un espion russe.

— A-t-il nié ?

— Non, répondit Charlotte sans ambiguïté. Il n'a pas nié.

— Que vous a-t-il raconté ?

— Bien plus qu'il n'aurait dû le faire. Et il m'a donné une enveloppe.

— Que contenait-elle ?

— De l'argent.

— Pour le bébé ?

Elle hocha gravement la tête.

— Vous a-t-il dit où il l'avait obtenu ?

— Non, mais si je devais faire une supposition, je dirais qu'il venait de Petukhov, son contact du KGB à Beyrouth. Kim est parti plus tard dans la soirée à bord d'un cargo soviétique, le *Dolmatova*. Je ne l'ai jamais revu.

— Jamais ?

— Non, monsieur Allon. Jamais.

Quand la nouvelle de la défection de Philby éclata, continua Charlotte, elle envisagea de publier un scoop personnel.

— *Le Kim Philby que j'ai connu et aimé*, ce genre de bêtises.

Au lieu de ça, elle écrivit deux articles qui ne mentionnaient pas leur relation personnelle et attendit la naissance.

Elle accoucha à l'hôpital de Beyrouth, seule, à la fin du printemps 1963.

— Vous ne l'avez jamais dit à votre famille ?

— Pas à ce moment-là.

— À l'ambassade de France ?

— Les déclarations appropriées ont été faites et un passeport a été édité.

— Il y a donc eu un certificat de naissance.

— Bien sûr.

— Qu'avez-vous écrit, à la case « nom du père » ?

— Philby, répondit-elle d'un ton légèrement méfiant. Harold Adrian Russell.

— Le nom de l'enfant ?

— Bettencourt, répondit-elle évasivement.

— Et son prénom ? la pressa Gabriel.

Charlotte Bettencourt détourna les yeux vers le coffre en bois.

— Vous connaissez déjà son patronyme, monsieur Allon. Ne me poussez pas à trahir davantage.

Gabriel ne le fit pas. Ni maintenant ni plus tard.

— Vous êtes retournée en France en 1965, poursuivit-il.

— À l'hiver 1965, oui.

— Où êtes-vous allée ?

— Dans un petit village près de Nantes, répondit-elle.

— Vos parents ont dû être surpris.

— C'est peu de le dire. Mon père m'a renvoyée et m'a interdit de remettre les pieds au château.

— Avez-vous dit à vos parents qui était le père ?

— Non, ça n'aurait fait qu'empirer les choses.

— L'avez-vous dit à quiconque ?

— À personne. *Jamais.*

— Et le certificat de naissance.

— Je l'ai *égaré.*

— C'est bien commode.

— N'est-ce pas ?

— Qu'en est-il réellement ?

Elle jeta un coup d'œil au coffre, avant de détourner le

regard. Dans la cour, trois agents de sécurité immobiles comme des statues montaient la garde dans la lumière déclinante. Eli Lavon attendait toujours son train, mais Keller et Mikhail étaient maintenant pendus aux lèvres de Charlotte Bettencourt. L'horloge avait cessé de battre la mesure. Tout comme le cœur de Gabriel, semblait-il.

— Où êtes-vous allée ensuite ? interrogea-t-il.

De nouveau à Paris, répondit-elle, cette fois avec un bébé dans ses bagages. Ils vécurent dans une mansarde du Quartier latin. C'était tout ce que Charlotte pouvait se permettre, maintenant que son père lui avait coupé les vivres. Sa mère lui donnait quelques francs quand elle lui rendait visite, mais son père refusait de reconnaître l'existence de son enfant. Tout comme Kim, manifestement. Les années passant, l'enfant lui ressemblait de plus en plus : même yeux très bleus, même mèche rebelle, et un soupçon de bégaiement, qui disparut à l'âge de huit ans. Charlotte renonça au journalisme et se consacra entièrement au Parti et à la révolution.

Ils n'avaient pas beaucoup d'argent, mais leurs besoins étaient limités. Paris, la ville des arts, leur appartenait. Ils jouaient ensemble à un jeu idiot qui consistait à compter les pas entre leurs différents points de repère. Combien de pas entre le Louvre et Notre-Dame ? Combien de l'Arc de triomphe à la place de la Concorde ? De la tour Eiffel aux Invalides ?

Il y en avait quatre-vingt-sept entre leur mansarde et la cour de leur immeuble, expliqua Charlotte, et trente-huit de plus jusqu'à la porte cochère qui donnait sur la rue Saint-Jacques. Là où, par une journée étouffante de l'été 1974 qui avait vu les Parisiens fuir la capitale, un homme les attendait.

— Quelle date était-ce ? demanda Gabriel.

— En août. Le lendemain de la démission de Nixon.

— Le 10, donc.

— Si vous le dites.

— Et le nom de cet homme ?

— Ce jour-là, il s'était présenté comme le camarade Lavrov.

— Et les autres jours ?

Sasha, répondit-elle. Il se faisait appeler Sasha.

50

Séville

Il était maigre – la maigreur du goulag, fit observer Charlotte – et blanc comme un cierge. Quelques mèches de cheveux gras et ternes collaient à son crâne, par ailleurs largement dégarni, qui lui donnait un air supérieurement intelligent. Il avait de petits yeux cerclés de rouge et des dents grises et irrégulières. Il portait une veste en tweed bien trop chaude pour la saison et une chemise qui avait dû être blanche, mais qu'un trop grand nombre de rinçages dans l'évier de la cuisine avait délavée. Sa barbe avait besoin d'être taillée.

— Sa barbe ?
— Il avait une moustache et un petit bouc.
— Comme Lénine ?
— Un Lénine plus jeune. Lénine en exil à Londres.
— Qu'est-ce qui l'amenait à Paris ?
— Il disait avoir une lettre.
— De Philby ?
— Il n'a jamais prononcé son nom. La lettre provenait d'un homme que j'avais connu à Beyrouth. Un célèbre journaliste anglais. (Elle prit une voix masculine doublée d'un fort accent russe et ajouta :) « Serait-il possible de nous entretenir en privé ? Je voudrais vous parler d'un sujet assez sensible. » (Elle reprit sa voix normale.) J'ai suggéré la brasserie de l'autre côté de la rue, mais il

préféra mon appartement. Je lui ai expliqué que je vivais modestement. Il m'a dit qu'il le savait déjà.

— Cela faisait donc un moment qu'il vous surveillait.

— Il venait de votre monde, pas du mien.

— Et la lettre ?

Elle était dactylographiée, ce qui n'était pas le genre de Kim, et ne portait aucune signature. Mais les mots étaient indéniablement les siens. Il s'excusait de l'avoir trahie à Beyrouth et disait vouloir renouer contact. Il voulait notamment voir l'enfant. Pour des raisons évidentes, écrivait-il, la rencontre ne pouvait avoir lieu en France.

— Il voulait que vous veniez à Moscou ?

— Pas moi. L'enfant, seulement.

— Et vous avez accepté ?

— Oui.

— Pourquoi ?

Elle ne répondit pas.

— Parce que vous l'aimiez encore ? suggéra Gabriel.

— Kim ? Non, plus à cette époque. Plus depuis longtemps. Mais j'étais toujours amoureuse de ce qu'il représentait.

— C'est-à-dire ?

— L'engagement révolutionnaire. (Elle marqua une pause, puis :) Le sacrifice.

— Vous avez oublié la trahison.

Ignorant sa remarque, elle expliqua que Sasha et l'enfant quittèrent Paris le soir même, à bord d'un train pour l'Allemagne. Ils franchirent le rideau de fer en voiture, allèrent jusqu'à Varsovie, d'où ils prirent un avion pour Moscou. On avait fourni un faux passeport russe à l'enfant. L'appartement de Philby était situé près de la place Pouchkine, tapi dans une étroite ruelle donnant sur une vieille église, entre la rue Tverskaïa et les Étangs du Patriarche. Il vivait là avec Rufina, sa femme russe.

— Sa quatrième femme, ajouta Charlotte Bettencourt d'un ton acerbe.

— Combien de temps…

— Trois jours.

— Je suppose qu'il y a eu une autre visite ?

— À Noël, la même année.

— Toujours à Moscou ?

— Dix jours, fit-elle en hochant la tête.

— Et la suivante ?

— L'été d'après. Un mois.

— Ça fait long.

— Je dois admettre que c'était dur pour moi.

— Et après ça ?

— Sasha est revenu me voir à Paris.

Le rendez-vous eut lieu dans un parc, sur un banc public, lointain écho de la rencontre entre Philby et Otto, quatre décennies plus tôt. Ce n'était pas Regent's Park, mais le jardin des Tuileries. Sasha déclara que Moscou lui avait donné pour mission de mettre en œuvre un projet de pacification internationale. Kim serait son associé. Sasha – et Kim – souhaitait que Charlotte se joigne à eux.

— Quel était votre rôle dans cette entreprise ?

— Un bref mariage. Et un énorme sacrifice.

— Qui était le chanceux que vous deviez épouser ?

— Un Anglais issu d'une famille influente qui croyait aussi dans la paix.

— Un agent du KGB, vous voulez dire.

— La nature de ses relations avec Moscou ne m'a jamais été précisée. Son père avait connu Kim à Cambridge. Il était aussi radical qu'homosexuel. Mais ça n'avait aucune importance. Ce n'est pas comme s'il s'agissait d'un vrai mariage.

— Où les noces ont-elles eu lieu ?

— En Angleterre.

— À l'église ?

— Non.

— Votre famille y a assisté ?

— Bien sûr que non.

— Et combien de temps a duré le mariage ?

— Deux ans. Nous n'avons pas été réunis par l'amour, monsieur Allon, mais par le Centre.

— Qu'est-ce qui a précipité le divorce ?

— L'adultère.

— Comme c'est commode.

— Apparemment, j'ai été prise en flagrant délit avec l'un des plus proches amis de mon époux. Cela fit scandale. Tout comme mon alcoolisme notoire, qui me rendait inapte à m'occuper de mon enfant. Pour son bien, j'ai accepté d'en abandonner la garde.

Une longue et douloureuse période de séparation s'était ensuivie, afin que l'enfant puisse acquérir la nationalité britannique. Charlotte resta à Paris un moment puis, sur ordre du Centre, alla s'installer dans un *pueblo blanco* des montagnes d'Andalousie où personne ne la trouverait. Au début, elle recevait des lettres, qui finirent par cesser d'arriver. Sasha prétendait que ces dernières ralentissaient la transition.

En de rares occasions, Charlotte recevait des nouvelles de l'enfant, imprécises et impersonnelles, comme celle qui arriva en 1981 au sujet de son admission dans une grande université britannique. Laquelle, ce n'était pas spécifié, mais Charlotte connaissait assez bien le passé de Kim pour le deviner. Sans en informer Sasha, elle retourna en Angleterre en 1984 et gagna Cambridge. Là, sur Jesus Lane, elle vit l'enfant de la trahison, l'enfant de Kim Philby, marcher à l'ombre d'un mur de briques rouges, ses yeux très bleus dissimulés derrière sa mèche rebelle. Avec son appareil, Charlotte prit discrètement une photo.

— C'est la dernière que je…

Elle ne parvint pas à finir sa phrase.

— Et après Cambridge ?

Charlotte reçut un message où on l'informait que le projet avait réussi. Elle ne sut jamais quel département du renseignement britannique était concerné, mais elle supposait que c'était le MI6. Kim, dit-elle, ne se serait jamais contenté du MI5, pas après le traitement qu'ils lui avaient fait subir.

— Et vous n'avez plus eu un seul contact depuis ?

— Je reçois parfois une lettre, quelques lignes vides écrites sans le moindre doute par le Centre. Elles ne contiennent aucune information sur son travail ou sa vie personnelle, rien que je puisse utiliser pour...

— Retrouver l'enfant que vous avez abandonné ? (La remarque la blessa.) Je suis désolé, madame Bettencourt, mais je ne comprends pas comment...

— C'est exact, monsieur Allon. Vous ne comprenez pas.

— Peut-être pouvez-vous m'expliquer.

— C'était une autre époque. Le monde était différent. *Ils* étaient différents.

— Qui ?

— Les Russes. Pour nous, Moscou était le centre de l'univers. Ils allaient changer le monde, et nous devions les aider.

— Aider le KGB ? Ils étaient monstrueux. Ils le sont toujours.

Devant son silence, Gabriel lui demanda quand elle avait reçu la dernière lettre.

— Il y a deux semaines environ.

Gabriel dissimula sa surprise.

— Comment vous est-elle parvenue ?

— Par un lourdaud nommé Karpov de la *rezidentura* de Madrid. Il m'a aussi informée que le Centre voulait me voir prendre de longues vacances en Russie.

— Pourquoi maintenant ?

— Je n'en sais pas plus que vous, monsieur Allon.

— Je suis étonné qu'ils ne soient pas venus vous chercher plus tôt.

— Cela faisait partie de mon arrangement avec Kim et Sasha. Je n'avais aucune volonté de vivre en URSS.

— Vous voulez dire que l'utopie marxiste ne vous tentait pas plus que ça ?

Charlotte Bettencourt encaissa le reproche sans bron-

290

cher. Autour d'eux, Séville commençait à s'éveiller. Des bars et des cafés environnants leur parvenaient de la musique et des bruits de vaisselle. Une brise vespérale tourbillonnait dans la cour, portant à leurs narines la senteur des oranges et à leurs oreilles le rire soudain d'une jeune femme. Charlotte Bettencourt inclina la tête, comme pour attendre que le silence revienne. Puis elle considéra le coffre victorien sur la table.

— C'était un cadeau de Kim, dit-elle au bout d'un moment. Il l'avait trouvé dans une petite boutique du quartier chrétien de Beyrouth. Quel comble, n'est-ce pas ? De compter sur Kim pour garder mes secrets.

— Les siens également, ajouta Gabriel.

Il souleva le couvercle et sortit une pile d'enveloppes maintenue par un ruban violet passé.

— Il était du genre prolifique, commenta-t-il.

— Durant les premières semaines de notre liaison, je recevais jusqu'à deux lettres par jour.

Gabriel revint au coffre. Il en retira cette fois une feuille de papier, un certificat de naissance émis par l'hôpital Saint-Georges de Beyrouth, le plus vieux du Liban, daté du 26 mai 1963. Il désigna le prénom de l'enfant.

— A-t-il été changé ?

— Non, répondit-elle. Par chance, il était bien assez anglais.

— Comme le vôtre.

Gabriel reprit son exploration de la boîte à secrets de Kim Philby. Il en exhuma un certificat de mariage britannique remontant à avril 1977.

— Un mariage au printemps… Ça devait être magnifique.

— Nous n'étions qu'une poignée, en réalité.

Le doigt de Gabriel s'arrêta sur le nom du marié.

— Je suppose que c'est devenu le vôtre, et celui de votre enfant.

— Pendant quelque temps. Après le divorce, je suis redevenue Charlotte Bettencourt.

— Mais pas…

— Ç'aurait été contre-productif, le coupa-t-elle. Après tout, le but de ce mariage était d'acquérir un nom et un pedigree susceptibles de lui ouvrir les portes d'une université d'élite et des services secrets.

Gabriel posa le document à côté du certificat de naissance et des lettres d'amour de Philby. Puis il sortit de la boîte la dernière relique qu'elle contenait, un cliché Kodak daté d'octobre 1984. Même Gabriel n'aurait pu manquer la ressemblance – avec Philby, indéniablement, mais aussi avec Charlotte Bettencourt.

— Vous avez pris la photo et vous êtes partie ? Sans rien dire ?

— Et qu'aurais-je pu dire ?

— Vous auriez pu implorer pardon. Vous auriez pu mettre un terme à tout ceci.

— Pourquoi aurais-je fait une chose pareille, après tout ce que j'avais sacrifié ? Rappelez-vous, nous étions au plus fort de la guerre froide. Reagan le cow-boy occupait la Maison-Blanche. Les Américains gavaient l'Europe de l'Ouest de missiles nucléaires.

— Et pour cela, dit froidement Gabriel, vous étiez prête à donner votre fille ?

— Ce n'était pas seulement la mienne, mais aussi celle de Kim. Je n'étais qu'une militante du dimanche, mais pas elle. Elle était le produit authentique. Elle avait la trahison dans le sang.

— Tout comme vous, madame Bettencourt.

— Je n'ai fait que suivre ma conscience.

— Vous n'en avez manifestement pas. Pas plus que Philby.

— Kim, le corrigea-t-elle. Ce sera toujours Kim, pour moi.

Elle regardait la photo. Ce n'était pas l'angoisse qui l'étreignait, songea Gabriel, mais la fierté.

— Pourquoi ? interrogea-t-il. Pourquoi avoir fait une chose pareille ?

— Y a-t-il une réponse qui vous donnera satisfaction ?

292

— Non.

— Alors peut-être devrions-nous laisser le passé au passé, monsieur Allon.

— Oui. Cela vaut peut-être mieux.

TROISIÈME PARTIE

Au bord du fleuve

51

Séville – Londres

Plusieurs vols pour Londres partaient de Séville le lendemain matin, mais Gabriel et Christopher Keller choisirent de se rendre à Lisbonne en voiture, au cas probable où le Centre vérifierait les listes de passagers au départ de l'Espagne. Keller paya les billets d'avion avec une carte au nom de Peter Marlowe, son nom de travail au MI6. Il n'informa pas Vauxhall Cross de son retour imminent sur le sol britannique, et Gabriel n'avertit pas non plus son poste. Il n'avait d'autre bagage que son attaché-case spécialement conçu par le Bureau. Son double fond contenait trois objets provenant du coffre victorien offert par Kim Philby à Charlotte Bettencourt pour ses vingt-cinq ans. Un certificat de naissance, un certificat de mariage et un cliché pris à l'insu de son sujet sur Jesus Lane à Cambridge. Quant au reste du contenu du coffre, Gabriel en stockait les clichés dans son BlackBerry. Les candides lettres d'amour, les carnets, les premières pages de Mémoires, les nombreuses photos intimes de Philby prises à l'intérieur de l'appartement de sa maîtresse. Charlotte Bettencourt, quant à elle, était restée dans la maison de Séville, sous protection du Bureau.

L'avion atterrit à Heathrow quelques minutes après 10 heures. Gabriel et Keller se séparèrent pour passer le contrôle des passeports et se rejoignirent dans le chaos du hall des arrivées. Le BlackBerry de Keller bipa pour annoncer un message entrant quelques secondes plus tard.

— On est grillés.

— Par qui ?

— Nigel Whitecombe. Il a dû repérer l'utilisation de ma carte de crédit. Il propose de nous déposer en ville.

— Dis-lui merci, mais non merci.

Keller considéra la queue pour les taxis avec un froncement de sourcils.

— Quel mal y aurait-il ?

— Si les Russes ont suivi Nigel depuis Vauxhall Cross…

— Le voici, fit Keller en désignant du menton la Ford qui attendait de l'autre côté des portes du terminal, tous feux allumés.

Gabriel le suivit à contrecœur à l'extérieur et s'installa sur la banquette arrière. Un moment plus tard, ils roulaient à vive allure sur la M40 en direction du centre de Londres. Les yeux de Whitecombe croisèrent ceux de Gabriel dans le rétroviseur.

— Le chef m'a demandé de vous emmener à la maison refuge de Stockwell.

— Nous n'allons même pas nous en approcher. Déposez-moi à Bayswater Road.

— Ce n'est pas vraiment le plus sûr des appartements refuges.

— Pas plus que le vôtre, marmonna Gabriel dans sa barbe.

Les nuages bas et lourds empêchaient le jour de se lever vraiment.

— Combien de temps le chef a-t-il l'intention de me faire poireauter ? demanda-t-il.

— Il est en réunion avec le Comité mixte du renseignement jusqu'à midi, puis il déjeune en privé avec le Premier ministre à Downing Street.

Gabriel jura sous cape.

— Dois-je lui dire d'annuler son déjeuner ?

298

— Non. Il est important que son emploi du temps reste inchangé.

— Ça sent mauvais.

— Oui, confirma Gabriel. Très mauvais.

Il n'était pas faux de dire que l'appartement refuge de Bayswater Road n'avait plus grand-chose de sûr. Gabriel l'avait utilisé si souvent qu'Intendance en parlait comme de son pied-à-terre londonien. Six mois s'étaient écoulés depuis son dernier séjour ici. C'était le soir où Keller et lui avaient regagné la capitale britannique après avoir tué Saladin dans son complexe marocain. Gabriel y avait retrouvé Chiara. Ils avaient partagé un dîner tardif, il avait dormi quelques heures et, le lendemain matin, juste devant la barrière de sécurité entourant Downing Street, Keller et lui avaient abattu un terroriste de Daech armé d'un dispositif de dispersion radiologique, une sale bombe. Ensemble, ils avaient épargné à la Grande-Bretagne une calamité. Aujourd'hui, ils en déposaient une sur le pas de sa porte.

Intendance avait laissé quelques denrées non périssables dans le garde-manger ainsi qu'un Beretta 9 mm pourvu d'une crosse en noyer dans le placard de la chambre. Gabriel réchauffa du minestrone en conserve tandis que Keller observait depuis la fenêtre du salon le trafic en contrebas et l'homme, d'apparence vaguement slave, qui se reposait sur un banc de Hyde Park. L'homme quitta le banc à midi et demi, et une femme prit sa place. Keller chargea le Beretta et engagea une balle dans la chambre. En entendant le cliquetis caractéristique, Gabriel passa la tête dans le salon et leva un sourcil interrogateur.

— Peut-être que Nigel avait raison, dit Keller, qu'on devrait aller dans une de nos maisons refuges.

— Le MI6 n'en a plus aucune.

— Alors allons ailleurs. Cet endroit me fout les jetons.

— Pourquoi ?

— Elle, répondit Keller en pointant l'index vers le parc.

Gabriel se rapprocha de la fenêtre.

— Elle s'appelle Aviva, c'est l'une des nôtres.

— Quand est-ce que tu as contacté ton poste ?

— Je ne l'ai pas fait. Le Boulevard du Roi-Saül a dû les prévenir de mon arrivée.

— Espérons que les Russes n'écoutaient pas.

Vingt minutes plus tard, la femme quitta le banc, et le premier homme revint.

— Et voici Nir, dit Gabriel. C'est le principal garde du corps de l'ambassadeur.

Keller regarda sa montre : presque 13 heures.

— Il leur faut combien de temps, pour déjeuner ?

— Tout dépend de l'ordre du jour.

— Et si le chef du renseignement était en train de confesser à son Premier ministre que son service était complètement noyauté par les Russes ? (Keller secoua lentement la tête.) Nous allons devoir reconstruire le MI6 du sol au plafond. Ce serait le plus gros scandale de tous les temps.

Gabriel demeura silencieux.

— Tu crois qu'il y survivra ?

— Graham ? Tout dépend de la façon dont il gère ça.

— Une arrestation et un procès, ça fera désordre.

— Quel autre choix a-t-il ?

Keller ne répondit pas ; il scrutait l'écran de son téléphone.

— Graham a quitté Downing Street. Il est en chemin, dit-il en relevant les yeux. En fait, il arrive.

Gabriel observa la limousine Jaguar approcher.

— C'est du rapide.

— Il a dû sauter le pudding.

La voiture s'arrêta devant l'entrée de l'immeuble. Graham Seymour en sortit en affichant un air sévère.

— On dirait qu'il se rend à un enterrement, fit observer Keller.

— Un *autre* enterrement, renchérit Gabriel.

— As-tu réfléchi à la façon dont tu allais lui annoncer ?

— Je n'ai pas besoin de dire un mot.

Gabriel ouvrit l'attaché-case et sortit trois pièces du double fond. Un certificat de naissance, un certificat de mariage et un cliché pris à l'insu de son sujet sur Jesus Lane, à Cambridge. Ça sentait mauvais, songea Gabriel. Très mauvais.

52

Bayswater Road, Londres

Le certificat de naissance avait été émis par l'hôpital Saint-Georges de Beyrouth le 26 mai 1963. Y apparaissaient BETTENCOURT, CHARLOTTE, la mère, et PHILBY, HAROLD ADRIAN RUSSELL, le père. L'enfant pesait un peu plus de trois kilogrammes à la naissance. Elle s'appelait REBECCA. Elle avait hérité le nom de sa mère plutôt que celui de son père – il était marié à une autre femme à cette époque –, mais en acquit un nouveau quand BETTENCOURT, CHARLOTTE avait épousé un certain MANNING, ROBERT au terme d'une cérémonie civile à Londres le 2 novembre 1976. Une simple vérification du registre des admissions de l'université de Cambridge confirmerait qu'une MANNING, REBECCA était entrée à Trinity College à l'automne 1981. Et une vérification des archives de l'immigration corroborerait le fait qu'une BETTENCOURT, CHARLOTTE était entrée dans le pays en 1984. Durant son bref séjour, elle avait pris une photographie de MANNING, REBECCA sur Jesus Lane – photographie qu'elle avait confiée à ALLON, GABRIEL dans une maison à Séville. Prouvant ainsi sans l'ombre d'un doute que la cheffe du poste du MI6 à Washington était la fille naturelle de plus grand traître de l'histoire et un agent de Moscou infiltré depuis de nombreuses années. Dans le jargon, une taupe.

— À moins, dit Gabriel, que tu n'aies une autre explication.

— Comme ?

— Le MI6 savait tout sur elle depuis le début. Vous l'avez retournée et utilisée contre Moscou. C'est le plus grand agent double de l'histoire.

— Si seulement c'était vrai.

Seymour, incrédule, ne quittait pas le cliché des yeux.

— C'est elle ? demanda Gabriel.

— Tu ne l'as jamais rencontrée au cours d'une de tes missions ?

— Je n'ai jamais eu ce plaisir.

— C'est elle, confirma Seymour au bout d'un moment. En plus jeune, bien sûr, mais il s'agit bien de Rebecca Manning.

C'était la première fois qu'il prononçait son nom.

— Est-ce que tu l'as déjà…

— Soupçonnée d'espionner pour les Russes ? D'être la fille illégitime de Kim Philby ?

Gabriel resta silencieux.

— Dans ce genre de cas, on dresse des listes, dit Seymour. Un peu comme lorsqu'on soupçonne sa femme d'être infidèle. Est-ce que c'est lui ? Ou lui ?

— Et *elle* ? insista Gabriel en désignant la photo du menton.

— C'est moi qui l'ai promue CP/Washington. Inutile de dire que je n'avais pas le moindre doute sur sa loyauté.

Keller observait la rue en contrebas, comme indifférent à ce qui se jouait entre les deux maîtres espions autour de la table basse plastifiée.

— Tu n'as évidemment pas manqué d'éplucher son dossier avant de lui confier le poste.

— Tu penses.

— Rien ne t'a interpellé ?

— Il était sans tache.

— Et tout ce qui touche à son enfance ? Elle est née

303

à Beyrouth, d'une mère française qui a disparu de sa vie quand elle était encore enfant.

— Mais Robert Manning venait d'une famille au-dessus de tout soupçon.

— Raison pour laquelle Philby l'a choisi, fit remarquer Gabriel.

— Et ses tuteurs à Cambridge avaient la plus haute opinion d'elle.

— Philby les a choisis, eux aussi. Il savait quels leviers actionner pour qu'elle soit prise au MI6. Il était déjà passé par là. (Gabriel se saisit du certificat de naissance.) Tes enquêteurs n'ont-ils jamais remarqué que le nom de sa mère apparaissait dans les télégrammes que ton père envoyait de Beyrouth ? (Il mit à profit sa mémoire eidétique pour réciter le passage sans en changer une virgule.) « La femme de l'ombre s'appelle Charlotte Bettencourt. J'ai appris d'une source sûre que Mlle Bettencourt est enceinte de plusieurs mois. »

— Manifestement, les enquêteurs n'ont pas fait le lien.

— Un simple test sanguin le confirmerait.

— Je n'ai pas besoin d'un test sanguin. (Seymour contempla le cliché de Rebecca Manning à Cambridge.) C'est le même visage que j'ai vu au bar du Normandie quand j'étais enfant.

— Sa mère se souvient de toi, au fait.

— Ah oui ?

— Elle se souvient de ton père, aussi.

Seymour laissa tomber la photo sur la table basse.

— Où est-elle, à présent ? Toujours à Séville ?

Gabriel acquiesça.

— Je recommande qu'elle y reste jusqu'à ce que nous ayons arrêté Rebecca, dit-il. Mais à ta place, je ne traînerais pas. Les Russes ne manqueront pas de remarquer qu'elle n'est plus à Zahara.

— Arrêter Rebecca Manning ? Sous quel chef d'inculpation ? Être la fille illégitime de Kim Philby ?

— C'est une taupe russe, Graham. Trouve un prétexte

pour la faire venir à Londres sans éveiller les soupçons et mets-la sous les verrous à la minute où elle pose le pied à Heathrow.

— Rebecca a-t-elle *réellement* espionné pour les Russes ?

— Bien sûr.

— J'ai besoin de preuves. Sinon, tout ce que j'ai, c'est la triste histoire d'une enfant au cerveau lavé par le KGB pour lui faire achever la mission de son traître de père.

— J'achète tout de suite.

— Malheureusement, tu ne seras pas le seul. (Seymour marqua une pause, puis ajouta :) Et la réputation des services secrets de Sa Majesté sera détruite.

Un silence s'étira entre eux. Ce fut Gabriel qui le brisa.

— Mets-la sous surveillance complète, Graham. Physique, numérique, cellulaire. Installe des micros chez elle et à son bureau. Elle finira bien par faire une gaffe.

— Tu oublies qui était son père ?

— C'est moi qui l'ai découvert.

— C'est la fille d'un prodige. Philby ne s'est jamais trahi, et elle ne le fera pas non plus.

— Je suis sûr que Christopher et toi, vous allez trouver quelque chose. (Gabriel posa le certificat de naissance sur la photographie.) J'ai un avion à prendre et plusieurs affaires urgentes au pays qui requièrent mon attention.

Seymour laissa échapper un sourire.

— Ne me dis pas que tu n'es pas tenté.

— De quoi ?

— De finir ce que tu as commencé.

— J'attendrai la sortie du film. Du reste, j'ai un mauvais pressentiment sur la façon dont ça va se terminer. (Gabriel se leva pesamment.) Si ça ne vous dérange pas, je dois fermer l'appartement. Intendance ne manquera pas de m'épingler dans son rapport si je vous laisse à l'intérieur.

Seymour ne fit pas mine de partir. Il tapotait sa montre.

— Aucune chance pour que tu prennes le vol El Al de

15 h 30. Pourquoi ne pas rester encore quelques minutes et me dire comment tu procéderais ?

— Pour ?

— Prendre la fille de Kim Philby la main dans le sac.

— C'est la partie la plus facile. Tout ce qu'il te faut, c'est attraper un espion pour attraper un espion.

— Comment ?

— Avec une Ford Explorer. Rue Saint-Denis, à Montréal.

Seymour sourit.

— Tu as toute mon attention. Ne t'arrête surtout pas.

53

Rue Narkiss, Jérusalem

Il était presque minuit quand le convoi de Gabriel tourna au coin de la rue Narkiss. Une limousine blindée était garée devant son immeuble, et une lueur brillait faiblement à la fenêtre de la cuisine. Ari Shamron y était assis, seul, à la petite table de bistrot. Il portait, comme à son habitude, un pantalon kaki repassé, une chemise blanche classique et un blouson d'aviateur en cuir avec un accroc à l'épaule gauche. Sur la table devant lui, un paquet de cigarettes turques, non ouvert, côtoyait son vieux Zippo. Sa canne en bois d'olivier reposait contre la chaise en face de lui.

— Quelqu'un sait que tu es là ? lui demanda Gabriel.

— Ta femme. Tes enfants dormaient quand je suis arrivé. (Shamron observa Gabriel à travers ses affreuses lunettes à monture métallique.) Ça te rappelle quelque chose ?

Gabriel ignora la question.

— Comment savais-tu que je rentrais ce soir ?

— J'ai une source haut placée. Une taupe, ajouta Shamron après une pause.

— Une seule ?

Shamron lui décocha un sourire en coin.

— Je suis surpris que tu ne sois pas venu m'attendre à Ben Gourion.

— Je ne voulais pas paraître présomptueux.

— C'est nouveau ?

Le sourire de Shamron s'élargit, creusant un peu plus les lézardes de son visage parcheminé. De nombreuses années s'étaient écoulées depuis la fin de son mandat de chef du renseignement, mais il se mêlait encore des affaires du Bureau comme s'il s'agissait de son fief privé. Sa retraite ne lui apportait ni joie ni repos – tout comme Kim Philby. Il passait ses journées à réparer de vieilles radios dans l'atelier de la forteresse qui lui servait de maison à Tibériade, sur une rive de la mer de Galilée. Ses nuits, il les réservait à Gabriel.

— Il paraît que tu as beaucoup voyagé, dernièrement ?

— C'est ton informateur qui te l'a dit ?

— Ne préjuge jamais du sexe d'une taupe, dit Shamron d'un ton moralisateur. Les femmes sont tout aussi capables de trahison que les hommes.

— Je tâcherai de ne pas l'oublier. Qu'est-ce que ta taupe t'a dit d'autre ?

— La taupe s'inquiète de voir que ce qui a commencé comme une noble quête visant à laver ton nom après le désastre de Vienne est en train de virer à l'obsession. La taupe estime que tu négliges tes fonctions et ta famille à un moment où les deux ont désespérément besoin de toi.

— La taupe se trompe.

— La taupe jouit d'un accès illimité.

— C'est le Premier ministre ?

Shamron fronça les sourcils.

— Tu ne m'as pas écouté ? Je t'ai dit que la taupe était *haut* placée.

— Ce qui ne laisse que ma femme. Cela expliquerait pourquoi tu n'as pas osé allumer une de ces cigarettes. Toi et Chiara avez eu une longue discussion ce soir, et avant d'aller se coucher, elle t'a formellement interdit de fumer dans la maison.

— Je crains que ton niveau d'habilitation ne t'autorise pas à connaître l'identité de la taupe.

— Je vois. Dans ce cas, tu diras à la taupe que l'opération est presque terminée et que la vie reprendra bientôt son cours normal, quoi que ce mot puisse vouloir dire dans la famille Allon.

Gabriel prit deux verres dans un placard et ouvrit une bouteille de vin des collines de Judée.

— Je préférerais du café, fit Shamron en fronçant les sourcils.

— Et moi, je préférerais être au lit avec ma femme. Au lieu de ça, je vais boire un verre – un seul – avec toi avant de te renvoyer gaiement dans la nuit.

— J'en doute.

Shamron accepta le vin d'une main tremblante. Marbrée de veines bleues et de taches brunes, elle semblait avoir été empruntée à un homme de deux fois sa taille. La puissance de ses immenses mains expliquait en partie pourquoi il avait été choisi pour l'opération Eichmann. Encore aujourd'hui, Shamron ne pouvait se montrer en public sans que quelque vétéran de cette époque veuille toucher les mains qui s'étaient refermées autour du cou du monstre.

— C'est vrai ? demanda-t-il.

— Que je préférerais être avec ma femme plutôt qu'avec toi ?

— Que la traque de ta taupe est presque terminée ?

— En ce qui me concerne, elle l'est. Mon ami Graham Seymour voudrait simplement que je reste dans le coin pour le dernier acte.

— À ta place, je choisirais un autre chemin, déclara Shamron d'une voix appuyée.

Gabriel sourit.

— Je vois que tu as visionné l'interrogatoire de Sergueï Morosov.

— Avec grand intérêt. J'ai particulièrement apprécié l'épisode du défecteur britannique œuvrant avec le sosie de Lénine à infiltrer une taupe au cœur du renseignement britannique ! (Shamron baissa la voix.) Je suppose que rien de tout ceci n'est vrai ?

— Tout est vrai.

— As-tu réussi à la trouver ?

— La femme de l'ombre ?

Shamron acquiesça, et Gabriel hocha la tête en réponse.

— Où ?

— Dans les dossiers du père de Graham Seymour. Il travaillait à Beyrouth au début des années 1960.

— Je m'en souviens. Leur lecture a dû être passionnante.

— Surtout les parties qui te concernent.

Shamron tendit la main vers ses cigarettes, mais se ravisa.

— Et l'enfant ?

Gabriel arracha une feuille de papier d'un bloc-notes sur le plan de travail et écrivit le nom de Rebecca Manning, ainsi que ses fonctions au MI6. Shamron le lut avec gravité.

— La même position que…

— Oui, le coupa Gabriel. Exactement la même.

Shamron retourna la note et fit glisser son Zippo sur le plateau de la table.

— Tu devrais peut-être brûler ça.

Gabriel gagna l'évier et approcha la flamme du coin de la feuille de papier.

— Et le dernier acte ? s'enquit Shamron. Je suppose qu'il se jouera à Washington ?

Gabriel laissa tomber le papier calciné dans l'évier, mais ne répondit pas.

— Et les Américains ? Tu leur as réservé un rôle dans ton scénario ? Oh ! bien sûr que non, dit-il hâtivement en réponse à sa propre question. Ça ne collerait pas, n'est-ce pas ? Après tout, les Américains ne savent rien de tout cela.

Gabriel ouvrit le robinet et évacua soigneusement les cendres par la bonde. Puis il se rassit et renvoya le briquet à son expéditeur.

— Vas-y, Ari. Je ne le dirai pas à ta taupe.

Shamron déchira la cellophane du paquet de cigarettes.

— Je suppose que Graham veut la preuve qu'elle espionne bel et bien pour les Russes ?

— Il n'a pas tort.

— Et il a besoin de toi pour conduire l'opération, car il ne peut faire confiance à personne dans son propre service ?

— À raison.

— À moins que je ne me trompe, ce qui n'arrive presque jamais, tu as sans doute commencé par dire que tu ne voulais pas t'impliquer là-dedans. Et puis, assez rapidement, tu as accepté.

— Ce n'est pas loin de la vérité.

— Je ne peux pas vraiment te le reprocher. Burgess, Maclean, Philby, Aldrich Ames… C'est du pipi de chat à côté de ça.

— Ce n'est pas pour ça que j'ai accepté.

— Bien sûr que non ! Le Ciel t'interdit de prendre plaisir à ton travail. Pourquoi entacher ton dossier irréprochable ? (Shamron tapota le paquet pour en faire sortir une cigarette.) Mais je digresse. Tu étais sur le point de me dire pourquoi tu risquais de te mettre à dos le plus proche allié d'Israël en menant une opération non autorisée à Washington…

— Graham m'a promis un accès total au débriefing lorsqu'elle sera sous les verrous.

— Vraiment ? (Shamron glissa la cigarette entre ses lèvres et l'alluma.) Tu sais, Gabriel, ce qu'il y a de pire que d'avoir une espionne dans son service de renseignement ?

— Non.

— L'attraper. (Shamron referma le Zippo en un claquement.) Mais c'est la partie la plus simple. Il te suffit de prendre le contrôle de son canal de communication avec le Centre et de la pousser à agir. Ton ami Sergueï Morosov t'a dit tout ce que tu avais besoin de savoir. Je serais ravi de te rappeler les passages intéressants de l'interrogatoire.

— Ils ne m'ont pas échappé.

311

— Tu vas devoir trouver une histoire à raconter aux Américains, poursuivit Shamron. N'importe quoi pour expliquer la présence de ton équipe. Une réunion au poste devrait faire l'affaire. Mais ils n'en croiront pas un mot, bien sûr, ce qui veut dire que tu vas devoir faire attention où tu mets les pieds.

— J'en ai bien l'intention.

— D'où dirigeras-tu l'opération ?

— Chesapeake Street.

— Une honte nationale.

— Qui servira parfaitement mes objectifs.

— J'aimerais vous accompagner, mais je ne serais qu'un poids mort, fit Shamron avec un air mélancolique. Ces temps-ci, je ne suis plus que ça, un objet que les gens contournent avec précaution, de préférence en détournant les yeux.

— Ce qui nous fait un point commun.

Un silence complice s'installa entre eux. Gabriel but une gorgée de son vin tandis que Shamron tirait mécaniquement sur sa cigarette jusqu'au filtre, comme s'il craignait que Gabriel ne lui en refuse une deuxième.

— J'ai eu l'occasion de me rendre régulièrement à Beyrouth au début des années 1960, finit-il par dire. Il y avait un petit bar à l'angle de l'ambassade britannique, Chez Jack ou Chez Joe, je ne sais plus. Le MI6 s'en servait comme d'un club. J'avais l'habitude d'y laisser traîner une oreille. Devine qui j'ai vu là-bas un après-midi, à boire jusqu'à l'inconscience ?

— Tu lui as parlé ?

— J'ai été tenté de le faire, mais je me suis contenté de rester assis à ma table en essayant de ne pas le dévisager.

— À quoi pensais-tu ?

— En tant que patriote, je ne comprenais pas comment il avait pu faire une chose pareille. Mais le professionnel en moi l'admirait profondément. (Shamron écrasa soigneusement sa cigarette.) As-tu déjà lu son bouquin ? Celui qu'il a écrit à Moscou après sa défection.

— Pourquoi me donner cette peine ? C'est un tissu de mensonges.

— Mais il y a des parties proprement fascinantes. Savais-tu, par exemple, qu'il avait enterré sa caméra soviétique et son film dans le Maryland après avoir appris que Burgess et Maclean étaient passés à l'Est ? Ces objets n'ont jamais été retrouvés. Apparemment, il n'a jamais dit à personne où il les avait cachés.

— En fait, il l'a confié à deux personnes.

— Vraiment ? À qui ?

Gabriel sourit et se servit un autre verre de vin.

— Tu avais dit pas plus d'un.

— C'est vrai. Mais au point où on en est…

Le briquet de Shamron s'alluma.

— Alors, où sont-ils ?

— Quoi donc ?

— La caméra et le film.

Gabriel sourit.

— Pourquoi ne poses-tu pas la question à ta taupe ?

54

Rue Saint-Denis, Montréal

Trois événements éloignés les uns des autres, sans rapport apparent entre eux, attestaient que la traque de la taupe était entrée dans la phase paroxystique finale. Le premier se produisit dans la ville tantôt française, tantôt allemande, de Strasbourg, où les autorités confièrent à un représentant du gouvernement russe les restes d'un corps gravement brûlé. Ces restes, censés être ceux d'un homme d'affaires russe travaillant à Francfort, ne l'étaient pas. Et le représentant de Moscou qui en prit possession était en réalité un officier du SVR. Ceux qui assistèrent au transfert rapportèrent une atmosphère remarquablement glaciale. Rien de ce qui se passa sur le tarmac humide de l'aéroport de Strasbourg ne suggérait que les choses en resteraient là.

Le deuxième événement eut lieu un peu plus tard le même jour dans le *pueblo blanco* de Zahara, dans le sud de l'Espagne, où une Française d'âge mûr, surnommée *la loca* ou *la roja*, en référence à sa couleur politique, regagna sa villa après un bref séjour à Séville. Contrairement à son habitude, elle n'était pas seule. Deux autres personnes, une femme d'environ trente-cinq ans qui parlait français et un homme trapu qui aurait aussi bien pu ne pas parler du tout s'installèrent avec elle dans la villa. Deux de leurs associés prirent également leurs quartiers à l'hôtel situé cent quatorze pas plus haut sur le paseo. En début d'après-midi, *la loca* avait été vue en train de se disputer avec un commerçant de la *calle* San Juan. Elle déjeuna sous les orangers du Mirador et, après avoir payé, rendit visite au père Diego à l'église Santa María de la Mesa. L'ecclésiastique lui donna sa bénédiction – ou peut-être était-ce son absolution – et la laissa partir.

Le dernier de ces trois événements advint non en Europe de l'Ouest, mais à Montréal où, à 10 h 15 heure locale, pile au moment où la Française d'âge mûr échangeait quelques remarques acerbes avec la caissière de la supérette El Castillo, Eli Lavon descendit d'un taxi rue Saint-Dominique, au pied d'un ancien hôtel particulier qui avait été, comme la plupart de ses voisins, reconverti en immeuble d'habitation. Une volée de marches menait à l'appartement du premier étage, qu'Intendance, dont le budget avait été resserré, louait pour une période de trois mois.

La porte s'ouvrit avec un claquement sec, comme si un scellé avait été brisé, et Lavon se glissa à l'intérieur. Il balaya d'un air morose les meubles abîmés par de nombreuses brûlures de cigarette, puis alla écarter les voilages pour jeter un coup d'œil à l'extérieur. À un angle d'environ quarante-cinq degrés vers la droite, de l'autre côté de la rue, se trouvait un carré d'asphalte vide où, si les dieux du renseignement étaient de leur côté, une Ford Explorer gris foncé ne tarderait pas à faire son apparition.

Si les dieux du renseignement étaient de leur côté…

Lavon laissa retomber les rideaux. Nouvel appartement refuge, nouvelle ville, nouvelle veille. Combien de temps durerait-elle, cette fois ? Le grand projet n'était plus qu'une longue attente.

Christopher Keller arriva à midi ; Mikhail Abramov, presque une heure plus tard. Il portait un sac marin en nylon estampillé d'une célèbre marque d'équipement de ski, dans lequel se trouvaient un trépied, un appareil photo, un téléobjectif infrarouge, un microphone longue portée à balayage de fréquences, des émetteurs, deux pistolets Jericho 9 mm, et deux ordinateurs portables du Bureau dotés d'une liaison sécurisée avec le Boulevard du Roi-Saül. Keller n'avait d'autre attirail que son BlackBerry du MI6, que Gabriel lui avait formellement interdit d'utiliser. Rebecca Manning était déjà au MI6 durant la difficile transition de la technologie analogique au tout-numérique. Il ne faisait aucun doute qu'elle avait soumis son premier téléphone portable aux Russes pour analyse, tout comme les suivants. Une fois tout cela terminé, le MI6 allait devoir réécrire tous ses logiciels. Pour l'instant, cependant, afin de maintenir l'illusion que tout était normal, les officiers du MI6 du monde entier bavardaient et s'envoyaient des textos sur des téléphones que les Russes avaient piratés. Mais pas Keller. Lui seul était soumis au black-out.

Sa tâche se limitait pour l'heure à rester assis dans un trou à rats montréalais en compagnie de deux Israéliens et à ne pas quitter des yeux les quelques mètres carrés d'asphalte qui lui faisaient face dans la rue Saint-Denis. Ils supposaient que les Russes surveillaient aussi l'emplacement – peut-être pas en continu, mais assez pour s'assurer que l'endroit demeurait sûr. Par conséquent, les trois agents chevronnés ne se contentaient pas d'attendre l'apparition de la Ford Explorer gris foncé. Ils observaient aussi le voisinage, ainsi que les nombreux piétons qui passaient sous leur fenêtre. À l'aide du microphone, ils écoutaient des bribes de conversation à la recherche du moindre propos concernant l'opération ou de la plus petite trace d'accent russe. Ceux qui revenaient trop régulièrement ou qui s'attardaient trop longtemps étaient photographiés, et les clichés étaient envoyés au Boulevard du Roi-Saül pour analyse. Aucun ne donna de résultat positif – une maigre mais précieuse consolation pour les trois agents chevronnés.

Ils surveillaient également le trafic, surtout aux heures creuses du jour, quand il se réduisait à peau de chagrin. La quatrième nuit, la même berline Honda – une Civic de 2016, équipée de plaques canadiennes ordinaires – passa trois fois entre minuit et 1 heure du matin. Les deux premières, de la gauche vers la droite, ou du sud-est vers le nord-ouest, mais la troisième fois en sens inverse, et beaucoup plus lentement. Mikhail parvint à obtenir un portrait exploitable du conducteur avec le téléobjectif, qu'il envoya à Gabriel au Boulevard du Roi-Saül. Ce dernier le transféra immédiatement à son chef de poste à Ottawa, qui identifia son sujet comme un barbouze du SVR attaché au consulat de Russie à Montréal. La boîte aux lettres était décidément de moins en moins morte.

Comme souvent, l'opération de surveillance révéla involontairement les vies secrètes de ceux qui avaient la malchance de vivre à proximité de la cible. Comme ce beau jazzman de l'immeuble d'en face, qui passait une heure chaque après-midi avec une femme mariée avant de la renvoyer gaiement chez elle. Comme son voisin qui vivait cloîtré, avec pour seule compagnie des lasagnes au micro-ondes et de la pornographie. Comme cet homme d'une trentaine d'années qui passait ses soirées à visionner des vidéos de décapitation sur son ordinateur portable. Mikhail s'introduisit chez lui durant son absence et découvrit des piles de documents de propagande djihadiste, le plan d'une bombe artisanale et la bannière noire de Daech accrochée au mur de sa chambre. Il trouva également un passeport tunisien, dont il envoya la photo au Boulevard du Roi-Saül.

Ce qui plaçait Gabriel devant un dilemme opératoire. Il était tenu de parler aux Canadiens – et aux Américains – de la menace potentielle résidant rue Saint-Denis à Montréal. Mais s'il le faisait, il déclencherait une série d'événements qui conduiraient de manière quasi certaine les Russes à déménager leur boîte aux lettres morte. Aussi décida-t-il à contrecœur de garder cette information pour lui jusqu'à ce qu'il puisse la transmettre à ses alliés sans causer de dégâts collatéraux. Il ne doutait pas que la situation puisse être gérée. Trois des agents antiterroristes les plus expérimentés au monde planquaient dans un appartement refuge de l'autre côté de la rue.

Par chance, leur double surveillance ne devait pas se prolonger outre mesure. Trois nuits plus tard, la Honda Civic fit son retour. Elle passa devant l'appartement refuge de la gauche vers la droite – du sud-est vers le nord-ouest – à 2 h 34, pendant que Keller accomplissait son tour de veille solitaire derrière les rideaux élimés. Elle repassa dans le même sens à 2 h 47, mais à ce moment-là, Keller avait été rejoint par Mikhail et Eli Lavon. Le troisième passage eut lieu à 3 h 11, de la droite vers la gauche à présent, ce qui exposa de nouveau son conducteur au téléobjectif de Mikhail. Qui se révéla être le même que précédemment.

Il s'écoulerait encore deux heures et demie avant qu'ils ne le revoient. Cette fois, il ne conduisait plus la Honda Civic, mais une Ford Explorer gris foncé munie de plaques canadiennes. Il se gara sur la place disponible, coupa le moteur et éteignit les feux. À travers l'objectif, Keller observa le Russe ouvrir et refermer la boîte à gants. Puis il sortit, verrouilla les portières avec le bip et s'éloigna – vers la gauche, c'est-à-dire du nord-ouest au sud-est –, téléphone à l'oreille. Mikhail le traça avec le microphone longue distance à balayage de fréquences.

— Qu'est-ce qu'il dit ? interrogea Keller.

— Si tu te tais, je le saurai peut-être.

Keller compta lentement jusqu'à cinq.

— Alors ?

Mikhail lui répondit en russe.

— Qu'est-ce que ça veut dire ?

— Ça veut dire, répondit Eli Lavon, que nous partons pour Washington bientôt.

Le Russe tourna au coin de la rue et disparut de leur champ de vision. Mikhail envoya un message express au Boulevard du Roi-Saül, déclenchant une mobilisation rapide de personnel et de ressources dans tous leurs points sécurisés à Washington. Keller observa l'une des fenêtres de l'autre côté de la rue, celle qui était éclairée par la faible lueur d'un écran.

— Il y a quelque chose dont on doit s'occuper avant de partir.

— Ce n'est pas forcément une bonne idée, fit Lavon.

— Peut-être. Ou alors c'est la meilleure idée que j'aie eue depuis longtemps.

55

Montréal – Washington

À 8 h 15 ce matin-là, Eva Fernandes buvait un café dans sa chambre au Sheraton, boulevard René-Lévesque, dans le centre de Montréal. Lors de sa dernière visite, elle était descendue plus haut dans la rue, au Queen Elizabeth, qu'elle préférait, mais Sasha lui avait donné l'ordre de modifier sa routine quand elle venait rendre visite à sa tante imaginaire. Il lui avait aussi demandé de limiter ses dépenses au strict nécessaire. Le café en chambre n'était qu'une infraction mineure. Sasha venait d'une époque marquée par la guerre, la famine et l'austérité communiste. Il ne tolérait pas que ses illégaux vivent comme des oligarques – à moins, bien sûr, que cela fasse partie de leur couverture. Eva ne doutait pas que le prochain message qu'elle recevrait du Centre pointerait du doigt ses mœurs dépensières.

Elle sortait de la douche, sa valise était bouclée, sa tenue du jour l'attendait proprement pliée sur le lit. La clé de la Ford Explorer se trouvait dans son sac à main. De même que la carte mémoire. Celle-ci contenait les documents émis par la taupe de Sasha lors de leur dernière transmission sans fil, qui avait eu lieu sur M Street à Washington, à 7 h 36, un dimanche matin froid et ensoleillé.

Eva s'échauffait alors dans la salle de yoga en prévision de son cours de 7 h 45, entourée par plusieurs de ses élèves

320

régulières, tandis que la taupe se trouvait de l'autre côté de la rue au Dean & DeLuca. Elle l'avait reconnue pour l'avoir déjà vue lors de plusieurs transmissions sans fil, ainsi qu'au Bruxelles-Midi où elle dînait fréquemment, généralement en compagnie de diplomates britanniques. Eva avait même eu l'occasion d'échanger quelques mots avec elle au sujet d'une réservation faite sous le nom de quelqu'un d'autre. La femme était froide, sûre d'elle et manifestement très intelligente. Eva la soupçonnait de faire partie du personnel du poste du MI6 à Washington, peut-être même de le diriger. Si cette femme tombait, Eva tomberait probablement avec elle. En tant qu'illégale, elle ne jouissait d'aucune immunité diplomatique. Elle serait inculpée, jugée et envoyée en prison pour un bout de temps. L'idée de passer plusieurs années entre quatre murs dans un endroit comme le Kentucky ou le Kansas ne la tentait pas outre mesure. Eva s'était juré bien longtemps auparavant qu'elle n'en arriverait jamais là.

À 9 heures, elle s'habilla et descendit à la réception pour régler sa chambre. Elle laissa sa valise aux soins du portier et parcourut la courte distance qui la séparait de l'entrée du Montréal souterrain, le vaste labyrinthe de centres commerciaux, de restaurants et de salles de performances artistiques qui s'étendait sous le centre-ville. C'était un lieu idéal pour un coup de sécurité, surtout un mardi matin, à une heure où il n'y avait pas foule. Eva s'acquitta de sa tâche avec diligence, ainsi qu'elle avait été entraînée à le faire, d'abord par ses instructeurs à l'institut de l'Ordre du drapeau rouge, puis plus tard par Sasha lui-même. La suffisance, l'avait-il avertie, était le plus grand ennemi des illégaux, et pire encore la certitude qu'ils étaient invisibles aux yeux de l'ennemi. Eva constituait le maillon vital de la chaîne qui s'étirait entre la taupe et le Centre. Une seule erreur causerait la perte de la taupe et l'échec du grand projet de Sasha.

La tête pleine des avertissements de son mentor, Eva passa les deux heures suivantes à errer sous les arcades du Montréal souterrain – Sasha n'aurait pas admis une minute de moins. La seule personne qui la suivait était un homme d'environ cinquante-cinq ans. Ce n'était pas un professionnel, mais un harceleur. L'inconvénient, quand on était à la fois agente secrète et jolie jeune femme, c'est qu'il était parfois difficile de distinguer une surveillance légitime du regard lubrique d'un homme assoiffé de sexe. Eva avait planté quatre rendez-vous de transmission numérique avec la taupe car elle *croyait* être suivie. Sasha ne lui avait fait aucun reproche. Au contraire, il avait salué sa vigilance.

À 11 h 05, une fois certaine de ne faire l'objet d'aucune filature, Eva ressortit sur le boulevard et héla un taxi. Il la déposa sur le parvis de Notre-Dame-de-la-Défense, où elle feignit de se recueillir pendant cinq minutes avant de se mettre en route pour la rue Saint-Denis. La Ford Explorer se trouvait à sa place habituelle, garée dans la rue devant le numéro 6822. Eva déverrouilla les portières avec le bip et grimpa derrière le volant.

Le moteur démarra au premier coup de clé. Elle s'inséra dans la circulation et tourna plusieurs fois à droite pour repérer un éventuel suiveur. Ne détectant rien de suspect, elle se gara le long d'une portion de route désolée de la rue Saint-André et rangea la carte mémoire dans la boîte à gants. Puis elle descendit de voiture, la verrouilla et s'en alla à pied. Personne ne la suivait.

Elle héla un autre taxi, cette fois sur l'avenue Christophe-Colomb, et demanda au chauffeur de la déposer au Sheraton pour récupérer sa valise. Le même taxi l'emmena à l'aéroport. En tant que résidente permanente aux États-Unis, elle passa le poste de contrôle des passeports réservé aux Américains et se rendit à la porte indiquée sur son billet. Son vol embarqua à 13 h 15, comme prévu. Comme toujours, Eva avait réservé un siège à l'avant de l'appareil, ce qui lui permettait d'observer les autres passagers tandis qu'ils remplissaient l'avion. Un seul attira son attention, un homme de haute taille à la peau très pâle et aux yeux gris clair, comme ceux d'un loup. Il était très beau. Elle soupçonnait qu'il était également russe. Ou l'avait été, en tout cas, comme elle.

Il prit place plusieurs rangées derrière Eva, et elle ne le revit pas avant que l'avion n'atterrisse à Washington. Dans le terminal, il marchait derrière elle. Sa berline Kia se trouvait dans le parking courte durée où elle l'avait laissée l'après-midi précédent. Elle entra dans Washington en franchissant le Potomac par Key Bridge et gagna les Palissades. Elle arriva sans encombre au Bruxelles-Midi à 16 heures. Yvette était en train de fumer une cigarette au bar ; Ramon et Claudia se chargeaient de la mise en place. Le téléphone sonna au moment où Eva accrochait son manteau.

— Bruxelles-Midi ?

— Je voudrais une table pour deux pour ce soir, s'il vous plaît.

Mâle, arrogant, accent anglais. Eva anticipait les ennuis. Elle fut tentée de raccrocher, mais se ravisa.

— Excusez-moi, vous avez dit une table pour deux personnes ?

— Oui, fit l'homme d'une voix traînante, manifestement exaspéré.

Eva décida de le torturer encore un peu.

— Et à quelle heure vous plairait-il de vous joindre à nous ?

— Il me plairait… (Il renifla.) À 19 heures.

— C'est impossible, je le crains. Mais j'ai une table de libre à 20 heures.

— Une bonne table ?

— Toutes nos tables le sont, monsieur.

— Je la prends.

— Formidable. À quel nom, je vous prie ?

Les Bartholomew, deux personnes, 20 heures, animèrent ce mardi soir par ailleurs sans grand intérêt. Ils arrivèrent vingt minutes en avance et, voyant plusieurs tables vides, bouillonnèrent de rage. M. Bartholomew perdait ses cheveux et portait du tweed ; ses fulminations s'accompagnaient de fortes gesticulations. Sa femme aux formes généreuses, rubéniennes, et aux cheveux couleur sable semblait plutôt du type colère froide. La table qui leur avait été assignée – la numéro 4 – était occupée, aussi Eva les plaça-t-elle à la 13, celle qui subissait les assauts de l'air conditionné. Sans surprise, ils demandèrent à en changer. Quand elle suggéra la table proche de la porte de la cuisine, M. Bartholomew se mit à aboyer.

— Vous n'avez rien d'autre ?

— Peut-être préféreriez-vous une table à l'extérieur ?

— Il n'y en a aucune.

Eva sourit.

À partir de là, le dîner alla de mal en pis. Le vin était trop chaud, le potage trop froid, les moules un sacrilège, le cassoulet un crime contre la gastronomie. La soirée se termina néanmoins sur une note positive, quand la femme de M. Bartholomew s'approcha d'Eva pour lui présenter ses excuses.

— Je crains que Simon n'ait été soumis à un trop grand stress professionnel. (Elle parlait anglais avec un accent qu'Eva n'arrivait pas à situer.) Je m'appelle Vanessa, dit-elle en lui tendant la main. Vanessa Bartholomew, ajouta-t-elle presque comme une confession.

— Eva Fernandes.

— Cela vous ennuie si je vous demande d'où vous venez ?

— Du Brésil.

— Oh ! fit la femme, légèrement surprise. Je n'aurais jamais deviné.

— Mes parents sont nés en Europe.

— Où ça ?

— En Allemagne.

— Les miens aussi !

La fin du service se déroula sans incident. Les derniers clients partirent autour de 22 h 30, et Eva ferma quelques minutes après 23 heures. Une voiture la suivit sur MacArthur Boulevard tandis qu'elle rentrait chez elle, mais le temps qu'elle atteigne le plan d'eau, elle avait disparu. Elle se gara à une centaine de mètres de son immeuble en briques rouges et vérifia les plaques d'immatriculation en chemin, comme à son habitude. Au moment où elle s'apprêtait à taper le code, elle s'avisa qu'il y avait quelqu'un derrière elle. Elle se retourna pour découvrir l'homme en compagnie duquel elle avait pris l'avion. Le grand avec les yeux de loup. La pâleur de sa peau illuminait la nuit. Eva, effrayée, recula d'un pas.

— N'ayez pas peur, Eva, dit-il tranquillement en russe. Je ne vais pas vous faire de mal.

Soupçonnant un piège, elle répondit en anglais.

— Je suis désolée, mais je ne parle pas…

— Je vous en prie, la coupa-t-il. Parler dans la rue n'est sûr ni pour vous ni pour moi.

— Qui vous envoie ? Et parlez anglais, espèce d'idiot.

— C'est Sasha qui m'envoie.

L'anglais de l'inconnu était meilleur que le sien, à peine teinté d'un léger accent.

— Sasha ? Pourquoi Sasha vous enverrait-il ?

— Car vous courrez un grave danger.

Eva hésita un instant avant de composer le bon code. L'homme aux yeux de loup lui tint la porte ouverte et la suivit à l'intérieur.

Tout en grimpant l'escalier, Eva cherchait les clés de son appartement dans son sac à main. Elle sentit à cet instant l'une des mains puissantes de l'homme agripper son poignet.

— Est-ce que vous portez une arme ? demanda-t-il tranquillement, en repassant au russe.

Elle s'arrêta et toisa son interlocuteur d'un regard plein de dédain, avant de lui rappeler que tous deux avaient pris un vol commercial entre le Canada et les États-Unis.

— Vous auriez pu en avoir une dans votre voiture.

— Elle est là-haut.

Il relâcha son poignet. Elle sortit les clés de son sac et ouvrit la porte de son appartement. L'homme la referma promptement et tira le verrou et la chaîne. Quand Eva voulut allumer, il retint sa main. Puis il gagna la fenêtre et jeta un coup d'œil au boulevard MacArthur entre deux lames du store.

— Qui êtes-vous ? interrogea-t-elle.

— Je m'appelle Alex.

— Alex ? Que c'est décevant. C'est un miracle que nos adversaires n'aient jamais réussi à vous percer à jour avec un nom pareil.

Il lâcha le store et se tourna vers elle.

— Vous avez dit que vous aviez un message de Sasha.

C'est alors qu'Eva remarqua le pistolet dans sa main gauche. Un silencieux prolongeait le canon. Ce n'était pas le genre d'arme qu'un agent portait pour sa protection. C'était une arme d'assassin – de *vuyschaïa miera*, la peine capitale. Mais pourquoi le Centre avait-il décidé de l'éliminer ? Elle n'avait rien fait de mal.

Elle s'éloigna de lui à reculons, les jambes en coton.

— S'il vous plaît, implora-t-elle. Il doit y avoir une erreur. J'ai fait tout ce que Sasha m'a demandé.

— Ceci, dit l'homme appelé Alex, est précisément la raison de ma présence ici.

Peut-être y avait-il une vendetta en cours au Centre. Peut-être Sasha était-il finalement tombé en disgrâce.

— Pas dans le visage, supplia-t-elle. Je ne veux pas que ma mère…

— Je ne suis pas ici pour vous faire du mal, Eva. Je suis venu vous faire une offre généreuse.

Elle s'immobilisa.

— Une offre ? Quel genre d'offre ?

— Le genre qui vous évitera de passer les prochaines années dans une prison américaine.

— Êtes-vous du FBI ?

— Heureusement pour vous, non.

56

Foxhall, Washington

Elle lui porta une attaque, une sacrément bonne attaque, telle qu'on les enseignait au Centre, toute en coudes, en pieds et en poings, se terminant par un coup de genou à l'aine qui, s'il avait atteint son but, lui aurait clairement donné l'avantage. Mikhail n'eut d'autre choix que de répliquer. Ce qu'il fit avec méthode et discernement, déployant de grands efforts pour n'infliger aucun dégât au visage russe et sans défaut d'Eva Fernandes. Au terme de leur échange, elle se retrouva sous lui, les mains clouées au sol. À sa décharge, Eva ne montrait nulle peur, seulement de la colère. Elle n'essaya pas de crier. Les illégaux, songea Mikhail, avaient assez de jugeote pour ne pas appeler leurs voisins à l'aide.

— Ne vous inquiétez pas, dit-il en léchant une goutte de sang au coin de sa bouche. Je m'assurerai que Sasha soit informé que vous ne vous êtes pas rendue sans combattre.

Mikhail lui expliqua ensuite calmement que l'immeuble était encerclé, et que si Eva tentait, par improbable, de s'échapper, elle n'irait pas loin. À ce stade, ils décrétèrent une trêve. Eva alla chercher une bouteille de vodka dans le freezer. C'était, avec son SRAC et son pistolet Marakov, les seuls objets russes de tout l'appartement. Elle sortit également ces deux derniers, cachés sous les lattes du parquet de son dressing.

Elle déposa le tout sur la table de la cuisine et tendit le pistolet à Mikhail. Il ne s'exprimait qu'en russe. Cela faisait plus de dix ans, lui expliqua-t-elle, qu'elle n'avait pas parlé sa langue maternelle. On la lui avait arrachée à la minute où elle avait intégré le programme des illégaux à l'institut de l'Ordre du drapeau rouge. Elle avait déjà de bonnes notions de portugais quand elle était arrivée là-bas. Son père était un membre du corps diplomatique – soviétique, d'abord, puis russe –, et elle avait vécu à Lisbonne quand elle était enfant.

— Vous êtes bien consciente, dit Mikhail, que vous ne jouissez d'aucune immunité diplomatique ?

— On nous l'a enfoncé dans le crâne dès le premier jour de notre entraînement.

— Et qu'êtes-vous censés faire si vous vous faites attraper ?

— Nous taire et attendre.

— Attendre quoi ?

— Que le Centre passe un marché. Ils nous ont promis de ne jamais nous laisser tomber.

— À votre place, je ne compterais pas trop là-dessus. Une fois que les Américains auront compris que vous travaillez pour la plus grande taupe connue depuis la guerre froide, ce ne sera plus une option.

— Rebecca Manning.

— Vous connaissez son nom ?

— Je l'ai découvert il y a quelques mois.

— Qu'y avait-il sur la carte mémoire que vous avez laissée dans la boîte à gants de la Ford Explorer ?

— Vous me surveilliez ?

— Depuis l'autre côté de la rue. Nous avons une jolie petite vidéo.

Elle tritura nerveusement son vernis à ongles. Elle était humaine, après tout, songea Mikhail.

— On m'a assuré que la boîte aux lettres était sûre.

— Ça aussi, le Centre vous l'a promis ?

Eva vida son verre de vodka et le remplit aussitôt. Mikhail n'avait pas touché au sien.

— Vous ne buvez pas ?

— La vodka, déclara-t-il solennellement, est la plaie de la Russie.

— Sasha disait la même chose.

Ils étaient assis à la table de la cuisine, sur laquelle trônait, à côté de la bouteille de vodka et des verres, le SRAC du SVR. L'élément principal était un appareil dont la taille et la forme rappelaient un livre de poche. Le métal brossé dont il était constitué lui donnait un aspect robuste. Trois interrupteurs s'alignaient sur un des côtés, ainsi qu'une diode et un port USB. L'absence de rainure dans le métal indiquait que l'appareil n'était pas conçu pour être ouvert.

Eva s'envoya un nouveau verre de vodka.

— Allez-y doucement, dit Mikhail. J'ai besoin que vous gardiez vos esprits.

— Que voulez-vous savoir ?

— Tout.

— Quoi, par exemple ?

— Comment Rebecca vous fait-elle savoir qu'elle a des choses à vous transmettre ?

— Elle laisse allumé le lampadaire au bout de son allée.

— Où ont lieu les transmissions ?

— En ce moment, nous avons quatre emplacements différents.

— Quelles sont vos solutions de repli ? Quel langage corporel utilisez-vous ?

— Vous pouvez remercier Sasha : je pourrais vous dire tout ça dans mon sommeil. Et bien plus. (Eva tendit la main vers la vodka, mais Mikhail écarta le verre.) Si vous connaissez l'identité de la taupe, pourquoi avez-vous besoin de moi ?

Mikhail ne répondit rien.

— Et si j'accepte de coopérer ?

— Je pensais que nous avions déjà réglé cette question.

— Pas de prison ?

Mikhail secoua la tête. Pas de prison.

— Où irais-je ?

— En Russie, j'imagine.

— Après vous avoir aidés à attraper la taupe de Sasha ? On m'interrogera pendant plusieurs mois dans une geôle de Lefortovo, et puis…

Elle forma un pistolet avec son index et son pouce et le pointa sur sa nuque.

— *Vuyschaïa miera*, commenta Mikhail.

Elle laissa retomber sa main et réclama son verre de vodka.

— Je préférerais rester aux États-Unis.

— Je crains que ce ne soit pas possible.

— Pourquoi pas ?

— Parce que nous ne sommes pas américains.

— Britanniques ?

— Certains d'entre nous.

— Alors j'irai en Angleterre.

— Ou peut-être en Israël, suggéra-t-il.

Elle fit la grimace.

— Ce n'est pas si mal, vous savez, reprit-il.

— J'ai entendu dire qu'il y avait beaucoup de Russes, là-bas.

— Il en arrive tous les jours.

La petite fenêtre au-dessus de la table donnait à voir un MacArthur Boulevard calme et humide. Christopher Keller patientait dans une voiture stationnée à l'extrémité du plan d'eau, avec deux gamins de la sécurité de l'ambassade. Dans un autre véhicule, un agent de liaison du poste attendait que Mikhail lui donne l'ordre de monter récupérer le dispositif de communication du SVR.

Elle avait fini sa vodka et buvait maintenant celle de Mikhail.

— J'ai un cours demain matin.

— Un cours ?

Elle s'expliqua.

— À quelle heure ?

— 10 heures.

— Gardez-moi une place.

Sa remarque lui arracha un sourire.

— Il y a une livraison prévue ?

— Je viens d'en avoir une. Je ne recevrai probablement aucune nouvelle de Rebecca avant une semaine ou deux.

— En fait, vous en aurez bien plus tôt que vous ne le croyez.

— Quand.

— Demain soir, sans doute.

— Et une fois que j'aurai reçu la livraison ?

— *Pouf*, fit Mikhail.

Eva leva son verre.

— À mon dernier service au Bruxelles-Midi. Vous n'imaginez pas les clients que j'ai eus ce soir.

— Bartholomew, groupe de deux, 20 heures.

— Comment le savez-vous ?

Mikhail ramassa l'appareil en métal brossé.

— Peut-être pourriez-vous me montrer comment ça marche.

— C'est très simple, en fait.

Mikhail bascula un des interrupteurs.

— Comme ça ?

— Mais non, idiot. Comme ça.

57

Forest Hills, Washington

Enclave privilégiée au nord-ouest de Washington, Forest Hills déployait ses maisons de style colonial, Tudor et fédéral entre Connecticut Avenue et Rock Creek. La maison de Chesapeake Street ne pouvait cependant rivaliser avec ses imposantes voisines. Bloc anthracite postmoderne perché en haut d'un promontoire feuillu, elle ressemblait davantage à un bunker qu'à une habitation. Les hauts murs de briques et l'immense portail en fer renforçaient son aspect belliqueux.

Le propriétaire de cette horreur architecturale n'était autre que l'État d'Israël, qui y logeait son ambassadeur aux États-Unis. Le dernier malchanceux en date à qui était échu cet honneur avait cependant délaissé sa résidence officielle pour une demeure nichée au cœur d'une prospère communauté de golfeurs du Maryland. Inoccupée, la maison de Chesapeake Street était tombée dans un état de délabrement idéal pour accueillir le poste de commandement avancé d'une importante équipe opérationnelle. C'est dans l'adversité que naît l'esprit de groupe, songea Gabriel.

Pour le meilleur et pour le pire, le vieil édifice en ruine avait été bâti de plain-pied. Un grand salon ouvert en occupait le centre, flanqué d'un côté d'une cuisine et d'une salle à manger, de l'autre des chambres. Gabriel établit ses quartiers dans le confortable bureau. Yossi et Rimona – connus au Bruxelles-Midi sous les noms de Simon et Vanessa Bartholomew – travaillaient sur une table pliante de l'autre côté de la porte, non loin d'Eli Lavon et de Yaakov Rossman. Ilan, l'informaticien geek, s'était ménagé un petit îlot privé à l'autre bout de la pièce. Les murs avaient été recouverts de cartes à grande échelle de Washington et de ses banlieues. Il y avait même un tableau blanc à l'usage exclusif de Gabriel, sur lequel il avait écrit, en beaux caractères hébraïques, le onzième commandement de Shamron : *Ne vous faites pas prendre.*

Gabriel avait suivi les conseils de son mentor en organisant une banale réunion de service pour expliquer la présence de son équipe à Washington. Il n'en avait pas informé les Américains directement, mais il avait fait assez de bruit en passant des coups de fil sur des lignes non sécurisées et en envoyant des e-mails non chiffrés pour qu'ils sachent de quoi il retournait. La NSA et Langley avaient mordu à l'hameçon. D'ailleurs, Adrian Carter, l'indéboulonnable directeur adjoint chargé des opérations, lui avait envoyé un e-mail sitôt qu'il avait atterri à Dulles pour lui proposer d'aller boire un verre. Gabriel lui avait répondu qu'il allait essayer de faire entrer ça dans son planning chargé, mais qu'il n'était pas très optimiste. La réponse sarcastique de Carter – « Qui est l'heureuse élue ? » – faillit le renvoyer dans l'avion aussi sec.

La maison de Chesapeake Street était sous surveillance de la NSA chaque fois qu'un ambassadeur s'y trouvait, aussi Gabriel et son équipe partirent-ils du principe qu'aucune de leurs paroles n'échappait au renseignement américain. Lorsqu'ils étaient à l'intérieur de la maison, ils s'appliquaient à maintenir un niveau de bavardage constant – ce qu'on appelait dans le jargon « parler aux murs » –, mais à n'échanger des informations sur l'opération en cours qu'au moyen de signes, de notes sur le tableau blanc ou de conversations étouffées dans le jardin. L'une d'elles eut lieu peu après 2 heures du matin, quand un agent de liaison se présenta à la résidence avec le matériel de communication du SVR appartenant à Eva Fernandes et les instructions de Mikhail. Gabriel confia l'appareil à Ilan, qui réagit comme si on lui avait remis un exemplaire du *Washington Post* de la veille plutôt que les joyaux de la couronne des services secrets russes.

À 4 heures, Ilan n'était toujours pas parvenu à vaincre le redoutable chiffrement du pare-feu. Gabriel, anxieux comme un père au premier récital de son enfant, finit par décider que son temps serait mieux employé à prendre quelques heures de repos. Il s'allongea sur le canapé du bureau et, bercé par le bruit des branches grattant contre le mur de la bâtisse, sombra dans un sommeil sans rêves. Lorsqu'il se réveilla, le visage blafard d'Ilan flottait au-dessus du sien. Le jeune homme était à l'informatique ce que Mozart était à la musique. Premier langage à cinq ans, premier piratage à huit, première opération secrète contre le programme nucléaire iranien à vingt et un. Il avait travaillé avec les Américains sur un logiciel malveillant ayant pour nom de code « Jeux olympiques », mais que le reste du monde connaissait sous l'appellation Stuxnet. Ilan ne sortait pas beaucoup.

— Il y a un problème ? s'enquit Gabriel.

— Aucun, patron.

— Alors pourquoi as-tu l'air si inquiet ?

— Je ne le suis pas.

— Tu n'as pas craqué le bordel, si ?

— Venez voir.

Gabriel se leva et suivit Ilan jusqu'à son poste de travail, sur lequel trônaient un ordinateur portable, un iPhone et le SRAC du SVR.

— L'illégale russe a dit à Mikhail qu'il avait une portée de trente mètres. En réalité, c'est plutôt trente-trois, je l'ai testé. (Ilan tendit l'iPhone à Gabriel, qui affichait la liste des réseaux sans fil disponibles. L'un d'eux était identifié par une chaîne de caractères aléatoires : JDLCVHJDVODN.) C'est le réseau du Centre.

— Est-ce que quelqu'un d'autre peut le voir ?

— Non. Et on ne peut pas s'y connecter sans le mot de passe approprié. Une forteresse de vingt-sept caractères.

— Comment l'as-tu craqué ?

— C'est impossible à expliquer.

— À un crétin comme moi ?

— Ce qui compte, biaisa Ilan, c'est qu'on peut maintenant ajouter autant d'appareils qu'on veut dans le réseau. (Ilan reprit le téléphone des mains de Gabriel.) Je vais aller dehors. Gardez un œil sur l'écran de l'ordinateur.

Ce que fit Gabriel. Un moment plus tard, le temps qu'Ilan se soit faufilé par le portail en fer au bout de l'allée et ait traversé la rue, huit mots apparurent :

Si elle envoie un message, nous la coincerons.

Gabriel effaça le message et appuya sur quelques touches. Un flux vidéo chiffré s'afficha – une petite maison, pas plus grande qu'un cottage anglais typique, pourvue d'un portique surmonté d'une drôle de façade Tudor. Un lampadaire en fer forgé se dressait au bout de l'allée dallée, à côté duquel se tenait une femme. Gabriel repensa aux mots de son ami Adrian Carter, de la CIA : « Qui est l'heureuse élue ? »

Si tu savais…

58

Tenleytown, Washington

En dépassant la grande maison coloniale au coin de Nebraska Avenue et de la 42ᵉ, elle songea au jour où son père lui avait dévoilé ses projets pour elle. C'était l'été, elle séjournait dans sa petite datcha à l'extérieur de Moscou. Rufina et lui avaient reçu quelques amis proches pour le déjeuner. Youri Modine, son ancien officier traitant du KGB, était là, ainsi que Sasha. Son père avait bu de grandes quantités de vin géorgien et de vodka. Modine avait essayé de suivre son rythme, mais Sasha s'était abstenu. « La vodka, avait-il confié à Rebecca, est la plaie de la Russie. »

En fin d'après-midi, Rebecca, son père, Modine et Sasha avaient réintégré la véranda fermée pour se protéger des moustiques. Quarante ans plus tard, Rebecca se rappelait la scène avec une acuité photographique. Modine était assis en face d'elle, de l'autre côté de la table en bois. Elle avait la tête sur l'épaule de son père. Comme tous ses enfants – et comme la mère de Rebecca –, elle l'adorait. Le contraire était impossible.

« Rebecca, ma ch-ch-chérie, avait-il commencé avec son charmant bégaiement. Nous devons te parler de quelque chose. »

Jusque-là, Rebecca voyait son père comme un journaliste qui vivait dans un étrange pays gris loin de chez elle.

Mais ce jour-là, en présence de Youri Modine et de Sasha, il lui avait révélé la vérité. Il était ce Kim Philby-*là*, le maître espion qui avait trahi son pays et ses semblables. Il n'avait pas agi par cupidité, mais parce qu'il avait foi dans un idéal, parce qu'il pensait que les ouvriers ne devraient pas être utilisés comme des outils, qu'ils devaient posséder leurs propres moyens de production, une formule que Rebecca n'avait pas comprise alors. Il n'avait qu'un seul regret ; avoir dû faire défection avant de parvenir à détruire le capitalisme occidental et l'OTAN gouverné par les Américains.

« Mais c'est toi, mon trésor, qui vas achever ce travail pour moi. Je ne peux te promettre qu'une seule chose : tu ne t'ennuieras jamais. »

Rebecca n'avait pas eu le loisir de refuser la vie que son père avait choisie pour elle, c'était simplement *arrivé*. Sa mère avait épousé un Anglais, Robert Manning, puis le mariage n'avait pas fait long feu, et sa mère était retournée en France, laissant sa fille derrière elle en Angleterre. Les années passant, elle avait de plus en plus de mal à se rappeler les traits de cette femme, mais elle n'oublia jamais le jeu idiot auquel elles s'adonnaient à Paris, à l'époque où elles étaient pauvres comme des souris d'église. *Combien de pas...*

Chaque été, Rebecca se rendait secrètement en URSS pour voir son père et recevoir son endoctrinement politique. Sasha portait un soin extrême à ses déplacements – ferry jusqu'aux Pays-Bas, changement de passeport en Allemagne, puis de nouveau Prague ou Budapest, et enfin le vol Aeroflot pour Moscou. Elle aimait la Russie, même la Russie grise des années Brejnev, et détestait toujours retourner en Angleterre, qui ne valait guère mieux à cette époque. Son accent français s'effaça progressivement, et quand elle rentra à Trinity College, son anglais était parfait. Sasha l'avait encouragée à ne rien cacher du fait qu'elle parlait couramment français. En définitive, ce fut l'un des motifs de son recrutement par le MI6.

À partir de là, il n'y eut plus aucun voyage en URSS, pas le moindre contact avec son père, mais Sasha veillait toujours sur elle, de loin. Le poste de Bruxelles constitua sa première affectation à l'étranger, et c'est là, en 1988, qu'elle apprit la mort de son père. La nouvelle de son décès atteignit tous les postes du MI6 au même moment. Après avoir lu le télégramme, elle s'enferma dans un réduit et versa toutes les larmes de son corps. Un de ses collègues la trouva, un officier avec qui elle avait fait ses classes à Fort Monckton. Un certain Alistair Hughes.

— Bon sang, mais qu'est-ce que tu as ? lui avait-il demandé.

— J'ai eu une mauvaise journée, c'est tout.

— Oh ! je vois… Tes trucs de fille ?

— Va chier, Alistair.

— Tu as entendu la nouvelle ? Cet enfoiré de Philby est mort. Tout le monde boit un coup à la cantine.

Trois ans plus tard, le pays auquel Kim Philby avait consacré sa vie mourut lui aussi. Soudain privés de leur ennemi héréditaire, les services secrets occidentaux se mirent en quête de nouvelles cibles pour justifier leur existence. Rebecca mit à profit ces années floues pour se dédier sans répit à l'avancement de sa carrière. Sur la suggestion de Sasha, elle avait appris l'arabe, ce qui lui avait permis de servir sur la ligne de front de la guerre mondiale contre le terrorisme. Son mandat à la tête du poste d'Amman avait été vu comme un triomphe, qui lui avait valu sa nomination à Washington. Elle n'était plus qu'à un pas de la consécration – celle-là même qui avait échappé à son père. Elle ne se voyait pas comme une traîtresse. L'unique patrie de Rebecca, la seule digne de sa loyauté, c'était Kim Philby.

Ce matin-là, son footing l'emmena jusqu'à Dupont Circle. De retour sur Warren Street, elle passa deux fois devant sa maison sans s'y arrêter. Comme chaque matin de la semaine, elle se rendit à l'ambassade en voiture et démarra une journée de travail qui se révélerait d'un ennui aussi inhabituel que mortel. Rien que pour ça, elle accepta d'aller boire des verres avec Kyle Taylor au J. Gilbert's, un des lieux de prédilection de la CIA à McLean. Directeur du Centre antiterroriste, Taylor était l'un des officiers de Langley les moins discrets. Rebecca ne rentrait jamais d'une entrevue avec lui sans savoir quelque chose dont elle n'aurait pas dû être au courant.

Ce soir-là, Taylor se montra encore plus loquace qu'à l'accoutumée. Un verre se transforma en deux, et il était près de 20 heures quand Rebecca traversa Chain Bridge en direction de Washington. Elle emprunta délibérément un chemin plus long pour regagner Tenleytown et se gara devant chez elle. Warren Street avait beau être déserte, elle éprouva la désagréable sensation d'être épiée. Jetant un regard par-dessus son épaule, elle ne vit rien qui puisse justifier son impression, mais une fois à l'intérieur, elle découvrit des preuves irréfutables que quelqu'un s'était introduit chez elle en son absence. Comme ce manteau Crombie soigneusement posé sur le dossier de la bergère, ou la présence de cet homme assis dans le noir au bout du canapé.

— Bonsoir Rebecca, dit-il calmement en allumant. N'aie pas peur, ce n'est que moi.

59

Warren Street, Washington

Rebecca remplit deux verres droits de glace et de plusieurs mesures de Johnnie Walker Red Label. Elle ajouta au sien un trait d'eau d'Évian, mais pas à l'autre. Boire plus qu'elle ne l'avait déjà fait était la dernière chose dont elle avait besoin, mais la préparation des boissons lui laissa au moins l'opportunité de rassembler ses esprits. Heureusement qu'elle n'était pas armée ; elle aurait très bien pu abattre le directeur général du SIS. Son pistolet, un SIG Sauer 9 mm, se trouvait à l'étage, dans le tiroir supérieur de sa table de nuit. Les Américains étaient au courant, et ils approuvaient qu'elle en ait un pour sa sécurité personnelle, mais il lui était interdit de le porter en public.

— Je commençais à croire que tu avais fui le pays, lança Graham Seymour d'une voix forte depuis la pièce d'à côté.

— Kyle Taylor, expliqua Rebecca.

— Que devient-il ?

— Bavard.

— A-t-il lancé un drone tueur aux trousses de quelqu'un aujourd'hui ?

Rebecca sourit malgré elle. Kyle Taylor était un ambitieux notoire. Il aurait lancé un drone sur sa propre mère s'il pensait que ça pouvait lui assurer un poste au très convoité septième étage de Langley.

Rebecca apporta les deux verres dans le salon et tendit le sien à Seymour. Il la regarda longuement par-dessus la monture de ses lunettes tandis qu'elle allumait une L&B. Elle avait la main qui tremblait.

— Est-ce que tu vas bien ?

— Ça ira mieux dans un instant. Comment es-tu entré ici ?

Seymour agita un double des clés de la maison. Celui qu'elle laissait au poste en cas d'urgence.

— Et ta voiture ? Et ton chauffeur ?

— Au coin de la rue.

Rebecca se réprimanda intérieurement de ne pas avoir fait un tour de pâté de maisons avant de rentrer chez elle. Elle tira une profonde bouffée sur sa cigarette et exhala un nuage de fumée vers le plafond.

— Pardonne-moi de ne pas t'avoir prévenue de mon arrivée en ville et de m'être pointé à l'improviste chez toi. Mais je voulais te parler en privé, loin du poste.

— Ce n'est pas sûr, ici.

Rebecca faillit s'étrangler de l'absurdité de ses mots. Aucun endroit ne l'était, du moment qu'elle se trouvait dans les parages.

Seymour lui tendit son BlackBerry.

— Rends-moi service et mets-le dans un sac de Faraday. Le tien aussi.

Les sacs de Faraday servaient à bloquer tout signal entrant et sortant d'un téléphone, d'une tablette ou d'un ordinateur portable. Rebecca en avait toujours un dans son sac à main. Elle y plaça le BlackBerry de Seymour, ainsi que son propre iPhone, et le remisa dans son réfrigérateur. De retour dans le salon, elle vit Seymour allumer une de ses cigarettes.

— J'espère que ça ne te dérange pas, dit-il, mais je sens que je vais en avoir besoin.

— Ça n'augure rien de bon.

— Non, en effet. J'ai rendez-vous demain à 11 heures avec Morris Payne à Langley. Je vais lui dire que notre gouvernement a obtenu la preuve irréfutable que le SVR est derrière le meurtre d'Alistair Hughes à Berne.

— Tu m'avais dit que c'était un accident.

— Ce n'est pas le cas. Raison pour laquelle demain à midi, notre secrétaire d'État des Affaires étrangères appellera le secrétaire d'État des États-Unis à Foggy Bottom et lui transmettra le même message. De plus, le secrétaire d'État des Affaires étrangères dira au secrétaire d'État des États-Unis que le Royaume-Uni est sur le point de suspendre toute relation diplomatique avec la Russie. Le Premier ministre en informera le Président à 13 heures.

— Il ne va pas bien prendre la nouvelle.

— Ceci est le cadet de nos soucis. Les expulsions vont commencer aussitôt.

— Comment pouvons-nous être si sûrs de l'implication de la Russie dans la mort d'Alistair ?

— Je ne laisserais pas le Premier ministre prendre des mesures si radicales si je ne disposais pas d'informations plus solides que le béton.

— Quelle est la source ?

— Nous avons reçu une assistance sans prix d'un de nos alliés.

— Lequel ?

— Les Israéliens.

— Allon ? fit Rebecca avec une moue sceptique. Je t'en prie, dis-moi que nous n'allons pas nous lancer là-dedans sur la foi de Gabriel Allon.

— Ses informations sont de première main.

— D'où…

— Désolé, Rebecca, mais je crains que…

— Est-ce que je peux voir le dossier avant notre rendez-vous avec Morris ?

— Tu ne m'accompagnes pas à Langley.

— Je suis CP/Washington, Graham. Je dois assister à cette réunion.

— Celle-ci se tiendra entre directeurs. J'irai directement à Dulles depuis Langley. Je voudrais que tu m'y retrouves.

— J'en suis réduite à agiter un mouchoir blanc quand l'avion décollera ?

— En fait, tu embarqueras dans cet avion avec moi.

Le cœur de Rebecca fit un bond dans sa poitrine.

— Pourquoi ?

— Parce que je te veux à mes côtés quand la tempête éclatera. Je pourrai ainsi te former à la gestion d'une situation de crise. (Baissant la voix, il ajouta :) Cela donnera aussi l'occasion aux mandarins de Whitehall de rencontrer la femme que je souhaite voir me succéder à la tête du MI6.

Rebecca en fut frappée de mutisme. Quarante ans de conspiration aboutissaient enfin au résultat dont Sasha et son père avaient rêvé.

Mais c'est toi, mon trésor, qui vas achever ce travail pour moi...

— Quelque chose ne va pas ? demanda Seymour.

— Qu'est-ce qu'on est censé dire, dans un moment pareil ?

— C'est bien ce que tu souhaites, n'est-ce pas, Rebecca ?

— Évidemment. Mais c'est un bien grand costume que je vais devoir endosser. Tu as été un formidable directeur, Graham.

— Tu oublies que Daech a dévasté le West End sous ma responsabilité.

— C'était la faute du MI5, pas la tienne.

Il lui fit un petit sourire contrit.

— J'espère que tu ne m'en voudras pas de te donner quelques conseils de temps à autre.

— Je serais une imbécile de ne pas les accepter.

— Ne perds pas ton temps à livrer des batailles du passé. L'époque où le MI6 et le MI5 avaient le loisir de se tirer du plomb dans les ailes est révolue. Tu apprendras très vite que tu as besoin de Thames House pour couvrir tes arrières.

— Un autre conseil ?

— Je sais que tu ne partages pas mon amitié pour Gabriel Allon, mais tu serais avisée de le garder dans ton arsenal. Dans quelques heures, une nouvelle guerre froide va commencer. Allon connaît les Russes mieux que personne dans le métier. Ses cicatrices sont là pour le prouver.

Rebecca retourna dans la cuisine et récupéra le BlackBerry. Quand elle revint dans le salon, il avait enfilé son manteau et se dirigeait vers la porte.

— À quelle heure veux-tu que je te retrouve à Dulles ? demanda-t-elle en lui tendant son téléphone.

— À midi au plus tard. Et prévois de quoi séjourner à Londres pendant au moins une semaine.

Il glissa son téléphone dans la poche de son manteau et s'engagea sur les dalles de l'allée.

— Graham, le rappela-t-elle depuis le portique.

Seymour s'arrêta au niveau du lampadaire éteint et se retourna.

— Merci, dit-elle.

Il fronça les sourcils, perplexe.

— Pour quoi ?

— De m'avoir fait confiance.

— Je pourrais te retourner le compliment, répondit Seymour avant de disparaître dans la nuit.

Sa voiture était stationnée sur la 55e. Seymour se glissa sur la banquette arrière. À travers une percée entre les arbres, il discernait la maison de Rebecca au loin, ainsi que le lampadaire éteint au bout de l'allée.

— Nous retournons à la résidence de l'ambassadeur, monsieur ?

Seymour comptait y passer la nuit.

— Oui, mais j'ai besoin de passer un coup de fil, avant cela. Cela vous dérangerait-il d'aller faire le tour du pâté de maisons une bonne centaine de fois ?

Le chauffeur descendit. Seymour commença à composer le numéro d'Helen, mais il se ravisa ; il était minuit passé à Londres, et il ne voulait pas la réveiller. De plus, il doutait que Rebecca le fasse attendre longtemps. Pas après ce qu'il venait de lui dire à propos des relations diplomatiques britannico-russes. Il lui restait peu de temps pour prévenir ses supérieurs à Moscou.

Le BlackBerry de Seymour vibra. C'était un texto de Nigel Whitecombe, resté à Londres – des broutilles pour laisser croire à Vauxhall Cross que tout était normal. Seymour tapa une réponse et appuya sur ENVOYER. Quand il releva les yeux, le lampadaire en fer forgé au bout de l'allée de Rebecca Manning brillait de mille feux.

Seymour composa un numéro et porta le combiné à son oreille.

— Est-ce que tu vois ce que je vois ?

— Je le vois, répondit la voix à l'autre bout du fil.

— Garde-la à l'œil.

— Ne t'inquiète pas, je ne la lâche pas d'une semelle.

Seymour raccrocha et contempla la lueur. Demain ne serait qu'une simple formalité, se dit-il, rien de plus qu'une signature au bas d'un document attestant de sa trahison. Rebecca et la taupe ne faisaient qu'une. Elle était l'avatar de Philby, sa vengeance personnifiée. La vérité était écrite sur son visage. C'était la seule chose qu'il avait été incapable de dissimuler.

« Je m'appelle Kim. Et vous ? »

Graham, songea-t-il. *C'est moi qui lui ai donné ton ancien poste. Je suis ta dernière victime.*

60

Les Palissades, Washington

À 23 h 25, Eva Fernandes ferma le Bruxelles-Midi. Sa voiture était garée quelques numéros plus loin sur MacArthur Boulevard, devant un petit bureau de poste. Elle s'installa derrière le volant, démarra le moteur et s'inséra dans la circulation. L'homme qu'elle connaissait sous le nom d'Alex – le grand pâle, celui qui parlait couramment russe et qui l'avait suivie toute la journée – se tenait au coin de Dana Place, devant un restaurant grill afghan. Un sac à dos pendait à son épaule. Il se laissa tomber sur le siège passager et lui fit signe du menton de reprendre sa route.

— Comment s'est passée la soirée ? demanda-t-il.

— Mieux que la précédente.

— Un appel du Centre ?

Elle leva les yeux au ciel.

— C'est vous qui avez mon téléphone.

Il le sortit de son sac à dos.

— Vous avez compris ce qui se passera si quelque chose tourne mal demain, n'est-ce pas ?

— Vous m'en attribuerez la responsabilité.

— Et vous savez ce qu'il en résulterait ?

Elle posa l'index à l'arrière de son cou.

— Ça, c'est ce que le SVR vous ferait, pas nous. (Il

tendit le téléphone.) Est-ce que ce truc s'arrête parfois de vibrer ?

— Je suis très populaire.

Il fit défiler les notifications.

— Qui sont tous ces gens ?

— Des amis, des élèves, des amants… (Elle haussa les épaules.) La routine.

— Est-ce que l'un d'entre eux sait que vous êtes une espionne russe ? (Devant le mutisme de son interlocutrice, il changea de sujet.) Apparemment, une lampe brille à l'extérieur d'une maison sur Warren Street. Rappelez-moi ce qui doit se passer maintenant.

— Encore ?

— Encore.

— Quelqu'un de la *rezidentura* passe devant la maison en voiture tous les soirs à 23 heures. Si le lampadaire est allumé, il prévient le Centre, qui à son tour me prévient.

— Comment ?

Elle poussa un soupir exaspéré.

— Par e-mail. En clair. Rien d'extraordinaire.

— Demain, c'est jeudi.

— Sans blague ?

— Un jeudi impair, précisa Mikhail.

— Parfait.

— Où la transmission aura-t-elle lieu ?

— Les jeudis impairs, ça se passe au Starbucks de Wisconsin Avenue, dit-elle d'une voix qui aurait pu s'adresser à un enfant de six ans.

— Quel Starbucks ? Il y en a plusieurs sur Wisconsin.

— On en a déjà parlé cent fois.

— Et on continuera de le faire tant que je ne serai pas convaincu que vous ne mentez pas.

— Le premier Starbucks au nord de Georgetown.

— Quelle est la fenêtre de transmission ?

— Entre 8 heures et 8 h 15.

— Vous aviez dit entre 8 h 15 et 8 h 30.

— Je n'ai *jamais* dit ça.

— Où êtes-vous censée attendre ?

— Dans la salle à l'étage.

Elle suivit MacArthur Boulevard le long du plan d'eau, qu'une lune basse éclairait. Il y avait une place disponible au pied de son immeuble. L'homme qu'elle connaissait sous le nom d'Alex lui ordonna de s'y garer.

— Je me mets plus loin habituellement, pour vérifier si l'immeuble n'est pas sous surveillance.

— Il l'est. (Il tendit la main par-dessus la console et coupa le contact.) Sortez.

Il l'accompagna jusqu'à la porte, le sac à dos à l'épaule, son téléphone à la main, et l'embrassa dans le cou alors qu'elle tapait le code.

— Si vous n'arrêtez pas tout de suite, murmura-t-elle, je vous casse le pied. Puis le nez.

— Croyez-moi, Eva, je ne fais ça que pour donner le change aux voisins.

— Mes voisins me voient comme une fille respectable qui ne ramènerait jamais quelqu'un comme vous chez elle.

Le verrou s'ouvrit dans un claquement. Eva le conduisit jusqu'à son appartement. Elle alla directement récupérer la bouteille de vodka dans le freezer. L'homme qu'elle connaissait sous le nom d'Alex sortit le SRAC du SVR de son sac à dos et le posa sur la table de la cuisine. Il plaça le téléphone d'Eva juste à côté.

— Vos amis ont réussi à entrer dans le pare-feu ?

— Assez rapidement. (Il lui tendit le téléphone.) Est-ce qu'un de ces messages vient du Centre ?

Eva fit défiler la longue liste de notifications d'une main, tandis que, de l'autre, elle tenait son verre.

— Celui-ci. Eduardo Santos. En clair. Rien d'extraordinaire.

— Êtes-vous censée répondre ?

— Ils doivent probablement se demander pourquoi je ne l'ai pas encore fait.

— Alors vous devriez le faire.

Elle tapa adroitement le message du pouce.

— Faites-moi voir.

— C'est en portugais.

— Dois-je vous rappeler que…

— Inutile.

Elle appuya sur l'icône ENVOYER et s'assit à la table.

— Et maintenant ? interrogea-t-elle.

— Vous allez finir votre verre et dormir quelques heures. Quant à moi, je vais rester assis ici à surveiller la rue.

— Encore ? C'est déjà ce que vous avez fait la nuit dernière.

— Finissez votre verre, Eva.

Elle s'exécuta. Puis le remplit à nouveau.

— Ça m'aide à dormir, expliqua-t-elle.

— Essayez la tisane à la camomille.

— La vodka, c'est meilleur. (Comme pour prouver ses dires, elle engloutit la moitié du verre d'un seul trait.) Votre russe est parfait. Je suppose que vous ne l'avez pas appris dans un cours de langue ?

— Je l'ai appris à Moscou.

— Vos parents étaient membres du Parti ?

— Pas vraiment, non. Quand le rideau est tombé, ils ont filé en Israël aussi vite qu'ils ont pu.

— Vous avez une copine, là-bas ?

— Une chouette fille.

— Dommage. Qu'est-ce qu'elle fait ?

— Elle est médecin.

— C'est vrai ?

— En grande partie.

— J'ai voulu être médecin à une époque. (Elle regarda une voiture passer dans la rue.) Savez-vous ce qui m'arrivera si quelque chose ne se passe pas comme prévu ?

— Je sais exactement ce qui vous arrivera.

— *Poof*, dit-elle, et elle se remplit un autre verre.

61

Quartier général du SVR, Iassenevo

Au même moment, au quartier général du SVR à Iassenevo, un homme que l'on connaissait seulement sous le pseudonyme de Sasha était éveillé, lui aussi. Avec le décalage horaire, il était 8 heures passées de quelques minutes. Mais parce que c'était la Russie, et parce que c'était l'hiver, le ciel par-delà les fenêtres couvertes de givre de sa datcha privée était toujours plongé dans l'obscurité. L'homme, qui se fichait de la couleur du ciel, n'avait d'yeux que pour la feuille de mauvais papier arrivée une heure plus tôt de la salle de codage du bâtiment principal.

Il s'agissait de la copie d'un télégramme urgent en provenance de la *rezidentura* de Washington – en fait, du *rezident* lui-même – déclarant que la taupe avait l'intention de transmettre un nouveau faisceau d'informations plus tard dans la matinée. Le *rezident* y voyait là des nouvelles encourageantes, ce qui n'était guère surprenant : il baignait dans le firmament de la taupe, et chaque nouvelle livraison réussie faisait grimper son étoile. Sasha ne partageait cependant pas l'enthousiasme du *rezident*. Le timing l'inquiétait ; pourquoi si tôt ? La taupe avait peut-être découvert un renseignement crucial qu'il lui fallait transmettre au plus vite, mais de tels événements étaient rares.

Sasha posa le document sur son bureau, à côté du rapport

qu'il avait reçu le soir précédent. Les médecins légistes du SVR avaient procédé à une analyse préliminaire du corps gravement brûlé que leur avaient remis les autorités françaises à l'aéroport de Strasbourg. Ils n'avaient pas encore été capables de déterminer s'il s'agissait de celui de Sergueï Morosov. Peut-être que oui, peut-être que non, disaient les scientifiques. Sasha trouvait pour le moins suspect que l'accident soit survenu précisément maintenant. En tant qu'officier du SVR, et du KGB avant cela, il ne croyait guère aux coïncidences. Pas plus qu'il ne croyait à la mort de Sergueï Morosov, l'homme à qui il avait confié certains de ses plus précieux secrets.

Mais y avait-il un lien entre sa prétendue mort et le télégramme de Washington ? Le temps était-il venu de rappeler la taupe ?

Sasha avait été à deux doigts d'ordonner son exfiltration quand Gribkov s'était rapproché du MI6 pour négocier sa défection. Heureusement, les Britanniques avaient tergiversé, lui laissant le temps de rapatrier le traître à Moscou pour arrestation, interrogatoire et, au bout du compte, *vuyschaïa miera*. Le prisonnier avait été exécuté au sous-sol de la prison de Lefortovo, dans une pièce à laquelle on accédait par un couloir obscur. C'est Sasha qui lui avait porté le coup fatal, sans une once de pitié ou de sensiblerie. À une certaine époque, il s'était sali les mains plus souvent qu'à son tour.

Une fois Gribkov mort et enterré dans une tombe anonyme, Sasha s'était consacré à réparer les dégâts. L'opération s'était déroulée exactement comme il l'avait prévu, à une erreur de calcul près. La même erreur qu'avaient commise ses prédécesseurs.

Gabriel Allon...

Ce n'était peut-être que de la paranoïa, un mal touchant tous les vieux espions qui restaient trop longtemps dans la partie. Depuis plus de trente ans – plus que son père –, la taupe avait opéré en sous-marin au sein du MI6. Guidée par la main invisible de Sasha, elle avait gravi avec régularité la hiérarchie, jusqu'à devenir CP/Washington, une position de pouvoir qui lui permettait de pénétrer également la CIA, comme son père avant elle.

Le succès était maintenant à sa portée. À la portée de Sasha. Si elle devenait directrice générale du SIS, elle serait en capacité de saper l'Alliance atlantique sans l'aide de personne, laissant à la Russie toute latitude pour poursuivre ses objectifs dans les pays baltes, l'Europe de l'Est et le Proche-Orient. Ce serait le plus grand succès de tous les temps pour un service de renseignement. Plus grand encore que celui de Kim Philby.

Pour cette raison, Sasha coupa la poire en deux. Il rédigea un message manuscrit et appela un coursier pour le porter de sa datcha à la salle de codage. À 10 h 15, heure de Moscou – 2 h 15 à Washington –, le coursier revint avec une note confirmant la bonne réception du message.

Il n'y avait rien d'autre à faire qu'attendre. Dans six heures, il aurait sa réponse. Il souleva la couverture d'un vieux dossier. Il contenait un rapport écrit par Philby en mars 1973, après qu'il eut regagné les faveurs du Centre. Il évoquait une jeune Française qu'il avait connue à Beyrouth, et un enfant. Philby ne disait pas clairement si ce dernier était de lui, mais le sous-entendu était clair. « Je suis enclin à penser qu'elle pourrait nous être utile, écrivait-il, car elle a la trahison dans le sang. »

62

Forest Hills, Washington

Celui sur qui portaient les soupçons de Sasha attendait lui aussi. Non pas dans une datcha privée, mais dans une maison délabrée au nord-ouest de Washington. À cette heure tardive, il était allongé sur le canapé du bureau. Il avait consacré les deux heures précédentes à la dissection de son plan de bataille, traquant la moindre imperfection, le plus petit faux raccord susceptible de faire s'écrouler autour d'eux l'édifice tout entier. N'en ayant trouvé aucun, à l'exception d'une inquiétude persistante quant à la loyauté d'Eva Fernandes, ses pensées s'étaient tournées, comme souvent dans ce genre de circonstances, vers une forêt de bouleaux située à deux cent six kilomètres à l'est de Moscou.

C'est le petit matin, un ciel de cendre déverse une neige épaisse. Il se tient au bord d'une fosse, une balafre dans la chair de la mère Russie. À son côté, Chiara frissonne de froid et de peur. Mikhail Abramov et un certain Grigori Bulganov se trouvent un peu plus loin. Et devant eux, agitant un pistolet et criant des ordres pour se faire entendre dans le bruit assourdissant des hélicoptères en approche, Ivan Kharkov.

« Regarde ta femme mourir, Allon… »

Les yeux de Gabriel s'ouvrirent brusquement au souvenir du premier coup de feu. Cet événement avait sonné le coup d'envoi de sa vendetta contre le Kremlin. Il y avait eu des escarmouches avant ça, des rounds préliminaires, mais les hostilités avaient officiellement commencé ce matin-là, dans l'oblast de Vladimir. C'est là que Gabriel avait compris que la nouvelle Russie ne différait en rien de l'ancienne. C'est là que sa guerre froide contre le Kremlin était devenue brûlante.

Depuis lors, ils s'étaient affrontés sur de nombreux champs de bataille secrets : au cœur de la Russie, sur Brompton Road à Londres, sur les falaises de la Cornouailles, et même dans les vertes collines d'Irlande du Nord. Leur guerre s'était désormais déportée à Washington. Dans quelques heures, quand Rebecca Manning transmettrait son rapport – dont Gabriel avait écrit chaque mot –, tout serait terminé. Il avait déjà remporté la partie. Il avait démasqué la taupe russe enfouie au cœur du SIS, l'enfant de Kim Philby. Tout ce dont il avait encore besoin, c'était la preuve de sa duplicité, un dernier coup de pinceau, la touche finale à son grand œuvre.

C'est cette pensée, la perspective enivrante d'une victoire définitive sur sa plus implacable Némésis, qui tint Gabriel éveillé tout au long de cette dernière nuit. À cinq heures et demie, il se leva, se doucha, se rasa consciencieusement et s'habilla. Jean délavé, pull en laine et veste en cuir : l'uniforme d'un chef opérationnel.

Dans le salon, il trouva trois membres de sa légendaire équipe – Yaakov Rossman, Yossi Gavish et Rimona Stern – rassemblés nerveusement autour d'une table sur tréteaux. Ils ne parlaient pas aux murs, mais l'un à l'autre, à voix basse, chacun concentré sur son ordinateur portable. L'écran de l'un d'eux affichait, dans un plan fixe, une petite maison, pas plus grande qu'un cottage anglais typique, pourvue d'un portique surmonté d'une drôle de façade Tudor. Un lampadaire en fer forgé brillait au bout de l'allée dallée, ainsi qu'une lumière à la fenêtre de la chambre, au premier étage.

Il était 6 h 05 ; la taupe était sortie de son terrier.

63

Warren Street, Washington

Rebecca feuilleta les journaux londoniens sur son iPhone en buvant son café et en fumant ses deux premières L&B du matin. Apparemment, le plan de Lancaster, visant à suspendre toute relation diplomatique avec le Kremlin, n'avait pas fuité. Il n'y avait pas davantage de traces de la crise imminente dans le trafic non classé de son BlackBerry professionnel. L'information semblait confinée au Premier ministre et à sa garde rapprochée, au secrétaire d'État des Affaires étrangères et à Graham. Et à Gabriel Allon, bien sûr. Rebecca n'était pas rassurée par l'implication de ce dernier dans cette affaire. Mais pour l'instant, elle était à peu près certaine de ne pas avoir été démasquée. Graham ne l'aurait pas incluse dans la liste de diffusion s'il l'avait soupçonnée de trahison.

Grâce à Rebecca, le Centre et le Kremlin ne seraient pas totalement pris au dépourvu par la nouvelle. Après le départ de Graham, elle avait composé un rapport détaillé sur les projets de la Grande-Bretagne et l'avait chargé sur son iPhone, dans lequel il resterait caché à l'intérieur d'une application de messagerie instantanée, inaccessible à quiconque ne disposant pas d'un SRAC du SVR. Le message contenait une phrase code d'urgence ordonnant à son agent de liaison – la belle illégale qui se faisait passer pour une Brésilienne – de transmettre le matériel directement à la *rezidentura* de Washington. C'était risqué, mais indispensable. Si elle passait par les canaux habituels, le message n'arriverait à Moscou que plusieurs jours plus tard et serait obsolète.

Rebecca passa en revue les journaux américains en sirotant une deuxième tasse de café, et monta se laver et s'habiller à 6 h 30. Il n'y aurait pas de jogging matinal aujourd'hui, pas alors que ses deux mondes étaient sur le point de basculer dans une crise sans précédent. Elle envisagea de faire une brève apparition au poste une fois qu'elle aurait livré ses informations au Starbucks de Wisconsin Avenue. Avec un peu de chance, elle croiserait Graham avant son rendez-vous avec Morris Payne, le directeur de la CIA. Cela lui laisserait une dernière chance de le convaincre de l'emmener à Langley. Rebecca voulait entendre de ses propres oreilles ce que le MI6 devait à Gabriel Allon.

À 7 heures, elle était habillée. Elle rangea ses deux téléphones dans son sac et se mit en quête de son passeport, qu'elle trouva dans le tiroir supérieur de sa table de chevet, avec le SIG Sauer et un magasin chargé de munitions de 9 mm. Par réflexe, elle ramassa les trois objets et les fourra dans son sac à main. De retour au rez-de-chaussée, elle éteignit le lampadaire et sortit.

64

Yuma Street, Washington

Il y avait beaucoup de choses que Rebecca Manning ignorait, ce matin-là, comme le fait que sa maison était surveillée par une caméra miniature dissimulée dans le jardin public d'en face, et que, durant la nuit, une balise de repérage avait été collée sous sa voiture, une Honda Civic bleu-gris munie de plaques diplomatiques.

La caméra enregistra son départ et la balise suivit sa progression vers l'ouest à travers le quartier résidentiel de Tenleytown. Yaakov Rossman relaya l'information au moyen de textos chiffrés à un Eli Lavon affalé sur le siège passager d'une Nissan de location garée sur Yuma Street. Christopher Keller était au volant. L'un et l'autre avaient suivi certains des hommes les plus dangereux de la planète. Une taupe russe dans une voiture pourvue d'une balise de repérage semblait indigne de leur talent.

— Elle vient de tourner sur Massachusetts Avenue, déclara Lavon.

— Dans quelle direction ?

— Toujours vers l'ouest.

Keller quitta sa place de stationnement et prit la même direction. Yuma Street croisait Massachusetts Avenue selon un angle de plus ou moins quarante-cinq degrés. Keller s'arrêta au stop pour laisser passer une voiture, une

Honda Civic bleu-gris munie de plaques diplomatiques et conduite par la cheffe de poste du MI6 à Washington.

— Ça alors, ironisa Keller en laissant passer deux voitures de plus avant de s'engager dans l'avenue à sa suite.

— Fais attention, dit Lavon. Elle est bonne.

— Oui, répondit tranquillement Keller. Mais je suis meilleur.

65

Ambassade britannique, Washington

Après être rentré au complexe de l'ambassade britannique la veille au soir, Graham Seymour avait informé le responsable du parc automobile qu'il aurait besoin d'une voiture et d'un chauffeur pour la matinée. Il se rendrait en premier lieu, avait-il annoncé, à l'hôtel Four Seasons à Georgetown pour un petit déjeuner privé. De là, il gagnerait le quartier général de la CIA à Langley, puis il rejoindrait le proche aéroport international de Washington-Dulles, où son avion personnel l'attendait. En rupture avec le protocole, cependant, il avait prévenu le chef de la sécurité qu'il se passerait de protection rapprochée.

Le chef de la sécurité avait d'abord protesté, avant d'accéder à la demande de Seymour. La voiture l'attendait, comme prévu, à 7 heures, devant la résidence de l'ambassadeur sur Observatory Circle. Une fois à l'intérieur du véhicule, Seymour notifia au chauffeur un léger changement de programme et l'avisa qu'il ne devait sous aucun prétexte en informer le responsable du parc automobile ou le chef de la sécurité.

— En fait, l'avertit Seymour, si le moindre mot à ce sujet sort de votre bouche, je vous fais enfermer dans la Tour, flageller ou autre châtiment dans le même ordre d'idées.

— Où allons-nous, alors ?

Seymour lui donna l'adresse, et le chauffeur, qui était nouveau à Washington, l'entra dans son GPS. Ils suivirent Observatory Circle jusqu'à Massachusetts Avenue, puis bifurquèrent vers le nord sur Reno Road à travers Cleveland Park. Arrivés à Brandywine Street, ils prirent à droite. À Linnean Avenue, à gauche.

— Êtes-vous sûr d'avoir entré la bonne adresse ? s'enquit Seymour quand la voiture fut arrêtée.

— Qui vit ici ?

— Vous ne me croiriez pas.

Seymour descendit du véhicule et s'avança vers le portail en fer, qui s'ouvrit à son approche. Une volée de marches raides l'amena à la porte d'entrée, où une femme aux cheveux couleur sable et aux larges hanches l'attendait. Seymour reconnut Rimona Stern, directrice de la division du Bureau appelée Collectes.

— Ne restez donc pas planté là, aboya-t-elle. Entrez.

Seymour la suivit dans une vaste pièce à vivre, où Gabriel et deux de ses officiers supérieurs – Yaakov Rossman et Yossi Gavish – étaient rassemblés autour d'une table pliante montée sur des tréteaux, penchés sur des ordinateurs portables. Sur le mur derrière eux se déployait une grande tache de moisi qui ressemblait vaguement à la carte du Groenland.

— C'est vraiment là que vit votre ambassadeur ? demanda Seymour.

Gabriel ne répondit pas, absorbé par le message qui venait d'apparaître sur son écran. Il rapportait qu'Eva Fernandes et Mikhail Abramov quittaient l'immeuble de MacArthur Boulevard. Seymour ôta son manteau Crombie et le posa à contrecœur sur le dossier d'une chaise. Il sortit son BlackBerry de sa poche et consulta l'écran. Il était 7 h 12.

66

Burleith, Washington

Le trafic avait déjà viré au cauchemar, surtout sur Reservoir Road, qui s'étirait de Foxhall à la limite nord de Georgetown. C'était un axe emprunté par les banlieusards du Maryland, d'ouest en est le matin, d'est en ouest le soir, que la présence du Centre médical de l'université de Georgetown et un soleil aveuglant rendaient encore plus pénible. Eva Fernandes avait beau être une illégale, elle n'en était pas moins une conductrice avisée qui connaissait Washington et ses raccourcis comme sa poche. Elle avait revêtu sa tenue habituelle du matin – legging, baskets vert fluo et sweat moulant à fermeture Éclair assorti. Après deux nuits consécutives sans sommeil, Mikhail passait pour son petit ami perturbé, celui qui préférait la picole et les drogues au travail.

— Et moi qui disais que ça ne roulait pas à Moscou, dit-il à mi-voix.

Eva tourna à droite dans la 37ᵉ et se dirigea vers le nord à travers Burleith, un quartier populaire de petites maisons mitoyennes habitées par des étudiants et des jeunes actifs. Et par des espions russes, songea Mikhail. Aldrich Ames traçait une marque à la craie sur une boîte aux lettres de T Street quand il voulait livrer les secrets de la CIA à son officier traitant du KGB. La boîte aux lettres en question, l'originale, se trouvait dans un musée du centre-ville. Celle que vit passer Mikhail par sa vitre en était une copie.

— Rappelez-moi ce qui va se passer une fois que vous m'aurez déposé, dit-il.

En guise de protestation, Eva se contenta de soupirer bruyamment. Ils avaient revu le plan de A à Z autour de la table de la cuisine. Et maintenant, quelques minutes avant la transmission programmée, ils allaient tout repasser en revue, que cela soit nécessaire ou non.

— Je continue jusqu'au Starbucks, récita-t-elle machinalement.

— Et que se passera-t-il si vous essayez de vous enfuir ?

— FBI. Prison.

— Vous commandez votre *latte*, poursuivit Mikhail d'une voix professionnelle, et vous l'emportez dans la salle à l'étage. Ne croisez le regard d'aucun autre client. Et quoi que vous fassiez, n'oubliez pas d'allumer le récepteur. Quand Rebecca transmettra, cela nous transférera automatiquement son rapport.

Eva bifurqua sur Whitehaven Parkway.

— Que dois-je faire si elle se dégonfle ? Ou si elle ne transmet pas ?

— Vous ne changez rien. Vous attendez à votre place jusqu'à ce que vous ayez de mes nouvelles. Puis vous regagnez votre voiture et vous démarrez le moteur. Je vous rejoindrai, et alors…

— *Pouf*, dit-elle.

Eva s'arrêta le long du trottoir au coin de la 35e. Mikhail ouvrit la portière et posa un pied dans le caniveau.

— N'oubliez pas d'allumer le récepteur. Et quoi que vous fassiez, ne quittez pas le café avant que je vous en donne l'ordre.

— Que se passera-t-il si elle ne transmet pas ? redemanda Eva.

Mikhail sortit de la voiture sans répondre et referma la portière. Un instant plus tard, la Kia démarrait en trombe et tournait dans Wisconsin Avenue. *Jusqu'ici, tout va bien*, se dit Mikhail avant de se mettre en route.

67

Wisconsin Avenue, Washington

Il manquait une certaine iconographie pour épouser en tout point l'image d'Épinal de l'espionnage du temps de la guerre froide. Il n'y avait ni murs ni checkpoints, ni miradors ni projecteurs. Juste un café d'une chaîne à l'omniprésente enseigne verte et blanche. Elle était située sur la portion ouest de Wisconsin Avenue, au bout d'une rangée de petits commerces – une clinique vétérinaire, un salon de coiffure, un tailleur sur mesure, un cordonnier, un toiletteur pour animaux et l'un des meilleurs restaurants français de Washington.

Seul le café avait son propre parking. Eva tourna pendant deux longues minutes avant qu'une place ne se libère. À l'intérieur, la queue s'étirait de la caisse presque jusqu'à la porte. Peu importait ; elle avait beaucoup de temps devant elle.

Ignorant les instructions de l'homme qu'elle connaissait sous le nom d'Alex, elle balaya le café du regard. Il y avait neuf personnes devant elle – des banlieusards nerveux en chemin pour leur bureau en centre-ville, deux habitués du quartier vêtus de sweat-shirts et trois enfants affublés de la cravate rayée de la British International School, située sur le trottoir d'en face. Cinq ou six clients attendaient leur consommation à l'autre bout du comptoir en L, et quatre autres lisaient le *Washington Post* ou le *Politico* à une table commune. Aucun d'eux ne ressemblait à un agent du FBI, des services secrets israéliens ou britanniques, ou plus important, de la *rezidentura* de Washington.

Il y avait d'autres tables au fond du café, derrière une vitrine contenant des pâtisseries et des sandwichs qu'on aurait crus en plastique. Elles étaient toutes occupées sauf deux. Un jeune homme au teint blafard vêtu d'un pull de l'université de Georgetown y était assis, penché sur son ordinateur portable. Il ressemblait en tout point à un squatteur de Wi-Fi, ce qui était exactement le cas. Eva croyait bien avoir identifié le technicien israélien qui avait réussi à s'introduire dans le pare-feu inviolable du SVR.

Il était 7 h 40 quand elle passa enfin commande. Le serveur chanta *Let's Stay Together* d'Al Green, plutôt pas mal, tout en préparant son *grande latte*, qu'elle sucra généreusement avant de se frayer un chemin jusqu'à la salle à l'arrière. Le gamin au pull Georgetown fut le seul mâle à ne pas lever les yeux au passage d'Eva dans ses habits moulants, confirmant ainsi les soupçons de la jeune femme.

L'escalier menant à l'étage supérieur se trouvait au fond de la salle, sur la gauche. Seul un homme entre deux âges vêtu d'un chino et d'un pull ras de cou, noircissant frénétiquement les pages d'un bloc-notes jaune, y était présent. Il était assis près de la balustrade donnant sur l'avant du café. Eva prit place à l'arrière, près d'une porte qui ouvrait sur une terrasse inoccupée. L'interrupteur du récepteur du SVR produisit, lorsqu'elle l'actionna, un clic étouffé mais suffisamment sonore pour que l'homme lève les yeux et fronce les sourcils avant de se replonger dans sa tâche.

Eva sortit son téléphone de son sac à main et consulta l'heure : 7 h 46. La fenêtre de transmission s'ouvrirait dans quatorze minutes. Quinze minutes plus tard, elle se refermerait, et si tout se déroulait selon le plan établi, la taupe de Sasha serait démasquée. Eva n'en concevait aucune culpabilité, seulement de la peur – la peur de ce qui se passerait si le SVR mettait la main sur elle et la ramenait en Russie. Une pièce aveugle au bout d'un couloir obscur au sous-sol de la prison de Lefortovo, un homme sans visage.

Pouf...

Elle regarda l'heure à nouveau : 7 h 49. *Dépêche-toi*, songea-t-elle. *Je t'en supplie, dépêche-toi.*

68

Wisconsin Avenue, Washington

Sur le trottoir d'en face, une centaine de mètres plus au nord, se trouvait un Safeway haut de gamme conçu pour la clientèle sophistiquée de Georgetown. Il disposait de deux parkings : l'un, souterrain, dont la porte donnait sur la rue, et l'autre, extérieur, à l'arrière du supermarché, qui avait les faveurs de Rebecca Manning. Elle remonta lentement la rampe d'accès sans lâcher le rétroviseur des yeux. Elle avait failli annuler la livraison à deux reprises par peur d'être suivie par le FBI, mais elle jugeait à présent ses craintes infondées.

Rebecca se gara dans le coin le plus éloigné du parking, mit son sac à main à l'épaule et gagna l'entrée arrière du supermarché. Les paniers se trouvaient près de l'ascenseur qui menait au parking souterrain. Rebecca en prit un sur la pile et l'emporta à l'intérieur du magasin, dont elle arpenta les longues allées pour s'assurer qu'elle n'était pas suivie.

Elle reposa son panier aux caisses automatiques et descendit le grand escalier jusqu'à l'entrée principale sur Wisconsin Avenue. Le trafic de l'heure de pointe encombrait la voie descendant vers le cœur de Georgetown. Rebecca attendit que le feu passe au rouge pour traverser, puis elle obliqua vers le sud et se prépara mentalement à la livraison tandis qu'elle passait devant un restaurant turc pour l'heure fermé.

Quarante-sept pas séparaient ledit restaurant de l'entrée du Starbucks, qui était flanquée d'un SDF vêtu de haillons. En d'autres circonstances, Rebecca lui aurait donné de l'argent, comme le faisait sa mère, qui n'avait jamais manqué de tendre quelques pièces aux mendiants de Paris alors qu'elle était à peine moins pauvre qu'eux. Ce matin-là, cependant, elle n'eut que sa culpabilité à lui offrir avant d'entrer dans le café sans un regard pour lui.

Huit personnes attendaient à la caisse. Des avocats lobbyistes à l'air angoissé, deux futurs officiers du MI6 de la British International School, un homme de haute taille à la peau exsangue et aux yeux très clairs qui paraissait ne pas avoir dormi depuis une semaine. Le serveur chantait *A Change Is Gonna Come*. Rebecca consulta sa montre :

7 H 49.

Christopher Keller et Eli Lavon ne s'étaient pas donné la peine de suivre Rebecca Manning jusqu'au parking du Safeway. Au lieu de ça, ils s'étaient garés sur la 34ᵉ, devant la Hardy Middle School, qui leur offrait un point de vue privilégié sur le Starbucks, dans lequel ils la virent arriver. Eli Lavon envoya l'information au poste de commandement de Chesapeake Street – ce qui se révéla inutile, car Gabriel et le reste de l'équipe suivaient les événements en direct à travers la caméra du téléphone d'Ilan. À l'exception de Graham Seymour, qui était sorti dans le jardin pour prendre un appel de Vauxhall Cross.

Il était 7 h 54 quand Seymour réintégra la maison. Rebecca Manning était en train de passer commande. Seymour lut sur ses lèvres et traduisit à voix haute :

— Un double express, torréfaction brune. Rien à manger, merci.

Quand le jeune homme se détourna pour préparer

la commande de Rebecca, elle inséra sa carte de crédit dans le lecteur, confirmant par là même sa présence dans l'établissement à l'heure de la transmission.

— Vous voulez un reçu ? lut Gabriel à son tour.

— Oui, s'il vous plaît, répondit Seymour.

Quelques secondes plus tard, le jeune homme lui tendit un ticket et son café.

Gabriel regarda l'horloge digitale qui trônait au milieu de la table à tréteaux :

7 H 56 MIN 14 S...

La fenêtre de transmission allait bientôt s'ouvrir.

— Tu en as vu assez ? demanda-t-il.

— Non, fit Seymour, les yeux sur l'écran. Laissons-la aller au bout.

69

Wisconsin Avenue, Washington

Il y avait une place disponible à la table commune, la plus proche de la porte, qui offrait à Rebecca une vue dégagée à la fois sur la rue et sur la salle à l'arrière du café. L'homme qui s'était trouvé devant elle dans la queue, l'échalas à la peau et aux yeux clairs, s'était installé à l'autre bout de la salle, dos à Rebecca. Deux tables plus loin, un jeune homme aux allures d'étudiant de troisième cycle était penché sur son ordinateur portable, tout comme quatre autres clients. Les trois voisins de Rebecca à la table commune n'avaient pas cédé aux sirènes de la révolution numérique et préféraient consommer leur information sous forme imprimée. C'était également le cas de Rebecca. Elle avait passé certaines des heures les plus heureuses de son enfance extraordinaire dans la bibliothèque de l'appartement de son père, à Moscou. Son immense collection comptait les quatre mille volumes qu'il avait hérités de son camarade de Cambridge, Guy Burgess. Rebecca se souvenait de leur épouvantable odeur de tabac. Elle avait sans doute fumé ses premières cigarettes en lisant les livres de Burgess. Elle s'en serait bien allumé une, mais n'osa évidemment pas le faire. Fumer dans un tel lieu était un crime plus grave que la trahison.

Rebecca ôta le couvercle de son café et le posa sur la table, à côté de son iPhone. Son BlackBerry professionnel, qu'elle avait laissé dans son sac à main, vibra pour lui annoncer un message entrant. Selon toute probabilité, il provenait du poste ou du bureau de l'Hémisphère occidental à Vauxhall Cross. Peut-être, songea-t-elle, que Graham avait changé d'avis et souhaitait qu'elle l'accompagne à Langley. Il devait être en train de quitter la résidence de l'ambassadeur, à l'heure actuelle. Rebecca se dit qu'elle devrait lire le message, histoire de s'assurer qu'il ne s'agissait pas d'une urgence. Elle le ferait dans une minute.

La première gorgée de café dans son estomac vide lui fit l'effet d'acide de batterie. Le serveur avait entonné *What's Going On* de Marvin Gaye, et l'homme en face d'elle à la table commune, peut-être inspiré par les paroles, se plaignit à son voisin du dernier outrage perpétré par le président américain sur les réseaux sociaux. Rebecca jeta un coup d'œil à la salle à l'arrière et constata que personne ne lui rendait son regard. Elle supposa que l'illégale se trouvait à l'étage ; son récepteur apparaissait dans la liste des appareils connectés à distance à son iPhone. Si le dispositif fonctionnait correctement, aucun autre téléphone, ordinateur, ni aucune tablette à portée ne pouvait détecter sa présence.

Elle consulta l'heure : *7 h 56...* Nouvelle gorgée de café, nouvelle attaque stomacale. Avec un calme apparent, elle fit défiler les icônes de l'écran d'accueil de son iPhone jusqu'à celle de l'application de messagerie instantanée dissimulant le protocole de communication du SVR. Son rapport était là, chiffré et invisible. Rebecca laissa planer son pouce au-dessus du bouton d'envoi – lui aussi un simulacre –, en balayant une nouvelle fois la salle des yeux. Rien ne lui parut suspect, sinon les incessantes vibrations de son BlackBerry. Même son voisin d'en face semblait se demander pourquoi elle n'y répondait pas.

7 h 57. Rebecca posa son iPhone sur la table et fouilla ostensiblement son sac à main. Le BlackBerry se trouvait près du SIG Sauer 9 mm. Elle sortit précautionneusement son téléphone et entra son long mot de passe. Le message

provenait d'Andrew Crawford, qui lui demandait à quelle heure elle pensait arriver au poste.

Rebecca ignora le texto et remit le BlackBerry dans son sac à 7 h 58. Deux minutes avant l'ouverture de la fenêtre de transmission, son iPhone lui signala un nouveau message entrant. Il émanait d'un numéro londonien que Rebecca ne reconnut pas, et ne comportait qu'un seul mot :

Fuis...

70

Wisconsin Avenue, Washington

Fuis…

Fuir quoi ? Fuir qui ? Fuir où ?

Rebecca scruta le numéro. Il ne lui évoquait rien. L'émetteur le plus probable du message était le Centre ou la *rezidentura* de Washington. Ou peut-être était-ce un piège. Un appât. Seul un espion s'enfuirait.

Elle fronça les sourcils à l'intention des caméras qui ne devaient pas manquer de l'observer et pressa la fausse icône qui réduisit son rapport en poussière digitale. Il avait disparu, n'avait jamais existé. Puis, d'un clic sur une deuxième icône, elle fit subir le même sort à l'application elle-même. Son téléphone ne contenait plus aucune preuve de sa trahison, pas plus qu'aucun objet qu'elle avait sur elle, à l'exception du pistolet. Elle fut soudain contente de l'avoir mis dans son sac en sortant de chez elle.

Fuis…

Depuis quand étaient-ils au courant ? Et jusqu'à quel point l'étaient-ils ? Savaient-ils seulement qu'elle espionnait pour le compte du Centre ? Ou également qu'elle était née espionne et qu'elle avait été élevée comme telle, qu'elle était la fille de Kim Philby et le grand œuvre de Sasha ? Elle repensa à la visite peu orthodoxe

373

de Graham la veille au soir, et à la nouvelle alarmante de l'interruption de toute relation diplomatique entre Downing Street et Moscou. C'était un mensonge destiné à l'inciter à se mettre en contact avec ses officiers traitants. Rien de tel n'était prévu, pas plus que la réunion à Langley. Elle soupçonna qu'un avion l'attendait bel et bien à l'aéroport international de Washington-Dulles – un avion qui la ramènerait à Londres, entre les griffes de la justice britannique.

Fuis…

Pas encore, songea-t-elle. Pas sans un plan. Elle devait réagir de façon méthodique, comme son père l'avait fait en 1951 quand il avait appris les défections de Guy Burgess et de Donald MacLean, qui l'avaient mis dans une position dangereuse. Il avait pris sa voiture et s'était rendu dans la campagne du Maryland, où il avait enterré sa caméra miniature du KGB et sa pellicule. Au bord de la rivière, non loin de Swainson Island, au pied d'un grand sycomore… Sa voiture ne serait cependant d'aucune utilité à Rebecca. Nul doute qu'on y avait dissimulé une balise de repérage, ce qui expliquerait pourquoi elle n'avait vu aucune équipe de surveillance.

Pour s'échapper – pour fuir –, Rebecca allait avoir besoin d'un autre véhicule et d'un accès à un téléphone non compromis. Sasha lui avait assuré qu'en cas d'urgence il serait capable de l'exfiltrer sur-le-champ, comme Youri Modine avait arraché son père à Beyrouth. Il avait donné à Rebecca un numéro à joindre depuis l'ambassade de Russie, et un mot code qui informerait la personne à l'autre bout du fil qu'elle avait des ennuis. Le mot était « Vrej », le nom d'un vieux restaurant du quartier arménien de Beyrouth.

Mais d'abord, elle devait sortir d'ici. Elle supposa que certains des clients du café étaient des agents britanniques, américains, voire israéliens. Elle glissa calmement son téléphone dans son sac à main, se leva et jeta son gobelet de café à l'endroit prévu. La porte donnant sur Wisconsin Avenue se trouvait à sa droite, mais elle se tourna vers la gauche et se dirigea vers la salle du fond. Personne ne la regarda. Personne n'osa.

71

Chesapeake Street, Washington

À environ cinq kilomètres au nord, au poste de commandement de Chesapeake Street, Gabriel observait avec une anxiété croissante Rebecca Manning passer devant la caméra d'Ilan.

— Qu'est-ce qu'il vient de se passer ?

— Elle n'a pas transmis le rapport, déclara Graham Seymour.

— Oui, je sais. Mais pourquoi ?

— Elle a dû être effrayée par quelque chose.

Gabriel se tourna vers Yaakov Rossman.

— Où est-elle, à présent ?

Yaakov tapa la demande sur son clavier. Mikhail répondit quelques secondes plus tard. Rebecca Manning était aux toilettes.

— Que fait-elle ? interrogea Gabriel.

— Fais preuve d'imagination, patron.

— Je m'y efforce. (Trente secondes de plus s'écoulèrent sans signe d'elle.) J'ai un mauvais pressentiment, Graham.

— Que veux-tu faire ?

— Tu as toutes les preuves dont tu as besoin.

— C'est discutable, mais je suis ouvert à toute proposition.

— Dis-lui que tu as changé d'avis à propos de ta

réunion à Langley. Dis-lui que finalement, tu voudrais qu'elle soit là. Cela devrait capter son attention.

— Et après ?

— Demande-lui de te rejoindre à l'ambassade. (Gabriel s'interrompit, puis ajouta :) Et procède à son arrestation à la seconde où elle foule le sol britannique.

Seymour tapa le message dans son BlackBerry et l'envoya. Quinze secondes plus tard, le téléphone lui annonça une réponse en carillonnant.

— Elle est en route.

72

Wisconsin Avenue, Washington

Derrière la porte fermée à clé des toilettes mixtes du café, Rebecca relut le texto de Graham Seymour.

Changement de programme. Je veux que tu m'accompagnes à Langley. Retrouve-moi au poste au plus vite...

Le ton badin ne parvenait pas à dissimuler le véritable sens du message. Il confirmait les pires craintes de Rebecca. On lui avait tendu un piège.

Quelqu'un s'énervait sur le loquet de la porte.

— Une minute, s'il vous plaît, lança Rebecca avec une sérénité qui aurait réchauffé le cœur de traître de son père.

C'était son visage que reflétait le miroir. « Plus les années passent et plus tu lui ressembles, disait sa mère. Les mêmes yeux. Le même regard hautain. » Rebecca n'avait jamais su si c'était un compliment dans la bouche de sa mère.

Elle zippa le BlackBerry et l'iPhone dans le sac de Faraday, qu'elle rangea dans son sac à main, et déchira une page de son carnet sur laquelle elle écrivit quelques mots en caractères cyrilliques. La chasse d'eau fit un bruit tonitruant. Elle laissa couler l'eau dans le lavabo pendant quelques secondes, puis prit deux serviettes en papier au distributeur et les jeta à la poubelle.

De l'autre côté de la porte lui parvenait le bourdonnement sourd de la salle. Rebecca posa la main gauche sur le loquet et plongea la droite dans son sac, qu'elle referma autour de la crosse du petit SIG Sauer. Elle avait ôté la sécurité immédiatement après être entrée dans les toilettes. Le magasin contenait dix balles Parabellum de 9 mm, et il y en avait dix de plus dans son chargeur additionnel.

Elle ouvrit la porte et sortit avec l'empressement d'un cadre supérieur washingtonien en retard au travail. Elle s'était attendue à tomber sur quelqu'un, mais le vestibule était vide. Le gamin avec le sweat à capuche Georgetown avait fait pivoter son ordinateur portable de façon que l'écran soit invisible pour Rebecca.

Elle bifurqua vivement vers la droite et grimpa l'escalier. Dans la salle à l'étage, elle trouva deux personnes : un homme entre deux âges griffonnant sur un bloc-notes et Eva Fernandes, l'illégale russe. Avec son haut vert fluo, elle était difficile à manquer.

Rebecca s'assit sur la chaise en face d'elle, la main droite toujours dans son sac à main, serrée autour de la crosse du SIG Sauer. De la gauche, elle tendit sa note à Eva Fernandes. L'illégale feignit l'incompréhension.

— Faites-le, murmura-t-elle en russe.

La jeune femme hésita, puis lui donna son téléphone. Rebecca l'ajouta dans le sac de Faraday.

— Vous conduisez une Kia Optima. Elle est garée dehors, sur le parking. (Rebecca entrouvrit son sac pour laisser voir son arme à l'illégale.) Allons-y.

73

Wisconsin Avenue, Washington

En violation de tous les protocoles de terrain du Bureau, écrits, oraux et tacites, Mikhail avait quitté sa place pour en choisir une autre qui lui offrait une meilleure vue sur l'avant du café. Il portait une minuscule oreillette, à gauche, face au mur. Elle lui transmettait tout ce que captait le téléphone d'Eva, qui avait été modifié pour servir d'émetteur. Du moins *avait*-il servi d'émetteur jusqu'à 8 h 04, quand Rebecca Manning, après avoir quitté les toilettes, était, contre toute attente, montée à l'étage.

Quelques secondes avant que le téléphone ne cesse d'émettre ; Mikhail avait entendu un murmure. Possiblement en russe, mais il n'avait aucune certitude, pas plus qu'il ne savait qui avait parlé. Quoi qu'il en soit, les deux femmes se dirigeaient à présent vers la porte. Eva regardait droit devant elle, comme si elle avançait vers une tombe ouverte. Rebecca Manning marchait un pas derrière elle, la main droite dans son sac à main chic.

— Que penses-tu qu'elle ait dans son sac ? s'enquit Mikhail à voix basse, tandis que les deux agents russes passaient à portée de la caméra d'Ilan.

— Plusieurs téléphones portables, répondit Gabriel, et un SRAC du SVR.

— Il y a autre chose. (Mikhail observa Eva et Rebecca franchir la porte et tourner à gauche en direction du parking.) Tu devrais peut-être demander à ton ami si la CP/Washington possède une arme de poing.

Ce que fit Gabriel, avant de répéter la réponse à Mikhail. En règle générale, Rebecca Manning n'en portait pas en public, mais elle en gardait une chez elle pour sa protection personnelle, avec la bénédiction du département d'État et de la CIA.

— Quel type ?

— SIG Sauer.

— Un neuf, je suppose ?

— Tu supposes bien.

— Probablement un compact.

— Probablement, acquiesça Gabriel.

— Donc une capacité de dix balles.

— Plus dix autres dans le chargeur additionnel.

— Je suppose qu'Eli n'est pas armé ?

— La dernière fois qu'il l'a été, c'était en 1972. Il a manqué de me tuer par accident.

— Keller ?

— Graham ne le permettrait pas.

— Ça ne laisse que moi.

— Reste où tu es.

— Désolé, patron, ça coupe. Je ne t'ai pas entendu.

Mikhail se leva et passa devant la table d'Ilan, dans le champ de la caméra. À l'extérieur, il prit la direction du parking. Eva se trouvait déjà au volant de sa Kia ; Rebecca était en train d'ouvrir la portière côté passager. Avant de s'asseoir, elle croisa le regard de Mikhail. Celui-ci détourna les yeux le premier et continua à avancer.

La 34e était à sens unique, en direction du sud. Mikhail marchait en sens inverse du trafic, le long de la façade arrière du restaurant turc. Eva sortit du parking à reculons et s'engagea dans la rue. Rebecca Manning l'observait à travers la fenêtre côté passager, il en était certain. Il sentait ses yeux creuser des sillons dans son dos. Elle le mettait au défi de se retourner. Il ne le fit pas.

La Nissan était toujours garée devant l'école. Mikhail

se laissa tomber sur la banquette arrière, derrière Keller. Gabriel lui hurlait dessus dans la radio. Eli Lavon, le guetteur le plus compétent de toute l'histoire du Bureau, lui lança un regard de reproche depuis le siège passager.

— Bien joué, Mikhail. C'était de toute beauté. Aucune chance qu'elle t'ait repéré.

Lavon s'était exprimé en hébreu, pour souligner le sarcasme. Keller ne quittait pas des yeux la 34ᵉ, où la Kia Optima filait rapidement. Au croisement avec Reservoir Road, la voiture prit à droite. Keller dut attendre qu'un troupeau d'élèves traverse la rue, puis il écrasa l'accélérateur.

74

Burleith, Washington

— Je ne suis pas autorisée à vous parler, dit Eva Fernandes. En fait, je ne suis même pas autorisée à vous regarder.

— Il me semble que j'ai annulé vos ordres, non ?

Rebecca indiqua à Eva de tourner à nouveau à droite sur la 36e, puis de nouveau sur S Street. Les deux fois, la berline Nissan suivit. Elle restait environ six voitures derrière. Le conducteur ne faisait aucun effort pour dissimuler sa présence.

— Encore à droite, aboya Rebecca.

Quelques secondes plus tard, Eva s'engageait dans la 35e, sans se donner la peine de s'arrêter ni même de ralentir. La Nissan fit de même. Leur grossière technique de surveillance suggérait qu'ils agissaient sans renforts, et donc qu'ils n'étaient pas du FBI. Elle découvrirait leur identité bien assez tôt.

À l'intersection de la 35e et de Reservoir Road, il y avait un des rares feux tricolores du quartier résidentiel de Georgetown. Il passa du vert à l'orange au moment où elles arrivaient. Eva écrasa la pédale d'accélération, et la Kia bondit dans l'intersection au moment où il devenait rouge. Des klaxons beuglèrent quand la Nissan suivit.

— Tournez encore à droite, dit Rebecca en toute hâte, désignant l'entrée de Winfield Lane, une rue privée bordée de maisons de brique rouge assorties qui rappela à Rebecca le quartier de Hampstead à Londres.

La Nissan était derrière elles.

— Arrêtez-vous ici !

— Mais…

— Faites ce que je vous dis !

Eva pesa de tout son poids sur la pédale de frein. Rebecca arracha le SIG Sauer de son sac et bondit hors de la voiture. Elle empoigna l'arme des deux mains, forma un triangle avec ses bras, et se mit légèrement de trois quarts pour offrir une cible moins facile, comme elle l'avait appris sur le pas de tir de Fort Monckton. La Nissan approchait toujours. Rebecca visa la tête du conducteur et appuya sur la détente jusqu'à ce que le magasin soit vide.

La Nissan fit une embardée à gauche et alla s'encastrer dans le nez d'un SUV Lexus en stationnement. Personne ne descendit, et personne ne répondit à ses coups de feu, confirmant par là même à la satisfaction de Rebecca qu'ils n'étaient pas du FBI. Il s'agissait d'officiers britanniques et israéliens qui n'avaient aucune autorité pour procéder à une arrestation ou tirer, même en cas de légitime défense dans une rue tranquille de Georgetown. En fait, Rebecca doutait que le FBI sache même que les Britanniques et les Israéliens s'en prenaient à elle. Dans quelques minutes, songea-t-elle en regardant la voiture défoncée, il serait au courant.

Fuis…

Rebecca réintégra le siège passager de la Kia et cria à Eva de démarrer. Un instant plus tard, elles dévalaient la 37ᵉ à toute allure en direction de l'ambassade russe. Alors qu'elles traversaient T Street, Rebecca jeta le sac de Faraday par la fenêtre. Le SRAC suivit aussitôt.

Elle jeta un coup d'œil par-dessus son épaule. Plus personne ne les suivait. Elle expulsa le chargeur vide et engagea le deuxième. Le son fit tressaillir Eva Fernandes. Guidée par Rebecca, elle tourna à gauche sur Tunlaw Road.

— Où est-ce qu'on va ? demanda-t-elle alors qu'elles dépassaient la façade arrière du complexe de l'ambassade russe.

— Je dois passer un coup de fil.

— Et ensuite ?

Rebecca sourit.

— On rentre à la maison.

Au même moment, trois hommes marchaient le long de la 35e en direction du Potomac. Leurs tenues autant que leur allure générale les différenciaient du Washingtonien moyen. L'un d'eux semblait considérablement souffrir ; une observation attentive de sa main droite aurait révélé la présence de sang, mais la main elle-même était intacte. Le sang provenait d'une blessure à la clavicule droite, provoquée par une balle de 9 mm.

Au moment où ils traversèrent O Street, les jambes de l'homme estropié cédèrent, mais ses deux collègues, un homme de haute stature à la peau claire et un autre plus petit au visage oubliable, le maintinrent à la verticale. Un instant plus tard, une voiture se matérialisa, et les deux hommes en bonne santé installèrent le troisième sur la banquette arrière. L'employée d'un célèbre fleuriste du quartier fut la seule témoin de la scène. Elle rapporterait plus tard à la police que l'expression sur le visage de l'homme à la peau claire était l'une des plus effrayantes qu'elle ait jamais vue.

Entre-temps, des unités du Washington Metropolitan Police Department avaient été prévenues de coups de feu sur Winfield Lane, une rue habituellement tranquille. La voiture transportant les trois hommes traversa rapidement Georgetown en direction de Connecticut Avenue. Puis elle bifurqua vers le nord et rejoignit une maison délabrée sur Chesapeake Avenue, dans laquelle les attendaient deux des officiers du renseignement les plus puissants au monde.

Ils l'avaient laissée courir. Et elle leur avait échappé.

75

Tenleytown, Washington

Il ne restait plus qu'une poignée de téléphones publics au nord-ouest de Washington, dont Rebecca avait mémorisé l'emplacement dans l'éventualité d'une telle situation. L'un d'eux se trouvait à la station Shell, au coin de Wisconsin Avenue et d'Ellicott Street. Malheureusement, elle n'avait pas de monnaie. Eva, cependant, gardait toujours un rouleau de pièces de vingt-cinq cents dans sa voiture pour le parcmètre. Elle en donna deux à Rebecca et l'observa composer rapidement un numéro de mémoire. Eva le reconnut ; on lui avait donné le même. Il appelait sur une ligne spéciale de l'ambassade de Russie et ne devait être utilisé qu'en cas d'extrême urgence.

Pour Rebecca Manning, ce numéro était la bouée de sauvetage qui la ramènerait à Moscou en toute sécurité. Mais pour Eva, c'était une grave menace. À n'en point douter, Rebecca serait accueillie en héroïne. Eva, elle, serait accueillie par Sasha, dans une salle de débriefing. Elle fut tentée de filer avec la Kia et de laisser Rebecca derrière elle. Mais elle doutait de pouvoir aller bien loin. Pour ce qu'elle en savait, il y avait peut-être trois cadavres dans une voiture au beau milieu d'une rue privée de Georgetown. En plus d'être une agente illégale d'un service de renseignement étranger, elle était à présent potentiellement complice de meurtre. Elle n'avait donc d'autre choix que de suivre Rebecca à Moscou et de prier sa bonne étoile.

Rebecca revint à la voiture et dit à Eva de prendre Wisconsin Avenue vers le nord. Puis elle alluma la radio et mit WTOP.

« Nous venons d'apprendre qu'une fusillade s'est produite il y a quelques minutes à Georgetown… »

Elle éteignit d'un geste agacé.

— Combien de temps ? demanda Eva.

— Deux heures.

— Ils vont venir nous chercher ?

Rebecca secoua la tête.

— Ils veulent que nous nous cachions en attendant l'ouverture du refuge.

Eva était secrètement soulagée. Plus longtemps elle restait hors de portée des griffes du SVR, mieux ça valait.

— Où se trouve-t-il ? demanda-t-elle.

— Ils ne me l'ont pas dit.

— Pourquoi pas ?

— Ils veulent vérifier que l'endroit est sûr avant de nous y envoyer.

— Comment vont-ils nous contacter ?

— Ils veulent qu'on les rappelle dans une heure.

Ça ne plaisait pas à Eva. Mais qui était-elle pour remettre en question la sagesse du Centre ?

Elles approchaient de la frontière invisible séparant le district de Columbia du Maryland. Deux vastes centres commerciaux se faisaient face de part et d'autre du boulevard animé. Rebecca désigna celui de droite. L'entrée du parking flanquait une chaîne de restaurants célèbres pour la taille des portions qu'ils servaient et le temps d'attente pour y obtenir une table. Eva descendit la rampe et prit un ticket à la machine. Puis, suivant toujours les instructions de Rebecca, elle roula jusqu'à un coin désert et se gara.

Elles patientèrent là durant une demi-heure, en silence

la plupart du temps, sous la menace tacite du SIG Sauer posé sur les genoux de Rebecca. Elles n'avaient aucun téléphone pour se connecter au monde extérieur, seulement la radio. La réception était mauvaise, mais suffisante. La police recherchait une Kia Optima avec des plaques du district et deux femmes à l'intérieur. Ils recherchaient également trois hommes qui avaient abandonné une Nissan criblée de balles sur Winfield Lane. Selon les témoins, un des hommes avait été blessé dans la fusillade.

Des parasites avalèrent la suite. Eva baissa le volume.

— Deux femmes dans une Kia…, dit-elle.

— J'ai entendu.

— On doit se séparer.

— Non, on reste ensemble. (Puis Rebecca ajouta d'un air contrit :) Je n'y arriverai pas sans votre aide.

Rebecca monta le son de la radio et écouta un riverain exprimer son indignation. Eva, elle, remarqua un van blanc muni de plaques du Maryland, sans signe distinctif, rouler dans leur direction sous la lumière irrégulière des plafonniers. Le FBI, songea-t-elle, adorait les vans anonymes. Tout comme le SVR.

— On est dans la merde, lâcha-t-elle.

— C'est juste une camionnette de livraison, affirma Rebecca.

— Vous avez déjà vu des livreurs avec cette tête-là ?

— C'est pourtant bien ce qu'ils sont.

Le van se gara à côté d'elles, et la porte latérale s'ouvrit. Eva observa le visage slave juste derrière sa fenêtre en essayant désespérément de masquer sa peur.

— Je croyais qu'on devait se rendre au refuge par nos propres moyens.

— Changement de programme, dit Rebecca. Le refuge est venu à nous.

76

Forest Hills, Washington

La balle avait traversé l'épaule de Christopher Keller
de part en part. Le projectile de 9 mm avait brisé l'os et
endommagé les tissus au passage. Heureusement, tous
les bâtiments du gouvernement israélien, même les plus
délabrés, gardaient un stock de fournitures médicales.
Mikhail, qui avait connu le champ de bataille, versa une
généreuse rasade d'antiseptique sur la plaie et la banda.
Il n'avait rien d'autre pour la douleur qu'un flacon d'ibu-
profène. Keller en avala huit comprimés avec du whisky
trouvé dans le minibar.

Avec l'aide de Mikhail, il se changea et trouva une
écharpe pour son bras. Le retour à Londres promettait
d'être long et inconfortable, mais Dieu merci Keller
n'aurait pas à prendre un vol commercial. Le jet privé
de Graham Seymour les attendait à Dulles. Les deux
hommes quittèrent le poste de commandement à 9 h 30
et descendirent précautionneusement les marches traî-
tresses du perron. Gabriel appuya lui-même sur le bouton
déverrouillant le portail en fer. C'est ainsi que le grand
projet connut une fin ignominieuse.

Ces dernières minutes furent amères et chargées d'une
rancœur singulière. Mikhail s'engueula avec Gabriel,
et Gabriel avec son vieil ami et frère d'armes Graham
Seymour. Il implora le directeur du MI6 de demander aux

Américains de boucler Washington, et quand Seymour refusa, Gabriel menaça de le faire lui-même. Il commença même à composer le numéro d'Adrian Carter au QG de la CIA, avant que Seymour ne lui arrache le téléphone des mains.

— C'est mon scandale, pas le tien. Si quelqu'un doit dire aux Américains que j'ai infiltré la fille de Kim Philby au cœur de leur renseignement, c'est moi et personne d'autre.

Mais Seymour ne fit aucun aveu aux Américains ce matin-là, et Gabriel résista à la tentation de s'en mêler. En l'espace de quelques minutes, une relation d'ordre historique s'écroula. Pendant plus de dix ans, Gabriel et Graham avaient œuvré main dans la main contre les Russes, les Iraniens et les djihadistes du monde entier. Ce faisant, ils avaient réussi à dépasser des décennies d'animosité entre leurs deux services, entre leurs deux pays. Tout cela était réduit en cendres. Eli Lavon ferait plus tard remarquer que le plan de Sasha avait en partie pour objectif de creuser un fossé entre le Bureau et le MI6, et de briser le lien que Gabriel et Graham Seymour avaient forgé. Sur ce point, en tout cas, il avait réussi.

Yossi Gavish et Rimona Stern furent les suivants à partir. Un des guetteurs récupéra la caméra dans le parc public de Warren Street et rejoignit la gare ferroviaire. L'autre guetteur le suivit bientôt et, à 9 h 45, il ne resta plus que Gabriel, Mikhail et Eli Lavon au poste de commandement. Une seule voiture les attendait à l'extérieur. Oren, le chef de la sécurité rapprochée de Gabriel, montait la garde à la porte. Contre quoi, on se le demandait bien…

Dans leur départ précipité, les membres de l'équipe avaient laissé l'intérieur de la maison dans un état lamentable – celui dans lequel ils l'avaient trouvée. Un seul ordinateur portable demeurait sur la table à tréteaux. Gabriel visionnait une dernière fois les images de Rebecca Manning dans le Starbucks quand son BlackBerry vibra pour signaler un message entrant. Adrian Carter.

Bon sang, mais qu'est-ce qui se passe ?

N'ayant plus rien à perdre, Gabriel tapa sa réponse et l'envoya.

À toi de me le dire.

Ce que fit Carter en l'appelant dix secondes plus tard.

Il semblait qu'un certain Donald McManus, un agent spécial du FBI expérimenté attaché au QG de Washington, s'était arrêté prendre de l'essence à la station Shell au coin de Wisconsin Avenue et d'Ellicott Street à environ 8 h 20. McManus, d'un naturel observateur et vigilant, avait remarqué qu'une femme bien habillée utilisait le vieux téléphone public dégoûtant, ce qu'il trouva bizarre. D'après son expérience, les seules personnes qui en avaient l'usage étaient les sans-papiers, les dealers et les épouses infidèles. La femme ne semblait appartenir à aucune de ces trois catégories. McManus fut également frappé par le fait qu'elle avait gardé la main dans son sac durant toute la conversation. Après avoir raccroché, elle avait grimpé sur le siège passager d'une Kia Optima avec des plaques d'immatriculation du district dont il nota le numéro, alors que la voiture repartait vers le nord sur Wisconsin Avenue. La conductrice était plus jeune que la femme qui avait téléphoné, et plus jolie. McManus lui trouva un air légèrement effrayé.

Alors qu'il se dirigeait, lui, vers le sud sur Wisconsin, McManus passa de CNN en réception satellitaire à WTOP sur les ondes courtes et entendit l'un des premiers flashs de la station à propos d'une fusillade ayant eu lieu à Georgetown. McManus se dit qu'il s'agissait d'un cas de violence au volant, et il n'y pensa plus. Mais le temps qu'il arrive au centre-ville, la police avait diffusé une description du véhicule suspecté. Kia Optima, plaques du district, deux femmes à l'intérieur. Il transmit le numéro d'immatriculation de la voiture qu'il avait vue à la station essence à la police et, tant qu'il y était, le compara à la base de données du FBI. Elle était enregistrée au nom d'Eva Fernandes, détentrice d'une carte verte et originaire du Brésil, ce qui était curieux car McManus l'avait prise pour une Européenne de l'Est.

À peu près au même moment, une équipe de surveillance de la division du contre-espionnage du FBI avait vu plusieurs voitures quitter l'ambassade de Russie par la sortie de derrière, transportant toutes des membres connus ou suspectés de la *rezidentura* du SVR. L'équipe en conclut que le *rezident* avait une crise sur les bras, et elle partagea cette information avec le QG. L'agent spécial McManus, qui travaillait lui aussi au contre-espionnage, eut vent des mouvements de personnel russe et parla à l'officier de permanence de la femme qu'il avait vue utiliser un téléphone public. L'officier de permanence transmit l'information au chef adjoint, qui à son tour la transmit au chef de division.

Et c'est ainsi que, à 9 h 35, ces trois éléments – la fusillade à Georgetown, l'exode précipité de l'ambassade de Russie, les deux femmes dans la berline Kia – s'assemblèrent sur le bureau impeccablement ordonné du chef pour former la perspective d'un bon gros désastre à venir. Quand tout le monde eut le dos tourné, McManus vérifia rapidement les appels passés depuis ce téléphone public et découvrit que celui de la femme avait pour destinataire l'ambassade de Russie. C'est ainsi que le bon gros désastre devint une crise internationale qui menaçait de déclencher la Troisième Guerre mondiale. C'est en tout cas ainsi que les choses apparurent à l'agent spécial McManus, qui s'était juste arrêté par hasard prendre de l'essence à la station Shell au coin de Wisconsin Avenue et d'Ellicott Street vers 8 h 20.

C'est à ce moment que le chef de la division du contre-espionnage du FBI appela son homologue à la CIA pour lui demander si l'Agence avait actuellement une opération en cours dont leurs services n'auraient pas connaissance. L'homme de la CIA jura que non, ce qui était vrai, mais il jugea utile d'en demander la confirmation à Adrian Carter, qui était en train de préparer son point quotidien de 10 heures avec Morris Payne. Carter joua les idiots – son attitude par défaut quand ses collègues, ses supérieurs et les membres des comités de surveillance du Congrès lui posaient des questions embarrassantes. Mais une fois seul dans son bureau du septième étage, il envoya un court texto à son vieux copain Gabriel Allon, qui se trouvait justement en ville. Le message était à double, voire à triple sens, et Gabriel, qui savait qu'il savait, répondit de la même façon. C'est ainsi qu'ils finirent par se téléphoner à 9 h 48, un mardi par ailleurs comme les autres à Washington.

— Qui étaient les trois hommes, demanda Carter quand il eut fini de briefer Gabriel.

— Quels hommes ?

— Les trois qui se sont fait canarder sur Winfield Lane à Georgetown.

— Comment le saurais-je ?

— Il paraît que l'un d'eux a été blessé.

— J'espère que ce n'est rien de grave.

— Apparemment, une voiture les aurait récupérés sur la 35e. Personne ne les a revus depuis.

— Et les deux femmes ? sonda prudemment Gabriel.

— Aucune nouvelle d'elles non plus.

— Et tu dis qu'elles ont été vues se dirigeant vers le *nord* sur Wisconsin Avenue ? Tu es bien sûr que c'était le nord ?

— Laisse tomber la géographie, aboya Carter. Contente-toi de me dire qui elles sont.

— Selon l'agent du FBI, répondit Gabriel, l'une d'elles est une Brésilienne répondant au nom d'Eva Fernandes.

— Et l'autre ?

— Aucune idée.

— Pourquoi appellerait-elle l'ambassade de Russie depuis un téléphone public ?

— Tu devrais peut-être poser la question à l'un de ces officiers du SVR qui ont été vus quittant l'ambassade en toute hâte ?

— Le FBI les recherche. Toute aide de ta part resterait strictement confidentielle. Alors pourquoi ne pas commencer par le début ? Qui étaient ces trois hommes ?

— Quels hommes ?

— Et les femmes ?

— Désolé, Adrian, mais je crains de ne pas pouvoir t'aider.

Carter poussa un profond soupir.

— Quand comptes-tu quitter la ville ?

— Ce soir.

— Y a-t-il une chance pour que tu partes plus tôt ?

— Probablement aucune.

— Dommage, dit Carter, et il raccrocha.

77

Chesapeake Street, Washington

Mikhail Abramov et Eli Lavon quittèrent le poste de commandement à 10 h 05 à l'arrière d'un van de l'ambassade d'Israël. Ils prendraient un avion pour Toronto, et de là s'envoleraient pour Ben Gourion. Mikhail laissa le Barak .45 à Gabriel, qui promit de l'enfermer dans le coffre de la résidence avant de partir à son tour pour l'aéroport.

Une fois seul, il se repassa la vidéo des deux femmes sortant du Starbucks, Eva ouvrant la marche, Rebecca un pas en arrière, la main refermée autour du SIG Sauer 9 mm dans son sac à main. Gabriel savait maintenant qu'elle avait appelé l'ambassade de Russie depuis un téléphone public à la station Shell de Wisconsin Avenue, avant de se diriger vers le nord et les banlieues du Maryland. Et, selon toute probabilité, droit dans les bras d'une équipe d'exfiltration du SVR.

La vitesse à laquelle les Russes avaient réagi suggérait que la *rezidentura* avait un plan d'évacuation bien huilé. Autrement dit, les chances de retrouver Rebecca étaient proches de zéro. Le SVR, successeur du puissant KGB, était un service de renseignement impitoyable et hautement compétent. La faire sortir clandestinement des États-Unis ne leur poserait aucun problème. Elle réapparaîtrait à Moscou, comme son père en 1963.

À moins que Gabriel ne trouve un moyen de l'arrêter

avant qu'elle ne quitte l'agglomération de Washington. Il ne pouvait pas demander de l'aide aux Américains ; rompre la promesse qu'il avait faite à Graham Seymour jetterait l'opprobre sur le reste de son mandat de directeur. Non, il devrait trouver Rebecca Manning seul. Pas totalement seul, songea-t-il. Il pouvait compter sur l'aide de Charlotte Bettencourt.

Il remit la vidéo au début et observa une fois encore Rebecca sortir du café en suivant Eva. Quatorze pas, nota Gabriel. Quatorze pas du bas de l'escalier au trottoir de Wisconsin Avenue. Gabriel se demanda si Rebecca, quelque part au fond d'elle-même, les comptait, ou même si elle se souvenait de ce jeu idiot auquel elle jouait avec sa mère à Paris. Il en doutait. Philby et Sasha avaient très certainement purgé ces pulsions contre-révolutionnaires.

Gabriel regarda Rebecca Manning sortir de l'écran de son ordinateur. Il se rappela alors quelque chose que Charlotte Bettencourt lui avait dit à Séville, tard dans la nuit, alors qu'aucun d'eux ne parvenait à trouver le sommeil. « Elle ressemble davantage à son père qu'elle ne le croit. Elle fait les choses exactement de la même manière, et elle ignore pourquoi. »

Charlotte Bettencourt avait confié autre chose à Gabriel cette nuit-là. Quelque chose qui lui avait paru anodin sur le moment. Quelque chose que seules deux personnes au monde savaient. « Qui sait s'ils s'y trouvent encore », avait-elle dit, les yeux presque clos par la fatigue. « Mais si vous avez du temps à tuer, peut-être irez-vous y jeter un coup d'œil. »

Oui, songea Gabriel. *Peut-être bien.*

À 10 h 15, Gabriel glissa le Barak .45 dans la ceinture de son jean et descendit les marches raides. Oren déverrouilla le portail en fer et se dirigea vers la voiture, une Ford Fusion de location. Gabriel, cependant, lui ordonna de rester à sa place.

— Pas encore, soupira Oren.

— Je crains que si.

— Trente minutes, patron.

— Pas une de plus, promit Gabriel.

— Et si vous êtes en retard ?

— Cela voudrait dire que j'aurai été kidnappé par une équipe d'exfiltration russe et emmené à Moscou pour y être jugé et jeté en prison. (Il sourit malgré lui.) Je ne donnerais pas cher de ma peau.

— Vous êtes sûr de ne pas vouloir que je vous accompagne ?

Sans un mot de plus, Gabriel s'installa derrière le volant. Quelques minutes plus tard, il dépassait à toute allure la grande maison coloniale brune au coin de Nebraska Avenue et de la 42e. Son œil intérieur vit un homme désespéré sauter dans une très vieille automobile, serrant dans ses mains un sac en papier.

78

Bethesda, Maryland

Les deux Russes dans le van s'appelaient Petrov et Zelenko. Le premier travaillait en permanence à la *rezidentura* de Washington, mais le second était arrivé en catastrophe de Manhattan la veille au soir, après que Sasha eut ouvert le refuge. Avant d'être envoyés aux États-Unis, qui restaient l'« ennemi n° 1 » du SVR, les deux hommes avaient fait leurs armes dans d'autres pays anglophones. Petrov avait travaillé en Australie et en Nouvelle-Zélande ; Zelenko en Grande-Bretagne et au Canada. Mais ils jouaient à présent dans la cour des grands.

Zelenko, le plus costaud des deux, était ceinture noire dans différents sports de combat. Petrov, lui, se débrouillait particulièrement bien au tir. Ni l'un ni l'autre n'avait l'intention de laisser quoi que ce soit arriver à leur précieux chargement. Livrer une taupe et une illégale en toute sécurité à Moscou ferait d'eux des légendes. L'échec était inenvisageable. De fait, ils étaient convenus qu'il valait mieux mourir en Amérique que revenir les mains vides à Iassenevo.

Le van, un Chevrolet Express, appartenait à une entreprise de BTP basée dans le nord de la Virginie, elle-même propriété d'un atout du Centre né en Ukraine. Le plan consistait à descendre l'I-95 jusqu'à Florence, en Caroline du Sud, où les attendait un second véhicule sûr, qui les emmènerait jusqu'au sud de la Floride. Le Centre avait accès à de nombreuses propriétés refuges dans la zone de Miami, dont un trou à rats à Hialeah où ils passeraient les six jours suivants – le temps nécessaire au porte-conteneurs russe *Archangel* d'atteindre le détroit de Floride. Petrov, qui avait servi dans la marine russe avant de rejoindre le SVR, assurerait lui-même la liaison, entre les côtes des États-Unis et le cargo à bord d'un bateau de pêche sportive de quinze mètres.

Ils avaient toutes les provisions dont ils auraient besoin, et plus d'armes qu'il n'en fallait. Petrov en possédait deux – un Tokarev et un Makarov –, et Rebecca Manning avait toujours son SIG Sauer. Le pistolet était pour le moment posé sur le plancher du van, à côté d'un téléphone qu'elle avait emprunté à Zelenko. Elle-même était assise, dos contre l'arrière du siège conducteur, ses jambes étendues devant elle. Elle n'avait pas quitté ses vêtements de travail – tailleur-pantalon sombre et imperméable Burberry. Eva se tenait dans la même position à l'autre bout du van. Elles n'avaient échangé que quelques mots depuis leur départ du parking. Rebecca avait remercié Eva pour sa compétence et son courage et lui avait promis de chanter ses louanges à Sasha quand elles arriveraient à Moscou. Eva n'en avait pas cru un mot.

Le trajet le plus court pour rejoindre l'I-95 empruntait Wisconsin Avenue. Rebecca indiqua cependant un autre chemin à Petrov, qui conduisait.

— Il vaudrait mieux que…

— C'est moi qui décide ce qui vaut mieux, le coupa Rebecca.

Petrov en resta là. Qui était-il pour contredire une colonelle du SVR ?

Il tourna sur la 42ᵉ et traversa Tenleytown. Eva remarqua l'intérêt particulier que Rebecca portait à la vaste maison coloniale brun clair à l'angle de Nebraska Avenue. Ils dépassèrent le département de la Sécurité intérieure et le campus de l'American University. Puis

Petrov prit à gauche sur Chain Bridge Road, qui longeait Battery Kemble Park jusqu'à MacArthur Boulevard. Eva aperçut le Bruxelles-Midi à travers le pare-brise tandis qu'ils progressaient vers l'ouest en direction du Maryland.

— C'est là que je travaillais.

— Je sais, fit Rebecca d'une voix dédaigneuse. Vous étiez serveuse.

— Hôtesse, la corrigea Eva.

— C'est pareil. (Rebecca ramassa le pistolet et le posa sur ses cuisses.) Passer les trois prochaines semaines à voyager ensemble n'implique pas que nous devions avoir de longues conversations à cœur ouvert. Vous avez bien fait votre travail, et je vous en suis reconnaissante. Mais en ce qui me concerne, vous n'êtes rien de plus qu'une serveuse.

Eva se fit la réflexion qu'elle était aussi parfaitement dispensable. Elle tourna les yeux vers l'extérieur, alors que Rebecca s'intéressait à l'écran du portable. Elle suivait leur progression sur la carte. Ils approchaient de l'embranchement vers Clara Barton Parkway, le chemin le plus direct pour la Beltway et l'I-95, mais Rebecca ordonna à Petrov de continuer tout droit. Il y avait un petit centre commercial dans le village de Glen Echo. Elle lui dit qu'elle voulait faire quelques achats en prévision du trajet.

Petrov commença à protester, mais il se ravisa vite. Il poursuivit sa route, dépassa un pub irlandais et le vieux parc d'attractions de Glen Echo, et parvint à l'intersection de MacArthur Boulevard et de Goldsboro Road. S'y trouvaient une station Exxon, un 7-Eleven, une pharmacie, un pressing, une pizzéria, une sandwicherie et une quincaillerie True Value. À la grande surprise de Petrov, Zelenko et Eva Fernandes, c'est vers cette dernière que Rebecca Manning se dirigea.

Elle y entra à 10 h 27, selon la vidéosurveillance du magasin, au moment même où une Ford Fusion dépassait le centre commercial à toute vitesse, en direction de l'ouest. Le conducteur, un homme approchant de la

79

Cabin John, Maryland

L'Union Arch Bridge enjambe Cabin John Parkway à l'ouest de Wilson Boulevard. Cet ouvrage historique achevé en 1864, bâti en granit du Massachusetts et en grès provenant de la carrière de Seneca voisine, fait partie du Washington Aqueduct, un canal de dix-neuf kilomètres de long qui achemine l'eau depuis les Great Falls jusqu'à la capitale américaine. L'empierrement du pont étant juste assez large pour laisser passer une seule voiture de front, des feux à chacune de ses extrémités y régulent le trafic, obligeant Gabriel à prendre son mal en patience pendant quatre minutes avant de pouvoir traverser.

Un terrain d'athlétisme, une salle communale et un joli hameau de cottages lambrissés sis parmi des arbres bourgeonnants l'attendaient de l'autre côté du pont. Il poursuivit sa route vers l'ouest, passant sous la Capital Beltway, jusqu'à ce que, une fois encore, des feux de signalisation interrompent sa progression. Au bout d'un moment, il bifurqua à gauche et descendit la pente douce d'une colline jusqu'à Clara Barton Parkway.

La voie rapide s'apparentait à ce qu'ailleurs on appelait une quatre voies, deux dans chaque sens séparées par un terre-plein central. Gabriel roulait vers l'est, en direction de Washington. Ce n'était pas une erreur de sa part ; il soixantaine, aux cheveux noirs et aux tempes grisonnantes, était seul. Il avait un pistolet, un Barak .45 de confection israélienne, mais pas de garde du corps. Ni le FBI ni la CIA ne savait où il se trouvait, pas plus que le service de renseignement qu'il dirigeait. En fait, à ce moment précis, il était entièrement livré à lui-même.

se trouvait à présent plus près du Potomac et de l'historique Chesapeake & Ohio Canal, qui s'étirait sur deux cent quatre-vingt-seize kilomètres entre Georgetown et Cumberland dans le Maryland. Il comportait soixante-quatorze écluses, dont quelques-unes bordaient Clara Barton Parkway, comme la n° 10. Le week-end, son petit parking pouvait être bondé de randonneurs et de pique-niqueurs. Mais à 10 h 39, un jeudi matin, quand tout Washington se préparait à une nouvelle journée de lutte politique, il était désert.

Gabriel descendit de la Ford et traversa le vieux pont en bois qui enjambait le canal. Un sentier rendu boueux par les récentes pluies serpentait entre des érables et des peupliers jusqu'à la rive du Potomac. Swainson Island, séparée de la terre par un bras du fleuve aux eaux sombres et agitées, s'étendait devant lui. Une barque aux couleurs des services des parcs nationaux gisait, retournée, sous un immense sycomore.

De l'autre côté de l'arbre, protégés de l'érosion de l'eau, trois grands rochers se dressaient là comme un Stonehenge miniature. Gabriel essaya d'en faire bouger un du bout de sa chaussure, pour se rendre compte qu'il était fermement rivé au sol.

Il revint au sentier et patienta. Les eaux du fleuve clapotaient à ses pieds. Moins de cinq minutes s'écoulèrent avant qu'il n'entende une voiture s'arrêter sur le parking, suivi du son caractéristique de trois portes s'ouvrant et se fermant successivement. Un œil par-dessus son épaule lui révéla quatre individus, deux femmes, deux hommes, traversant le pont. Une des femmes portait un tailleur ; l'autre, des habits de sport aux couleurs vives. Le plus costaud des deux hommes transportait une pelle. Pratique pour creuser une tombe, songea Gabriel.

Il se détourna d'eux et contempla les eaux sombres devant lui. Dans la poche droite de sa veste en cuir se trouvait son BlackBerry professionnel. Il ne lui était d'aucune utilité. Seul le pistolet au creux de ses reins pourrait lui sauver la vie. Un Barak .45, capable d'arrêter un homme en pleine course. Une femme aussi, songea-t-il.

80

Capital Beltway, Virginie

Sur la route de l'aéroport de Dulles, Mikhail Abramov appela le Boulevard du Roi-Saül et informa le service des Opérations qu'il avait laissé le chef du Bureau au poste de commandement de Chesapeake Street dans une humeur aussi sombre qu'imprévisible, avec un seul garde du corps. Les Opérations joignirent le garde du corps, qui confessa avoir autorisé le directeur à quitter le poste de commandement seul, dans une Ford Fusion de location. Où était-il allé ? Le garde du corps n'en savait rien. Était-il en possession de son BlackBerry ? C'était possible. Avait-il une arme ? Le garde du corps n'en était pas sûr non plus, aussi les Opérations appelèrent-elles Mikhail pour lui poser la question. Oui, répondit Mikhail, il avait une arme. Une grosse, même.

Il ne fallut pas longtemps aux Opérations pour localiser le BlackBerry du directeur, qui se déplaçait en direction du sud-ouest le long de Nebraska Avenue. Quelques minutes plus tard, le téléphone quittait la ville par MacArthur Boulevard. Après avoir franchi la Beltway, il fit curieusement demi-tour sur une route parallèle dont le nom n'évoquait rien à Tel-Aviv. Le technicien en conclut que le chef s'était perdu. Ou pire. Il fit sonner son téléphone plusieurs fois, sans obtenir de réponse.

C'est à ce moment qu'Uzi Navot, qui avait suivi les

événements de ce matin-là d'un œil distant, intervint. Lui aussi appela le chef sur son BlackBerry, sans résultat. Il joignit ensuite Mikhail pour s'enquérir de sa position. Celui-ci l'informa qu'Eli Lavon et lui approchaient de Dulles. Ils étaient déjà en retard pour leur avion à destination de Toronto.

— Je crains que vous ne deviez changer vos plans, dit Navot.

— Où est-il ?

— Écluse nº 10. Au bord du fleuve.

81

Cabin John, Maryland

Elles parlaient russe, à voix étouffées et saccadées. Gabriel, qui n'avait aucune oreille pour les langues slaves, ne pouvait qu'essayer de deviner le sens de leurs paroles. Il supposa qu'elles débattaient de ce qu'elles allaient faire, maintenant qu'elles n'étaient plus seules. La voix de Rebecca Manning était facile à discerner, tant son russe se mêlait d'accents anglais et français. Dans celle d'Eva en revanche, Gabriel n'entendait que la peur.

Quand il jugea le moment opportun, il se retourna lentement pour révéler sa présence aux deux nouvelles arrivantes. Il leur adressa un sourire étudié et hocha la tête une fois. Ce faisant, il calcula le temps qu'il lui faudrait pour se mettre en position de tir. « Le temps de claquer des mains, pour un simple mortel… », avait coutume de dire Ari Shamron. Mais c'était vrai avec un Beretta .22, pas avec le lourd Barak. Et quand Gabriel était jeune.

Aucun des quatre ne lui rendit son salut. Rebecca menait sa petite troupe dans la descente, presque comique dans son tailleur-pantalon, ses talons hauts et son imperméable que le vent soulevait, révélant à Gabriel la présence d'un objet lourd dans sa poche. Un pas derrière elle, Eva précédait les deux hommes. L'un comme l'autre semblaient capables de violence. Celui à la pelle était l'allié naturel de Gabriel ; il devrait la lâcher avant de pouvoir sortir son arme. Le plus petit des deux serait rapide, et Rebecca avait déjà fait la démonstration de ses talents de tireuse à Georgetown. Gabriel présuma qu'il n'avait qu'une chance infime de survivre aux secondes à venir. Ou peut-être ne le tueraient-ils pas, après tout. Peut-être le chargeraient-ils à l'arrière de leur van et l'emmèneraient-ils à Moscou où il serait jugé pour crime contre le Tsar et ses camarades kleptomanes du Kremlin.

Le temps de claquer des mains, pour un simple mortel…

Ça, c'était bien longtemps auparavant, à l'époque où il était le prince du tir, l'ange de la vengeance. Mieux valait quitter les lieux en espérant qu'ils ne le reconnaissent pas. Mieux valait laisser là son honneur et repartir avec sa vie. Il avait une femme, des enfants. Il avait un service à diriger et un pays à protéger. Et il avait la fille de Kim Philby arrivant droit sur lui, sur un sentier serpentant entre les arbres. Il l'avait trouvée et il l'avait poussée à se trahir elle-même, et voilà qu'elle se précipitait dans ses bras. Non, songea-t-il, il irait jusqu'au bout. Il ne partirait pas d'ici sans Rebecca Manning, et il ne quitterait pas le sol américain sans l'avoir remise à Graham Seymour.

Le temps de claquer des mains, pour un simple mortel…

Ses talons hauts la faisaient trébucher sur le chemin. Elle glissa et manqua de tomber, mais elle retrouva son équilibre et croisa le regard de Gabriel.

— Pas vraiment les vêtements appropriés, ironisa-t-elle avec un accent britannique de la haute société. J'aurais dû prendre mes bottes en caoutchouc.

La fille de Kim Philby, le grand œuvre de Sasha s'arrêta, chancelante, à moins de trois mètres de Gabriel. Le sourire de l'Israélien s'élargit, et il déclara en français :

— Je me doutais que ce serait vous.

Ses yeux se teintèrent de confusion.

— Je vous demande pardon ? fit-elle en anglais.

Mais Gabriel répondit en français, la langue natale de Rebecca. La langue de sa mère.

— C'est ce que votre père a dit à Nicholas Elliott à Beyrouth. Et c'est ce que votre mère m'a dit en Espagne le soir où nous l'avons trouvée. Elle vous envoie ses meilleurs vœux, au fait. Elle est désolée que les choses aient tourné de cette façon.

Rebecca marmonna quelque chose en russe dont le sens échappa à Gabriel, mais pas au plus petit des deux hommes, qui tendit la main vers son pistolet. Gabriel dégaina le premier et tira deux fois dans le visage de l'homme, lui faisant subir le même sort que Konstantin Kirov à Vienne. Le grand avait lâché la pelle et s'affairait à sortir son arme de son holster de hanche. Gabriel le tua également. Deux balles dans le cœur.

Moins de trois secondes s'étaient écoulées, mais dans cet intervalle Rebecca Manning avait réussi à sortir son SIG Sauer et à attraper Eva par les cheveux. Il n'y avait plus qu'eux trois, au bord du fleuve, tout proche de Swainson Island, au pied d'un immense sycomore. Ils n'étaient pas tout à fait seuls, songea Gabriel. Dans le parking, un homme descendait d'une très vieille automobile, serrant contre lui un sac en papier…

82

Cabin John, Maryland

— Comment connaissez-vous cet endroit ?
— Votre mère m'en a parlé.
— C'est elle qui m'a trahie ?
— Elle l'a fait il y a bien longtemps.

Gabriel regardait droit dans les grands yeux bleus de Rebecca, dans le prolongement du canon fumant du Barak. Dans le silence des arbres, les quatre coups de feu avaient tonné comme des boulets de canon, mais aucune voiture ne s'était encore arrêtée le long de la voie rapide pour voir ce qui se passait. Rebecca tenait toujours Eva par les cheveux. Elle la serrait contre elle et pressait la bouche du SIG Sauer contre son cou, juste sous la ligne de la mâchoire.

— Allez-y, tuez-la, dit Gabriel d'une voix posée. Une agente du SVR sur le carreau de plus ou de moins ne me fait ni chaud ni froid. Et ça me donnera une bonne excuse pour vous tuer.

Heureusement, il s'était exprimé en français, une langue qu'Eva ne comprenait pas.

— C'*était* une agente du SVR, fit observer Rebecca. Maintenant, c'est une des vôtres.

— Si vous le dites.

— Elle travaillait pour vous quand elle est entrée dans ce café.

— Si c'était vrai, pourquoi vous aurait-elle aidée à vous échapper ?

— Ce n'est pas comme si je lui avais laissé le choix, Allon.

Gabriel lui décocha un sourire non feint.

— Vous êtes ce qui se rapproche le plus d'une aristocrate, dans notre métier, Rebecca. Je suis flatté que vous connaissiez mon nom.

— Ne le soyez pas.

— Vous avez les yeux de votre père, mais la bouche de votre mère.

— Comment l'avez-vous retrouvée ?

— Ça n'a pas été très difficile, en réalité. Elle est la seule erreur qu'a commise Sasha. Il aurait dû la rapatrier à Moscou il y a bien longtemps.

— Kim ne l'aurait pas permis.

— C'est comme ça que vous l'appeliez ?

Elle ignora la question.

— Il était remarié à Rufina, expliqua-t-elle. Il ne voulait pas foutre en l'air sa vie personnelle une fois de plus en ayant pour voisine un ancien amour.

— Donc il l'a laissée dans les collines d'Andalousie, jeta Gabriel. Seule au monde.

— Ce n'est pas si mal, là-bas.

— Vous saviez où elle se trouvait ?

— Bien sûr.

— Et vous n'avez jamais essayé de la voir ?

— Je ne pouvais pas.

— À cause de Sasha ? Ou parce que ç'aurait été trop douloureux ?

— Douloureux pour qui ?

— Pour vous, bien sûr. C'est votre mère.

— Je n'ai que du mépris pour elle.

— Vraiment ?

— Elle n'a pas beaucoup tergiversé avant de me livrer à eux, n'est-ce pas ? Et elle n'a jamais essayé de me contacter ni de me voir.

— Si, une fois.

Ses yeux bleus se mirent à briller, comme ceux d'une enfant.

— Quand ?

— Quand vous étiez à Trinity College. Elle vous a secrètement prise en photo sur Jesus Lane. Devant un mur de briques rouges.

— Et elle l'a gardée ?

— C'est tout ce qu'elle avait.

— Vous mentez !

— Je peux vous la montrer si vous le souhaitez. J'ai aussi votre certificat de naissance – le *vrai*. Celui de l'hôpital Saint-Georges à Beyrouth, qui révèle le nom de votre vrai père.

— Je n'ai jamais aimé Manning. Je préfère de loin Philby.

— Il vous a fait quelque chose de terrible, Rebecca. Il n'avait aucun droit de vous voler votre vie et de vous laver le cerveau pour faire de vous son petit soldat.

— Personne n'a lavé le cerveau de personne. J'adore Kim. Tout ce que j'ai fait, je l'ai fait pour lui.

— Et à présent, c'est terminé. Posez votre arme et laissez-moi vous ramener chez vous.

— Chez moi, c'est Moscou, assena-t-elle. Je vous propose un marché. Je vous rends votre agente, et vous prenez les dispositions nécessaires pour que je regagne la Fédération de Russie en toute sécurité.

— Désolé, Rebecca, mais c'est un marché que je ne peux accepter.

— Dans ce cas, je suppose que votre agente et moi allons mourir ici.

— Pas si je vous tue en premier.

Elle le gratifia d'un sourire cinglant, supérieur. Le sourire de Philby.

— Vous n'avez pas le cran de tuer une femme, Allon. Sinon vous l'auriez déjà fait.

C'était vrai. Rebecca mesurait plusieurs centimètres de

plus qu'Eva et se tenait derrière elle sur la pente raide. Le haut de son crâne était exposé. Le fleuve léchait les talons de Gabriel. Lentement, le pistolet toujours tendu devant lui, il remonta le sentier jusqu'à l'orée des arbres. Rebecca pivota avec lui, sans que son arme quitte le cou d'Eva.

Elle détourna les yeux vers le tronc du sycomore.

— Je suis surprise qu'il soit encore là.

— Ils peuvent vivre plus de deux siècles et demi. Il a probablement vu les Britanniques brûler la Maison-Blanche.

— J'ai fait de mon mieux pour finir le travail. (Un autre coup d'œil à l'arbre.) Vous pensez qu'elle est toujours là ? La caméra qui a volé mille secrets aux Américains.

— Pourquoi êtes-vous venue la chercher ?

— Par sentimentalisme. Voyez-vous, je n'ai rien de lui. Quand il est mort, Rufina et ses *vrais* enfants et petits-enfants se sont partagé ses biens. Mais la fille de la femme de l'ombre… il n'y avait rien pour elle.

— Posez votre arme, Rebecca, et nous la déterrerons ensemble. Puis nous rentrerons à Londres.

— Vous imaginez le scandale ? À côté de ça, l'affaire du Troisième Homme passera pour… (Elle resserra sa prise sur les cheveux d'Eva.) Peut-être vaut-il mieux que l'histoire se termine ici, au bord du fleuve, au pied d'un immense sycomore.

Elle faiblissait, perdait la foi. Elle parut soudain très lasse. Et folle, songea Gabriel. Elle avait fini comme toutes les autres femmes de Philby.

— Combien de pas croyez-vous qu'il y ait ? demanda Gabriel.

— De quoi parlez-vous ?

— Jusqu'à ma voiture. Combien de pas entre le bord de l'eau et ma voiture ?

— Elle vous a aussi raconté ça ?

— Combien de pas du Louvre à Notre-Dame ? De l'Arc de triomphe à la place de la Concorde ? De la tour Eiffel aux Invalides ?

Rebecca resta silencieuse.

— Posez votre arme, dit Gabriel. C'est terminé.

— Posez la *vôtre* d'abord, et je ferai de même.

Gabriel baissa le bras et pointa le Barak vers la terre humide. Rebecca tenait toujours le SIG Sauer contre le cou d'Eva.

— Lâchez-le, ordonna-t-elle.

Après un moment d'hésitation, Gabriel laissa le pistolet lui échapper.

— Espèce d'idiot, dit Rebecca d'une voix froide, et elle pointa le canon vers sa poitrine.

83

Cabin John, Maryland

C'était un mouvement qu'on enseignait au Centre, parfaitement exécuté. Coup de talon sur le cou-de-pied, coup de coude au plexus solaire, coup de paume dans le nez, le tout en un claquement de doigts. Mais Gabriel ne parvint pas à se rendre maître du SIG Sauer à temps. Le coup de feu tua Eva à la mode russe, une balle dans la nuque. Elle s'écroula dans la terre humide.

Rebecca tira deux coups supplémentaires qui allèrent se perdre dans les arbres, tandis que Gabriel, toujours agrippé au pistolet, la contraignait à battre en retraite. Ils entrèrent tous deux dans les eaux glacées du Potomac. Le pistolet, qui se trouvait maintenant immergé, eut un mouvement de recul entre les mains de Gabriel, et quatre minuscules torpilles fusèrent vers Swainson Island.

Il ne devait rester que trois balles dans le chargeur. Rebecca avait désormais le visage sous les eaux sombres et agitées du fleuve. Ses yeux et sa bouche étaient ouverts sur un cri de rage. Elle ne faisait aucun effort pour retenir sa respiration. Gabriel l'enfonça davantage, tandis que deux autres coups de feu partirent dans l'onde.

Plus qu'une seule balle, qui s'échappa du canon alors que Rebecca exhalait sa dernière bouffée d'oxygène. En la hissant hors de l'eau, Gabriel entendit des bruits de pas sur le sentier. Dans sa sidération, il s'attendit à voir Philby venir au secours de sa fille, mais ce n'était que Mikhail Abramov et Eli Lavon, venus en renfort.

Rebecca, qui s'étranglait en recrachant de l'eau sur la rive, tomba à genoux au pied du sycomore. Gabriel jeta son pistolet dans le fleuve et remonta le sentier jusqu'à sa voiture. Il ne s'avisa que plus tard qu'il avait compté ses pas. Il y en avait cent vingt-deux.

QUATRIÈME PARTIE

L'Andalouse

84

Cabin John, Maryland

C'est une joggeuse qui, à 11 h 15, fit la découverte macabre. Elle appela le 911, et l'opérateur prévint la police des parcs nationaux, dont c'était la juridiction. Les agents trouvèrent les corps de deux hommes et d'une jeune femme, tous trois tués par balle. Les hommes portaient des vêtements de ville ; la femme, une tenue de sport aux couleurs vives. On avait tiré à cette dernière une seule balle dans la nuque, contrairement aux hommes qui en avaient reçu deux chacun. Le parking était vide, et une enquête préliminaire de la scène de crime ne permit pas de déterminer leur identité. Elle mit cependant au jour deux pistolets de fabrication russe – un Tokarev et un Makarov – et, plus curieusement, un déplantoir de marque True Value.

La lame paraissait neuve et la poignée comportait une étiquette de prix immaculée au nom du magasin où il avait été acheté. Un des agents appela le gérant et lui demanda s'il avait récemment vendu un tel déplantoir à deux hommes ou à une jeune femme en tenue de sport fluo. Non, répondit le gérant, mais il en avait vendu une le matin même à une femme en tailleur-pantalon et imperméable.

— En cash ou par carte ?

— En cash.

— Pouvez-vous me la décrire ?

— La cinquantaine, des yeux très bleus. Et un accent.

— Laissez-moi deviner : russe.

— Non, anglais.

— Vous avez une vidéo ?

— À votre avis ?

Il fallut quatre minutes à l'agent pour parcourir le trajet entre la scène de crime et le magasin. En chemin, il téléphona à son chef d'équipe et l'avertit que, d'après lui, quelque chose d'important s'était passé sur la rive ce matin-là – dont la mort de trois individus n'était qu'un dommage collatéral – et que le FBI devait être immédiatement prévenu. Son supérieur en convint et appela le QG du FBI, qui était déjà sur le pied de guerre.

Le premier agent fédéral à arriver sur la scène de crime n'était autre que Donald McManus. À 11 h 50, il confirma que la jeune femme décédée était bien celle qu'il avait vue plus tôt ce matin-là à la station Shell de Wisconsin Avenue. À 12 h 10, après avoir visionné la vidéo de surveillance de la quincaillerie, il put affirmer que celle qui avait acheté le déplantoir et celle qui avait appelé l'ambassade russe depuis le téléphone public ne faisaient qu'une. Mais qui était-elle ? McManus envoya en urgence une copie de la vidéo au QG du FBI pour la comparer à la base de données. Inutile, lui affirma le chef de la Direction de la sécurité nationale, à qui il avait suffi d'un coup d'œil pour identifier la cheffe de poste du MI6 à Washington.

— Rebecca Manning ? demanda McManus, incrédule. Tu en es bien sûr ?

— J'ai pris un café avec elle la semaine dernière.

— Tu lui as confié quoi que ce soit de classifié ?

Même alors, aux tout premiers moments du scandale imminent, le chef de la Direction de la sécurité nationale se garda bien de répondre. Il appela son directeur, lequel joignit successivement le procureur général, le directeur de la CIA, le secrétaire d'État et, pour finir, la Maison-

Blanche. Selon le protocole, le secrétaire d'État devait contacter l'ambassadeur britannique, ce qu'il fit à 13 h 30.

— Je pense qu'elle est en route pour l'aéroport de Dulles, répliqua l'ambassadeur. Si vous vous dépêchez, vous pouvez encore la rattraper.

Il serait établi que le Falcon privé décolla de l'aéroport international de Dulles à 13 h 12, avec six passagers à son bord – trois Britanniques et trois Israéliens, et une seule femme parmi eux. Le personnel de Signature Flight Support, l'exploitant des services aéronautiques de l'aéroport, rapporterait qu'elle paraissait légèrement désorientée et qu'elle avait les cheveux humides. Elle portait un survêtement et des chaussures de sport neuves, tout comme un des hommes, un petit Israélien aux tempes grisonnantes et aux yeux verts. En outre, un des passagers – un Britannique du nom de Peter Marlowe, d'après son passeport – avait un bras en écharpe. En somme, conclut le personnel, ils avaient l'air d'être passés à l'essoreuse. Voire pire.

Le temps que l'avion atterrisse à Londres, le Tout-Washington officiel était en ébullition. Durant les vingt-quatre heures qui suivirent, la tempête demeura classifiée, compartimentée et en grande partie tenue secrète. Des trois corps retrouvés au bord de l'eau, le FBI ne dit presque rien, sinon qu'il s'agissait d'un cambriolage qui avait mal tourné et que les victimes restaient à identifier, ce qui n'était pas l'exacte vérité.

Car en coulisses, l'enquête avançait à grands pas et révélait des résultats alarmants. Les analyses balistiques déterminèrent que les deux hommes avaient été tués par une arme de calibre 45 – des mains d'un tireur particulièrement habile – et que la femme connue sous le nom d'Eva Fernandes avait été abattue à bout portant par une balle de 9 mm. Les analystes de la Direction de la sécurité nationale se penchèrent sur sa demande de carte verte, son historique de déplacement et sa prétendue nationalité brésilienne. Ils comprirent très vite qu'il s'agissait selon toute probabilité d'une illégale du SVR. Les deux hommes, découvrit le FBI, étaient également des agents du Centre, mais disposaient, eux, de passeports diplomatiques russes. L'un au nom de Vitali Petrov, l'autre de Stanislav Zelenko. Tous deux occupaient officiellement des postes diplomatiques sans grande importance, Petrov à l'ambassade à Washington, Zelenko à New York.

Le silence de Moscou n'en était que plus énigmatique. L'ambassade russe ne dépêcha aucune enquête et n'émit aucune protestation. La NSA ne détecta aucune intensification des communications chiffrées entre l'ambassade et le Centre. Il paraissait évident que les Russes cachaient quelque chose. Quelque chose de plus important qu'une messagère illégale brésilienne et une paire de barbouzes. Quelque chose comme Rebecca Manning.

À l'inverse de son homologue russe, Langley ne s'en tint pas au silence. Si les grandes oreilles de Moscou écoutaient, ce qu'elles devaient certainement faire, elles n'auraient pas manqué de noter un pic d'activité sur les lignes sécurisées entre le septième étage du quartier général de la CIA et Vauxhall Cross. Et si les Russes avaient été capables de craquer les inviolables niveaux de chiffrement, ce qu'ils auraient entendu les aurait ravis. Car durant les jours qui suivirent la fuite de Rebecca Manning, les relations entre la CIA et le MI6 se refroidirent comme jamais depuis 1963, l'année où un certain Kim Philby avait pris la poudre d'escampette à Beyrouth pour atterrir à Moscou.

Cette fois encore, les Américains tapèrent du poing sur la table et exigèrent des réponses. Pourquoi Rebecca Manning avait-elle contacté l'ambassade russe ? Espionnait-elle pour le compte de Moscou ? Le cas échéant, depuis combien de temps ? Quels secrets avait-elle livrés ? Était-elle responsable des trois corps retrouvés sur les rives du Potomac au niveau de Swainson Island ? Et

pourquoi diable avait-elle acheté un déplantoir à la quincaillerie True Value au coin du boulevard MacArthur et
de Goldsboro Road ?

Le MI6 ne cacha rien de ce qui s'était passé et, à la
décharge de Graham Seymour – en tout cas aux yeux
des quelques soutiens qu'il lui restait au sein de la
communauté du renseignement américain –, il n'essaya
même pas de le faire. Certes, le MI6 brouilla les cartes,
mais jamais il ne mentit ouvertement aux Américains.
L'eût-il fait, leur mariage se serait probablement terminé
sur-le-champ. Il gagna du temps et supplia Langley de ne
pas révéler le nom de Rebecca Manning à la presse. Un
scandale public, dit-il, ne ferait de bien à personne. De
plus, le Tsar ne manquerait pas de prendre cette victoire
à son compte, alors qu'il avait déjà le vent en poupe en
ce moment. Mieux valait évaluer les dégâts en privé et
s'efforcer d'arranger les relations.

— Il n'y a *pas* de relations, déclara Morris Payne,
le directeur de la CIA, à Seymour quatre jours après
l'arrivée de Rebecca Manning à Londres. Jusqu'à ce que
nous soyons sûrs que la fuite a été bouchée et que votre
service ne fournit plus d'informations aux Russes.

— Vous aussi avez connu des problèmes par le passé,
et jamais nous n'avons menacé de couper court à notre
coopération.

— C'est parce que vous avez plus besoin de nous
que l'inverse.

— Quel tact, Morris. Quel sens de la diplomatie.

— Aux chiottes le tact ! Où est-elle, au fait ?

— Je ne te le dirai pas par téléphone.

— Depuis quand est-ce que ça dure ?

— Ceci, fit remarquer Seymour avec une précision
toute juridique, est un sujet qui nous intéresse grandement.

— Je suis soulagé de te l'entendre dire. (Payne jura
bruyamment.) Cathy et moi la traitions comme un membre
de notre famille, Graham. Elle est venue chez nous. Et

comment m'a-t-elle remercié ? En me volant mes secrets et en me poignardant dans le dos. Je me sens comme…

— Comme quoi, Morris ?

— Comme James Angleton a dû se sentir quand son vieux copain Kim Philby s'est barré à Moscou.

Les choses auraient pu en rester là – le silence des Russes, la querelle des cousins – s'il n'y avait pas eu cet article, paru dans le *Washington Post* une semaine après le départ précipité de Rebecca Manning. Il était signé par une journaliste qui avait déjà écrit sur des sujets de sécurité nationale par le passé et, comme les fois précédentes, elle ne citait pas ses sources. Mais la fuite venait très probablement du FBI, qui n'était pas très à l'aise avec l'idée de planquer Rebecca Manning et les cadavres de trois agents russes sous le tapis.

La fuite était partielle, mais l'article n'en fit pas moins l'effet d'une bombe. Il affirmait que les trois personnes retrouvées mortes sur les rives du Potomac n'étaient pas les victimes d'un cambriolage qui aurait mal tourné, mais des officiers du SVR. Deux jouissant d'une couverture diplomatique et une illégale se faisant passer pour une Brésilienne. Comment et pourquoi ils avaient été tués restait à déterminer, mais il semblait que le FBI enquêtait sur l'implication de deux services de renseignement étrangers.

L'article eut deux conséquences majeures : Moscou ne pouvait plus se permettre de se murer dans le silence. Le Kremlin réagit vivement et accusa les États-Unis d'avoir froidement assassiné deux de leurs ressortissants – accusation que l'administration américaine n'eut de cesse de nier vigoureusement. Les trois jours suivants virent se succéder les fuites et les contre-fuites, jusqu'à ce que l'affaire s'affiche en une du *New York Times*. Une partie, en tout cas. Les experts invités sur les plateaux de télévision déclarèrent qu'il s'agissait du pire cas d'espionnage connu depuis le désastre de Kim Philby. Là-dessus, au moins, ils ne se trompaient pas.

De nombreuses questions relatives au recrutement de Rebecca Manning par les services secrets russes restaient sans réponse. D'autres concernant le rôle joué par Gabriel Allon, qu'on disait avoir vu monter dans l'avion ramenant Rebecca Manning en Grande-Bretagne, sortirent également. Londres garda le silence, tout comme Tel-Aviv.

85

Tel-Aviv – Jérusalem

On le vit le même jour débarquer au bureau du Premier ministre pour la réunion hebdomadaire du conseil, qui s'annonçait musclée, vêtu d'un costume bleu et d'une chemise impeccablement repassée, l'air pas le moins du monde impressionné. Quand un journaliste lui demanda de commenter l'arrestation de Rebecca Manning pour trahison, il se contenta de sourire. Une fois à l'intérieur de la salle du conseil, il noircit son carnet de notes de gribouillages tandis que les ministres se chamaillaient, et se demanda tout du long comment le peuple israélien parvenait à prospérer en dépit de son épouvantable classe politique. Quand vint son tour de prendre la parole, il briefa les ministres sur un raid récent que certains membres du Bureau et de l'armée avaient effectué contre des militants islamistes dans la péninsule du Sinaï, avec la bénédiction tacite du nouveau pharaon. Il ne mentionna pas le fait que l'opération s'était déroulée pendant que lui-même survolait l'Atlantique et essayait de procéder au premier interrogatoire de Rebecca Manning. Graham Seymour y avait coupé court. À Londres, les deux hommes s'étaient séparés en se saluant du bout des lèvres.

Au Boulevard du Roi-Saül, le travail consistant à protéger le pays des innombrables menaces qui pesaient sur lui s'était poursuivi normalement, comme si rien ne s'était passé. Mardi matin, lors de la réunion des officiers supérieurs, l'habituelle querelle pour l'attribution des ressources et des priorités avait fait rage, mais le nom de Rebecca Manning ne fut pas prononcé. Les frappes clandestines dans le Sinaï n'étaient qu'une des facettes de la nouvelle stratégie d'Israël visant à travailler main dans la main avec les régimes sunnites contre leur ennemi commun, la République islamique d'Iran. Le retrait des Américains de la région avait créé un vide que les Iraniens et les Russes s'empressaient de combler. Israël servait de rempart contre la menace grandissante de l'Iran, et Gabriel et le Bureau étaient en première ligne. De plus, l'imprévisible président américain avait signifié son intention de se retirer de l'accord international qui avait temporairement mis un frein aux ambitions nucléaires iraniennes. Il ne faisait aucun doute pour Gabriel que les Iraniens en profiteraient pour accélérer leur programme d'armement ; lui-même était en train de mettre en place un nouveau programme de collecte d'informations et de sabotage.

Il s'attendait également à une riposte russe en réponse à la capture de Rebecca Manning. Aussi ne fut-il pas surpris d'apprendre, un peu plus tard dans la semaine, la mort de Werner Schwarz, malencontreusement tombé par la fenêtre de son appartement à Vienne, celle-là même par laquelle il signalait au Centre qu'il avait des informations à lui communiquer. La Bundespolitzei ne retrouva aucune lettre de suicide, mais plusieurs centaines de milliers d'euros planqués sur un compte privé. La presse autrichienne se demanda si sa mort était liée à l'assassinat de Konstantin Kirov. Le ministère de l'Intérieur autrichien se posait la même question.

En interne, il y eut un rapport officiel à rédiger et une défense juridique à préparer, mais Gabriel trouva tout un tas d'excuses pour éviter les débriefeurs et les avocats du Bureau. En l'occurrence, ils voulaient savoir précisément ce qui s'était passé sur les rives du Potomac. Qui avait tué les deux porte-flingues russes, Petrov et Zelenko ? Et qu'en était-il de cette illégale qui avait accepté de piéger Rebecca Manning en échange de l'asile en Israël ? Uzi Navot essaya de tirer les vers du nez à Mikhail et à Eli Lavon, mais tous deux avaient répondu en toute franchise qu'ils étaient arrivés sur les lieux après la mort des deux Russes. Par conséquent, ils ne pouvaient dire ce qui l'avait causée.

— Et vous ne lui avez pas *demandé* ce qui s'était passé ?

— On a bien essayé, répondit Lavon.

— Et Rebecca ?

— Elle n'a pas dit un mot. Ç'a été l'un des vols les plus pénibles de ma vie, et pourtant j'en ai connu un paquet.

Ils se trouvaient dans le clapier qui servait de bureau à Lavon, parmi les débris de poteries, les pièces anciennes et les outils. Sur son temps libre, Lavon était l'un des plus éminents archéologues israéliens.

— Imaginons, dit Navot, que ce soit Gabriel qui ait tué les deux barbouzes.

— Allons-y, acquiesça Lavon.

— Comment la fille serait-elle morte ? Et comment Gabriel aurait-il su que Rebecca viendrait à cet endroit ? Et pourquoi, nom de Dieu, se serait-elle arrêtée acheter un déplantoir ?

— Pourquoi tu me poses la question ?

— Parce que tu es archéologue.

— Tout ce que je sais, c'est que le chef du Bureau a de la chance d'être en vie. Si ç'avait été toi...

— On serait en train de graver mon nom sur un mur commémoratif.

Si quelqu'un méritait d'avoir son nom sur un mur, songea Lavon, c'était l'homme qui avait découvert Rebecca Manning – à supposer qu'il accepte quelque distinction que ce soit. Sa seule récompense se résumait à une soirée occasionnelle avec sa femme et ses deux enfants, chez lui, mais même eux le sentirent troublé. Un soir, tard, assis au bord du lit de sa fille, il s'était fait cuisiner par Irene. Il avait si mal menti que même l'enfant ne l'avait pas cru.

— Reste avec moi, *abba*, lui enjoignit-elle dans ce curieux mélange d'italien et d'hébreu quand Gabriel avait fait mine de partir. Ne me laisse plus jamais, ajouta-t-elle.

Gabriel resta dans la chambre le temps qu'elle s'endorme profondément. Il gagna ensuite la cuisine, où il se servit un verre de syrah de Galilée et s'assit à la petite table de bistrot en regardant les nouvelles de Londres d'un air morose, tandis que Chiara préparait leur dîner. À l'écran, on voyait Graham Seymour avachi au fond d'une limousine quittant Downing Street, où il venait de remettre sa démission en réaction au scandale qui touchait le SIS. Lancaster, le Premier ministre, l'avait refusée – du moins pour l'instant, selon un membre de son entourage qui avait souhaité rester anonyme. On réclamait une enquête parlementaire et, pire, que le MI6 rende des comptes sur sa gestion calamiteuse de la crise des armes de destruction massive en Irak. Et Alistair Hughes ? hurlait la meute des médias. Sa mort dans la paisible Berne était-elle liée à Rebecca Manning ? Était-il lui aussi un espion russe ? Y avait-il un Troisième Homme tapi quelque part ? Bref, exactement le genre de scandale public que Seymour avait espéré éviter.

— Combien de temps pourra-t-il garder le secret ?

— Sur quoi ?

— Sur l'identité du père de Rebecca Manning ?

— J'imagine que ça dépend du nombre de personnes au MI6 au courant du fait qu'elle se nomme elle-même Rebecca Philby.

Chiara posa un bol de spaghettis *al pomodoro* devant Gabriel, qu'il saupoudra de fromage râpé. Il hésita cependant avant de prendre sa première bouchée.

— Il y a quelque chose que je dois t'avouer, finit-il par dire. À propos de ce qui s'est passé ce matin-là au bord du fleuve.

— Je pense que j'en ai une assez bonne idée.

— Ah bon ?

— Tu étais là où tu n'aurais pas dû, seul, sans renforts ni garde du corps. Heureusement, tu as eu la présence d'esprit de glisser un pistolet dans ta poche avant de quitter la maison refuge.

— Un gros.

— Les .45 n'ont jamais été tes préférés.

— Trop bruyants. Et pas très propres.

— L'illégale a été tuée par un 9 mm, fit remarquer Chiara.

— Eva. C'était en tout cas sa couverture brésilienne. Elle ne nous a jamais dit son nom.

— Je suppose que Rebecca l'a tuée.

— Je suppose que oui.

— Pourquoi ?

Gabriel hésita, puis déclara :

— Parce que je n'ai pas tué Rebecca d'abord.

— Tu n'as pas pu ?

Non, dit Gabriel. Il n'avait pas pu.

— Et maintenant tu te sens coupable parce que la femme que tu as utilisée est morte ?

Gabriel resta silencieux.

— Mais il y a autre chose qui te travaille. Dis-moi, Gabriel… À combien de doigts de la mort es-tu passé ?

— Trop peu.

— Au moins es-tu honnête.

Chiara se tourna vers la télévision. La BBC avait exhumé une vieille photo de Rebecca datant de Trinity College. Elle ressemblait comme deux gouttes d'eau à son père.

— Combien de temps pourront-ils garder ça secret ? redemanda Chiara.

— Qui irait croire une histoire pareille ?

Sur l'écran de la télévision, la vieille photo de Rebecca Manning disparut, remplacée par une nouvelle image de Graham Seymour.

— Tu n'as commis qu'une seule erreur, mon amour, dit

Chiara au bout d'un moment. Si seulement tu l'avais tuée quand tu en avais l'occasion, tout ceci ne serait pas arrivé.

Tard dans la nuit, alors que Chiara dormait profondément à côté de lui, Gabriel s'assit, son ordinateur portable en équilibre sur ses cuisses et ses écouteurs dans les oreilles, et regarda en boucle les mêmes quinze minutes de vidéo. Prise par un Samsung Galaxy, elle commençait à 7 h 49 et montrait une femme en tailleur-pantalon et en imperméable beige entrer dans un Starbucks fréquenté au nord de Georgetown et se joindre à la file de clients attendant leur tour. Il y avait huit personnes devant elle. Dans les écouteurs, Gabriel entendait le serveur chanter *A Change Is Gonna Come* plutôt bien. Graham Seymour, se souvint-il, avait manqué la performance. Il se trouvait alors à l'extérieur, dans le jardin à l'abandon du poste de commandement, en communication avec Vauxhall Cross.

Il était 7 h 54 quand la femme avait passé commande, un double express, torréfaction brune, rien à manger, et 7 h 56 quand elle s'était assise à une table partagée avec son iPhone, sur lequel elle avait pianoté pendant une minute de son pouce droit. Puis, à 7 h 57, elle avait posé l'iPhone sur la table et sorti un deuxième appareil, un BlackBerry KEYone, de son sac à main. Le mot de passe en était long et aussi solide que le roc, douze caractères, des deux pouces. Après l'avoir entré, elle avait contemplé l'écran. Le serveur chantait *What's Going On*.

Mother, mother...

À 7 h 58, la femme avait repris son iPhone, jeté un coup d'œil à l'écran, puis un autre autour d'elle. Nerveusement, nota Gabriel, ce qui ne lui ressemblait pas. Puis elle avait tapé sur l'écran de l'iPhone plusieurs fois, rapidement, et l'avait rangé dans son sac. Elle s'était levée et débarrassée de son gobelet de café dans la poubelle prévue à cet effet. La porte se trouvait à sa droite, mais elle avait pris à gauche, vers le fond du café.

Lorsqu'elle s'était approchée du Samsung Galaxy, son visage était resté de marbre. Gabriel cliqua sur l'icône PAUSE et regarda droit dans les yeux bleus de Kim Philby. Avait-elle pris peur, comme l'avait suggéré Graham Seymour, ou avait-elle été prévenue ? Dans ce cas, par qui ?

Sasha était le suspect le plus évident. Il était possible qu'il ait supervisé la transmission à distance, avec des équipes dans la rue ou à l'intérieur du café. Il avait peut-être vu quelque chose qui lui avait déplu, quelque chose qui l'avait incité à ordonner à son grand œuvre d'abandonner la mission et de se précipiter dans un refuge convenu à l'avance. Mais alors, pourquoi Rebecca n'était-elle pas sortie du café ? Et pourquoi avait-elle couru dans les bras d'Eva Fernandes plutôt que dans ceux de l'équipe d'exfiltration du SVR ?

Parce qu'il n'y avait *aucune* équipe d'exfiltration, songea Gabriel en se remémorant le rapide exode, à environ 8 h 20, des atouts connus du SVR de l'ambassade. Pas encore.

Il remit la vidéo au début et cliqua sur LECTURE. Il était 7 h 56 dans un Starbucks fréquenté au nord de Georgetown. Une femme en tailleur-pantalon et imperméable beige s'assoit à une table partagée et pianote sur son iPhone. À 7 h 57, elle troque son iPhone contre un BlackBerry, mais à 7 h 58, elle revient à l'iPhone.

Gabriel cliqua sur PAUSE.

Là. Le très léger sursaut, le presque imperceptible écarquillement des yeux. C'est arrivé précisément à cet instant, à 7 h 58 min 46 s, sur l'iPhone.

Il cliqua de nouveau sur LECTURE et observa Rebecca Manning pianoter sur son iPhone – très probablement pour effacer son rapport ainsi que le logiciel du SVR. Gabriel présuma qu'elle avait également fait disparaître le message qui l'avait alertée. Le FBI l'avait peut-être trouvé, peut-être pas. Peu importait ; jamais ils ne l'auraient partagé avec ses semblables. Les Britanniques étaient leurs cousins. Éloignés, certes, mais de la même famille.

Gabriel ouvrit le navigateur et passa en revue les gros titres de la presse londonienne, tous pires les uns que les autres. *Si seulement tu l'avais tuée quand tu en avais l'occasion, tout ceci ne serait pas arrivé...* Oui, songea-t-il en se rallongeant près de sa femme endormie dans le noir, ça expliquerait tout.

86

Eaton Square, Londres

Gabriel s'envola pour Londres trois jours plus tard, sous une fausse identité attestée par un passeport diplomatique israélien. Un détachement de la sécurité de l'ambassade vint l'accueillir à l'aéroport de Heathrow, ainsi qu'une équipe pas si discrète du A4, une branche du MI5. En chemin pour le centre de Londres, il appela Graham Seymour et demanda un rendez-vous. Seymour accepta de le voir le soir même chez lui, à Eaton Square. L'heure tardive suggérait qu'il ne serait pas question d'un dîner, ce que l'attitude glaciale d'Helen Seymour à son arrivée lui confirma.

— Il est en haut, annonça-t-elle froidement. Je suppose que vous connaissez le chemin.

Quand Gabriel entra dans le bureau, au premier étage, Seymour compulsait un dossier classifié à couverture rouge. Il se servit de son stylo à plume Parker vert comme marque-page, le referma et le classa prestement dans un attaché-case en inox. Visiblement, Seymour avait déjà rangé l'argenterie et la porcelaine. Il ne se leva pas ni ne lui tendit la main. Pas plus qu'il ne lui proposa d'aller converser dans sa pièce sécurisée. Gabriel présuma que c'était inutile. Le MI6 n'avait plus aucun secret à cacher aux Russes : Rebecca Manning les leur avait déjà livrés.

— Sers-toi, dit Seymour en jetant un regard indifférent au bar.

— Merci, mais non, répliqua Gabriel qui s'assit sans y avoir été invité.

S'ensuivit un silence pesant. Il regretta soudain d'être venu à Londres. Leur relation, craignait-il, s'était irrémédiablement détériorée. Il se souvint avec nostalgie de la soirée qu'ils avaient passée à Wormwood Cottage à éplucher ces vieux dossiers à la recherche du nom de la maîtresse de Kim Philby. Si Gabriel avait su qu'on en arriverait là, il se serait contenté de murmurer le nom de Philby à l'oreille de Seymour sans s'impliquer davantage.

— Heureux ? finit par demander Seymour.

— Mes enfants sont en bonne santé, et il me semble que je suis dans les bonnes grâces de ma femme. (Il haussa les épaules.) Donc oui, je suppose que je suis aussi heureux que possible.

— Ce n'est pas ce que je voulais dire.

— Un bon ami à moi se retrouve sur la sellette pour quelque chose dont il n'est pas responsable. Je suis inquiet pour lui.

— J'ai l'impression d'avoir déjà lu ça sur une carte de condoléances.

— Allez, Graham, arrêtons de jouer à ça. On a traversé trop de choses ensemble.

— Et une fois encore, c'est toi le héros, et il ne me reste plus qu'à nettoyer la merde.

— Il n'y a pas de héros dans une situation pareille. Tout le monde a perdu.

— Sauf les Russes. (Seymour gagna le bar et se servit une généreuse rasade de whisky.) Keller te fait ses amitiés, au fait.

— Comment va-t-il ?

— Malheureusement, il survivra, d'après les médecins. Il se balade avec un lourd secret.

— Quelque chose me dit que ton secret ne risque rien avec Christopher Keller. Qui d'autre est au courant ?

— Le Premier ministre, c'est tout.

— Soit trois personnes au sein du gouvernement de Sa Majesté, fit remarquer Gabriel.

— Quatre, si tu y ajoutes Nigel Whitecombe, qui en a une bonne idée.

— Plus Rebecca Manning.

Seymour ne fit aucun commentaire.

— Elle parle ? s'enquit Gabriel.

— Rebecca Manning est la dernière personne au monde à qui j'ai envie de parler.

— Je souhaiterais échanger quelques mots avec elle.

— Tu en as déjà eu l'occasion. (Seymour dévisagea Gabriel à travers son whisky.) Comment as-tu su qu'elle irait là-bas ?

— J'ai pris le pari qu'elle voudrait emporter quelque chose en quittant le pays. Quelque chose que son père avait laissé en 1951 après que Burgess et Maclean ont fait défection.

— La caméra et le film ?

Gabriel hocha la tête.

— Ce qui expliquerait le déplantoir. Mais comment savais-tu où ils étaient enterrés ?

— Je disposais d'informations fiables.

— Fournies par Charlotte Bettencourt ?

Gabriel resta silencieux.

— Si seulement tu avais pris ce foutu déplantoir en partant…

Gabriel l'invita à poursuivre.

— On aurait pu exfiltrer Rebecca de Washington sans que les Américains n'en sachent rien. Sans la vidéosurveillance de la quincaillerie, ils n'auraient jamais su que c'était elle.

— Comment aurais-tu expliqué la mort des trois agents du SVR ?

— Avec beaucoup de précautions.

— Et le retour soudain de Rebecca à Londres ?

— Un problème de santé, suggéra Seymour. Une nouvelle mission…

— Tu aurais étouffé l'affaire.

— C'est toi qui l'as dit, pas moi.

Gabriel se perdit dans ses pensées.

— Les Américains n'auraient pas été dupes.

— Grâce à toi, nous ne le saurons jamais.

L'Israélien ignora la remarque.

— En fait, dit-il, il aurait mieux valu que Rebecca quitte Washington avec les Russes. (Il s'interrompit, puis ajouta :) C'est ce que tu souhaitais depuis le début, n'est-ce pas, Graham ?

Seymour ne répondit rien.

— C'est pour ça que tu lui as envoyé un texto deux minutes avant que ne s'ouvre la fenêtre de transmission. Que tu lui as dit de s'enfuir.

— Moi ? Pourquoi aurais-je fait une chose pareille ?

— Pour la même raison que le MI6 a laissé partir Kim Philby en 1963. C'est tellement plus commode d'avoir un espion russe à Moscou que dans un tribunal britannique.

Seymour lui adressa un sourire condescendant.

— On dirait que tu as découvert le pot aux roses. Mais n'est-ce pas toi qui m'as dit que mon chef de poste à Vienne était un agent russe ?

— Tu peux faire mieux que ça, Graham.

Le sourire de l'Anglais disparut.

— Si je devais avancer une supposition, continua Gabriel, tu as envoyé le message du jardin, quand tu es allé y prendre ce prétendu coup de fil urgent de Vauxhall Cross. Ou peut-être l'as-tu fait expédier par Nigel, histoire de ne pas laisser de traces.

— Si quelqu'un a dit à Rebecca de s'enfuir, c'est Sasha.

— Ce n'était pas Sasha, c'était toi.

Le silence s'abattit de nouveau entre les deux hommes. Alors c'est comme ça que ça allait se terminer, songea Gabriel en se levant.

— Au cas où tu te poserais la question, dit brusquement Seymour, le marché est déjà conclu.

— De quel marché parles-tu ?

— Celui qui renverra Rebecca à Moscou.

— Pathétique, murmura Gabriel.

— C'est une citoyenne russe et une colonelle du SVR. C'est là qu'est sa place.

— Continue de te raconter cette histoire, Graham. Tu finiras peut-être par t'en convaincre.

Seymour ne dit rien.

— Qu'as-tu obtenu en échange ?

— Tous ceux dont nous avons demandé le retour.

— Je suppose que les Américains auront leur part du gâteau. (Gabriel secoua lentement la tête.) Quand vas-tu commencer à apprendre, Graham ? Combien d'élections le Tsar va-t-il encore devoir voler ? Combien d'opposants politiques va-t-il devoir encore assassiner sur ton sol ? Quand vas-tu enfin te dresser contre lui ? As-tu tant besoin de son argent ? Est-ce la seule chose qui maintienne cette cité à flot ?

— Tout est toujours blanc ou noir avec toi, n'est-ce pas ?

— Seulement quand il s'agit de traiter avec des fascistes, répondit-il en se dirigeant vers la porte.

— Le marché, fit Seymour, ne dépend que d'une chose.

Gabriel s'arrêta et se retourna.

— Laquelle ?

— Sergueï Morosov. Tu l'as, et les Russes le veulent.

— Tu n'es pas sérieux.

L'expression de l'Anglais disait tout l'inverse.

— J'aimerais pouvoir t'aider, mais Sergueï Morosov est mort, tu te rappelles ? Dis à Rebecca que je suis désolé, mais qu'elle va devoir passer le reste de sa vie au Royaume-Uni.

— Pourquoi ne lui dirais-tu pas toi-même ?

— De quoi parles-tu ?

— Tu as bien dit vouloir échanger quelques mots avec elle ?

— Oui.

— Eh bien, il se trouve qu'elle aussi.

87

Highlands, Écosse

Gabriel passa la nuit dans l'appartement refuge de Bayswater Road et embarqua le lendemain matin à bord d'un avion militaire à la base aérienne de Northolt, en périphérie du Grand Londres. Le détachement de la sécurité du MI6 qui l'accompagnait ne lui révéla pas leur destination, mais la durée du vol et la nature du paysage qui défilait sous eux ne laissaient aucune place au doute : ils se rendaient à l'extrême nord de l'Écosse. Rebecca Manning avait, semble-t-il, été bannie aux confins du royaume.

Finalement, Gabriel aperçut une bande de sable clair, une petite ville en bord de mer et deux pistes formant un X allongé au milieu du patchwork des terres cultivées : la base aérienne de Lossiemouth. Une caravane de Range Rover patientait sur le tarmac battu par le vent. Ils roulèrent à travers plusieurs kilomètres de collines douces recouvertes de bruyère et d'ajoncs, jusqu'à la porte d'un manoir isolé. Le type d'endroit que le MI6 avait réquisitionné durant la guerre et malencontreusement oublié de rendre.

Derrière la double clôture, des gardes en civil patrouillaient de vastes et vertes pelouses. À l'intérieur, un homme désagréable répondant au nom de Burns briefa Gabriel sur les questions de sécurité et l'état d'esprit de la prisonnière.

— Signez là, dit-il en mettant un document sous le nez de Gabriel.

— Qu'est-ce que c'est ?

— Une déclaration comme quoi vous ne direz rien de ce que vous allez voir ou entendre aujourd'hui.

— Je suis citoyen israélien.

— Vous en faites pas, on trouvera quelque chose.

La pièce où l'on conduisit enfin Gabriel n'était pas exactement la grande salle d'un donjon, mais elle avait dû l'être autrefois. On y accédait par un escalier en colimaçon aux marches en pierre qui sentaient l'humidité et les égouts. Les murs originaux avaient été recouverts d'un béton lisse et peint d'un blanc aveuglant – aussi aveuglant, songea Gabriel, qu'un *pueblo blanco* dans les collines d'Andalousie. Les plafonniers, que le courant faisait bourdonner, brillaient avec l'intensité de lampes chirurgicales. À chaque angle, une caméra les toisait, et deux vigiles montaient la garde derrière une vitre sans tain incassable.

On avait disposé une chaise à l'intention de Gabriel en face des barreaux de la cellule de Rebecca. Il pouvait y voir un lit de camp soigneusement fait, une petite table où s'empilaient de vieux livres de poche. Quelques journaux, aussi ; Rebecca semblait avoir suivi les rebondissements de son affaire. Elle portait un pantalon trop large en velours côtelé et un pull épais en laine d'Écosse pour se protéger du froid. Elle paraissait plus petite que dans le souvenir de Gabriel, et très maigre, comme si elle s'était lancée dans une grève de la faim pour obtenir sa libération. Elle ne portait aucun maquillage, et ses cheveux pendaient sans grâce. Gabriel n'était pas sûr qu'elle mérite un tel traitement. Philby, peut-être, mais pas l'enfant de la trahison.

Après un instant d'hésitation manifeste, Gabriel serra à contrecœur la main qu'elle lui tendait à travers les barreaux. Elle avait la paume rugueuse et sèche.

— Asseyez-vous, je vous en prie, dit-elle d'une voix affable.

Gabriel s'exécuta, non sans une nouvelle hésitation. Un garde lui apporta un thé au lait sucré dans un mug mortellement chaud.

— Rien pour vous ? demanda-t-il.

— Je n'y ai droit qu'aux heures de repas. (Volontairement ou pas, elle avait perdu son accent anglais. Elle paraissait très française.) Cela me semble une règle idiote, mais c'est ainsi.

— Si ça vous ennuie, je peux…

— Non, je vous en prie, insista-t-elle. Vous avez dû faire un long voyage. Ou peut-être pas, ajouta-t-elle. Pour vous dire la vérité, je n'ai pas la moindre idée de l'endroit où je suis.

« Pour vous dire la vérité »…

Gabriel se demanda si elle était encore capable de discerner la vérité du mensonge.

Elle s'assit au bord du lit, les genoux serrés et les pieds bien à plat sur le béton. Elle était chaussée de mocassins en suédine sans lacets. Il n'y avait rien dans la cellule qui puisse servir d'arme ; une précaution qui aurait semblé inutile à Gabriel. La Rebecca Manning qu'il avait rencontrée sur les rives du Potomac n'était pas du genre suicidaire.

— J'ai eu peur que vous ne veniez pas, dit-elle.

— Pourquoi ? s'enquit Gabriel innocemment.

— Parce que je vous aurais tué l'autre jour, si…

— J'admire votre honnêteté, la coupa-t-il.

L'absurdité de sa remarque la fit sourire.

— Et ça ne vous dérange pas ?

— De passer un moment avec quelqu'un qui a essayé de me tuer ?

— Oui.

— Ça commence à devenir une habitude.

— Vous avez beaucoup d'ennemis à Moscou, fit-elle remarquer.

— Encore plus aujourd'hui, je le soupçonne.

— Peut-être parviendrai-je à calmer les ardeurs du

SVR une fois que j'aurai pris mes nouvelles fonctions au Centre.

— Je ne retiendrai pas ma respiration.

— Ne vous donnez pas cette peine.

Elle sourit sans écarter les lèvres. Gabriel avait peut-être tort, après tout. Peut-être valait-il mieux la laisser en cage.

— En fait, poursuivit-elle, je doute qu'on m'affecte au Proche-Orient. J'ai davantage vocation à m'occuper des affaires du Royaume-Uni.

— Raison de plus pour votre gouvernement de ne pas renvoyer une traîtresse comme vous.

— Ce n'est pas *mon* gouvernement, et je ne suis pas une traîtresse, mais un agent de pénétration. Ce n'est pas ma faute si les Britanniques ont été assez bêtes pour m'engager et me promouvoir jusqu'à la tête du poste de Washington.

Feignant l'ennui, Gabriel regarda sa montre.

— Graham m'a dit que vous vouliez me parler de quelque chose.

Elle fronça les sourcils.

— Vous me décevez, *monsieur*[1] Allon. N'y a-t-il rien que vous souhaitiez me demander ?

— Pourquoi le ferais-je ? Vos mensonges ne m'intéressent pas.

— Essayez toujours. À la une, le provoqua-t-elle, à la deux…

— Heathcliff.

— Pauvre Heathcliff, fit-elle avec une moue.

— Je suppose que c'est vous qui l'avez vendu.

— Je ne leur ai pas donné son nom, bien sûr. Je ne l'ai jamais connu. Mais mes rapports ont permis au Centre de l'identifier.

— Et l'adresse de l'appartement refuge ?

— C'était moi, oui.

— Qui vous l'a donnée ?

1. En français dans le texte.

— D'après vous ?

— Alistair Hughes, j'imagine.

L'expression de Rebecca s'assombrit.

— Comment avez-vous su qu'il consultait un médecin en Suisse ? reprit-il.

— Il me l'a dit aussi. J'étais la seule en qui il avait confiance au MI6.

— Grosse erreur.

— La sienne, pas la mienne.

— Vous étiez amants ?

— Pendant neuf horribles mois, répondit-elle en levant les yeux au ciel. À Bagdad.

— Visiblement, Alistair avait de tout autres sentiments.

— Il était amoureux de moi. Cet imbécile envisageait même de quitter Melinda.

— Les goûts et les couleurs…

Elle ne fit aucun commentaire.

— Cette liaison était donc d'ordre purement professionnel ?

— Évidemment.

— Sur suggestion du Centre ?

— De ma propre initiative, en l'occurrence.

— Pourquoi ?

Elle jeta un regard appuyé à l'une des caméras, comme pour rappeler à Gabriel que leur conversation était enregistrée.

— Le jour où mon père est mort, Alistair et moi travaillions tous deux au poste de Bruxelles. Comme vous pouvez l'imaginer, j'étais bouleversée. Alistair, lui, était…

— Content de l'apprendre ?

— Fou de joie.

— Et vous ne lui avez jamais pardonné ?

— Comment aurais-je pu ?

— Vous avez dû remarquer les pilules quand vous passiez la nuit avec lui ?

— J'aurais eu du mal à ne pas le faire. Alistair n'allait

443

pas bien, à Bagdad. Et les choses ont encore empiré après que j'ai mis un terme à notre relation.

— Mais vous êtes restés amis ?

— Confidents.

— C'est alors que vous avez appris qu'il se rendait secrètement en Suisse sans en avertir Vauxhall Cross.

— J'ai gardé cette information pour un jour de vaches maigres.

— Et ce jour est arrivé quand Vévé Gribkov a essayé de faire défection à New York.

— Les vaches étaient étiques.

— Vous avez donc parlé d'Alistair à Sasha, et Sasha a mis en place une opération visant à faire passer votre ex-amant pour une taupe.

— Problème résolu.

— Pas tout à fait. Saviez-vous qu'ils prévoyaient de le tuer ?

— On ne fait pas d'omelette sans casser des œufs, monsieur Allon. Vous le savez mieux que quiconque.

Le bureau des Affaires britanniques au Centre serait bientôt entre de bonnes mains, songea Gabriel ; elle était encore plus impitoyable qu'eux. Gabriel avait mille questions à lui poser, mais il éprouva soudain une envie pressante de partir. Rebecca Manning sembla contaminée par sa nervosité. Elle croisa et décroisa les jambes et frotta vigoureusement une de ses paumes contre le velours côtelé de son pantalon.

— Je me demandais, dit-elle, cette fois avec son accent anglais, si je pourrais abuser de votre gentillesse.

— Vous l'avez déjà fait.

Elle fronça les sourcils, consternée.

— Je suppose que les sarcasmes sont de rigueur, mais écoutez-moi jusqu'au bout.

D'un petit hochement de tête, Gabriel l'invita à continuer.

— Ma mère…

— Oui ?

— Elle va bien ?

444

— Elle a passé ces quarante dernières années seule dans les montagnes d'Andalousie. À votre avis ?

— Elle est en bonne santé ?

— Elle souffre d'un problème au cœur.

— Une affliction commune aux femmes qui ont connu mon père.

— Aux hommes, aussi.

— Vous semblez avoir développé une certaine familiarité avec elle.

— Nos échanges n'ont pas été des plus plaisants.

— Mais elle vous a parlé du…

— Oui, la coupa Gabriel en jetant un coup d'œil à l'une des caméras. Elle me l'a dit.

Rebecca se frottait de nouveau la paume contre le pantalon.

— Je me d-d-demandais, si vous auriez p-p-pu lui glisser un mot pour moi.

— J'ai signé il y a quelques minutes un bout de papier m'interdisant, entre autres choses, de transmettre le moindre message de vous à l'extérieur.

— Le gouvernement britannique n'a aucun pouvoir sur vous. Vous pouvez faire ce que vous voulez.

— Eh bien, je ne le *veux* pas. Et d'ailleurs, vous avez le SVR pour porter votre courrier.

— Ma mère les déteste.

— Elle a de quoi.

Un ange passa, à peine dérangé par le bourdonnement des plafonniers. Chaque seconde qui passait nourrissait un peu plus la colère de Gabriel.

— Croyez-vous, dit enfin Rebecca, qu'elle p-p-pourrait… une fois que je serai installée à Moscou…

— C'est à elle qu'il faudra le demander.

— C'est à *vous* que je le demande.

— N'a-t-elle pas assez souffert ?

— Nous avons toutes les deux souffert.

À cause de *lui*, songea Gabriel.

Il se leva subitement. Elle aussi. Une fois encore, la

main jaillit entre les barreaux. Gabriel l'ignora et frappa d'une phalange contre le miroir sans tain pour demander aux gardes d'ouvrir la porte.

— Vous avez commis une erreur à Washington, dit Rebecca en retirant sa main.

— Une seule ?

— Vous auriez dû me tuer quand vous en aviez l'occasion.

— Ma femme m'a dit la même chose.

— Chiara ? (Rebecca lui décocha un sourire froid derrière les barreaux de sa cage.) Transmettez-lui mes amitiés.

Il était 14 heures passées de quelques minutes quand l'avion militaire atterrit à Northolt dans la banlieue de Londres. Heathrow se trouvait à cinq kilomètres plus au sud, ce qui signifiait que Gabriel avait plus de temps qu'il n'en fallait pour attraper le vol British Airways de 16 h 45 pour Tel-Aviv. Une fois n'est pas coutume, il accepta le verre de champagne qu'on lui servit avant l'embarquement. Il se dit qu'il l'avait mérité. Puis il songea à Rebecca Manning dans sa cage, à Alistair Hughes dans son cercueil et à Konstantin Kirov étendu dans une rue enneigée de Vienne, et il rendit le verre au serveur sans y avoir touché. Alors que l'avion faisait rugir ses moteurs sur la piste de décollage, la pluie s'écoulait sur le hublot de Gabriel comme autant de petites artères. *Tout le monde a perdu*, songea-t-il en voyant l'Angleterre disparaître sous lui. *Tout le monde, sauf les Russes.*

88

Zahara, Espagne

L'échange eut lieu six semaines plus tard, sur le tarmac d'un vieil aérodrome désolé à l'extrême est de la Pologne. Deux avions étaient présents : un Aeroflot Sukhoi et un Airbus privé de la British Airways. À midi pile, douze hommes, de précieux atouts des services de renseignement britannique et américain, d'une maigreur effrayante, descendirent la passerelle du Sukhoi. Alors qu'ils traversaient joyeusement le tarmac en direction de l'Airbus, ils croisèrent une femme qui marchait sobrement en sens inverse. Aucune caméra, aucun journaliste ne couvrait l'événement. Seuls deux agents âgés de la police secrète polonaise étaient là pour s'assurer que tout le monde respectait les règles. La femme dépassa les douze hommes sans un mot, les yeux baissés, et prit leur place à bord du Sukhoi. L'appareil se mit en mouvement avant même que la porte de la cabine ne se soit refermée. À 2 h 15, il entrait dans l'espace aérien de la Biélorussie alliée, en direction de Moscou.

Il s'écoulerait une semaine avant que le public n'ait connaissance de l'échange, et encore que très partiellement. Les douze hommes, assura-t-on, avaient fourni des informations inestimables sur la nouvelle Russie et valaient largement le prix payé. En Amérique, les cercles habituels s'indignèrent, mais à Londres on se contenta d'une moue résignée. Certes, la pilule était amère, les mandarins de Whitehall en convenaient, mais c'était probablement pour le mieux. La seule bonne nouvelle venait du *Telegraph*, qui affirmait que l'échange avait bien eu lieu alors même que les Russes avaient réclamé deux prisonniers et non un seul.

« Au moins *quelqu'un* a-t-il eu le cran de se dresser contre eux, râla un maître espion à la retraite ce soir-là au Travellers Club. Si seulement ç'avait été nous. »

Les Russes attendirent encore un mois avant d'afficher leur récompense en public. Cela prit la forme d'un documentaire d'une heure diffusé sur une chaîne de télévision contrôlée par le Kremlin. S'ensuivit une conférence de presse présidée par le Tsar lui-même. Rebecca loua les vertus de ce dernier, salua le retour de la Russie à son rang légitime sous sa férule et vitupéra contre les Britanniques et les Américains dont elle avait allègrement éventé les secrets. Son seul regret, dit-elle, était d'avoir échoué à devenir directrice générale du MI6 et donc à mener sa mission à son terme.

— Est-ce que vous vous plaisez en Russie ? demanda un membre à jour de sa cotisation de la presse aux ordres du Kremlin.

— Oh oui, c'est vraiment charmant, répliqua-t-elle.

— Pouvez-vous nous dire où vous vivez ?

— Non, répondit pour elle le Tsar d'une voix sévère. Elle ne peut pas.

Dans le *pueblo blanco* de Zahara dans les collines d'Andalousie, les événements de Moscou donnèrent lieu à une petite fête, du moins chez les adhérents de l'extrême droite anti-immigration et anti-OTAN. Le Kremlin était redevenu une Mecque devant laquelle se prosternait un certain type d'Européens. Au XXᵉ siècle, il avait servi de phare à une partie de la gauche. Ironie du sort, c'était maintenant l'extrême droite qui succombait à ses sirènes, ces brutes politiques qui affichaient leur mépris à l'égard de Charlotte Bettencourt chaque fois qu'elle apparaissait dans les rues du village. Si seulement ils connaissaient la vérité, songeait-elle. *Si seulement...*

Sans surprise, elle suivit l'affaire de l'espionne anglaise avec plus d'attention que quiconque au village. La conférence de presse du Kremlin était une mascarade, il n'y avait pas d'autre mot – Rebecca assise sur une estrade comme un spécimen dans son bocal, le Tsar souriant à côté d'elle, se rengorgeant de son dernier triomphe sur l'Occident. Qui croyait-il embobiner avec son visage amidonné ? Les vrais fascistes, songea Charlotte, se passaient de Botox. Rebecca avait l'air lessivée, en comparaison. Charlotte fut choquée par la maigreur de sa fille. Et par sa ressemblance avec son père. Même le bégaiement était revenu. C'était un miracle que personne ne l'ait remarqué.

Mais Rebecca disparut des radars aussi vite qu'elle avait refait surface. Les invités israéliens de Charlotte quittèrent l'Andalousie peu après. Avant cela, ils fouillèrent la maison une dernière fois dans l'espoir de trouver d'autres traces de Rebecca et de Kim dans ses souvenirs. Ils prirent les dernières photos de Charlotte à Beyrouth et, ignorant ses objections, l'unique copie de *L'infiltré*. Sa fulgurante carrière littéraire était terminée avant même d'avoir commencé.

Juin arrivait à son terme et le village était assiégé de touristes rougeauds et suants. Rendue à sa solitude, Charlotte retomba dans ses vieilles habitudes car c'était tout ce qu'il lui restait. Privée de ses Mémoires, elle décida de raconter cette histoire sous forme de *roman à clé*[1].

Elle troqua Beyrouth contre Tanger. Charlotte devint Amelia, la fille impressionnable d'un administrateur colonial français, et Kim fut campé par Rowe, un diplomate britannique au regard ravageur quoique désabusé, qui se révélerait être un espion soviétique. Mais comment cela

---

1. En français dans le texte.

se terminerait-il ? Avec une vieille femme seule dans son village isolé espérant un message de la fille qu'elle avait abandonnée ? Qui croirait une histoire pareille ?

Fin octobre, elle se servit du manuscrit pour allumer le premier feu de cheminée de l'automne et se lança dans l'autobiographie mensongère de Kim. Il avait résumé son passage à Beyrouth en cinq paragraphes aussi vagues que malhonnêtes.

« Mes expériences au Proche-Orient entre 1956 et 1963 ne se prêtent guère à la forme narrative... »

Peut-être que celles de Charlotte non plus, après tout. Elle brûla également le livre de Kim.

Le même après-midi, elle remonta le paseo sous les assauts du *leveche* en comptant ses pas ; à voix haute, se rendit-elle soudain compte, ce qui était très certainement le signe qu'elle devenait folle. Elle déjeuna sous les orangers du Mirador.

« Avez-vous vu les nouvelles de Palestine ? », lui demanda le serveur en lui apportant un verre de vin, mais Charlotte n'était pas d'humeur à se lancer dans une diatribe antisioniste. À la vérité, son opinion sur les Israéliens avait changé. Kim, décida-t-elle, s'était trompé sur eux. Mais Kim s'était trompé du tout au tout.

Elle avait acheté un exemplaire du *Monde* de la veille en se rendant au café, mais le vent rendait sa lecture impossible. Reposant le journal, elle remarqua un petit homme à lunettes assis seul à la table d'à côté. Son apparence différait un peu de la fois précédente, mais Charlotte reconnut au premier coup d'œil le compagnon silencieux de Rosencrantz et Guildenstern, le laquais qui l'avait emmenée à Séville confesser ses péchés. Mais pourquoi était-il revenu à Zahara ? Et pourquoi maintenant ?

Charlotte passa nerveusement en revue toutes les possibilités, tandis que l'un et l'autre avalaient un déjeuner léger en évitant consciencieusement le regard des voisins. Le petit Israélien termina le sien le premier et s'apprêta à partir. Ce faisant, il glissa une carte postale sur la table de Charlotte, si discrètement qu'il fallut à cette dernière un moment pour la remarquer. Elle s'empressa de la coincer sous le plat de service pour que le *leveche* ne l'emporte pas. Le recto montrait l'incontournable vue sur les maisons blanches. Au dos, quelques mots, en français, d'une belle écriture.

Avec calme, Charlotte but les dernières gorgées de son vin, et paya le double du montant inscrit sur l'addition qu'on lui apporta. La lumière de la place l'aveuglait. Il y avait vingt-deux pas jusqu'à l'entrée de l'église.

— Je me doutais que ça serait vous.

Il sourit. Debout près des chandelles votives, il contemplait au-dessus de lui la statue de la Vierge à l'Enfant. Charlotte jeta un coup d'œil dans la nef, vide à l'exception de deux immanquables gardes du corps.

— Je vois que vous n'êtes pas venu seul.

— Quoi que je fasse, impossible de m'en débarrasser.

— Il vaut peut-être mieux. Les Russes doivent être furieux contre vous.

— C'est une habitude chez eux.

Elle sourit malgré sa nervosité.

— Avez-vous quelque chose à voir avec la décision de la renvoyer à Moscou ? demanda-t-elle.

— Au contraire, j'ai fait tout mon possible pour m'y opposer.

— Vous êtes porté sur la vengeance ?

— Je préfère me voir comme un pragmatique.

— Qu'est-ce que le pragmatisme a à voir là-dedans ?

— C'est une femme dangereuse. L'Ouest regrettera à vie cette décision.

— J'ai du mal à penser à elle de cette façon. Pour moi, elle est toujours cette petite fille que j'ai connue à Paris.

— Elle a beaucoup changé.

— Vraiment ? Je n'en suis pas si sûre. (Elle l'observa.

Même dans la lueur orangée des chandelles, ses yeux étaient d'un vert troublant.) Vous lui avez parlé ?

— Deux fois.

— A-t-elle eu quelques mots pour moi ?

— Bien sûr.

Charlotte sentit son cœur manquer un battement. *Mes pilules...* Il lui en fallait une.

— Pourquoi n'a-t-elle pas essayé de me contacter ?

— Elle avait peur.

— De quoi ?

— De votre réaction.

Elle leva les yeux vers la statue.

— Si quelqu'un a quelque chose à craindre, monsieur Allon, c'est moi. J'ai abandonné mon enfant et permis à Kim et à Sasha de faire d'elle la créature que j'ai vue assise à côté du Tsar.

— C'était il y a longtemps.

— Pour moi, mais pas pour Rebecca. (Charlotte traversa la nef jusqu'à l'autel.) Êtes-vous familier des églises catholiques ?

— Plus que vous ne l'imagineriez.

— Croyez-vous en Dieu, monsieur Allon ?

— Parfois, admit-il.

— Pas moi, dit Charlotte en lui tournant le dos. Mais j'ai toujours adoré les églises. J'aime surtout l'odeur. Le parfum de l'encens, des chandelles et de la cire d'abeille. Cela sent...

— Quoi, madame Bettencourt ?

Elle n'osa pas répondre, pas après ce qu'elle avait fait.

— Combien de temps devrai-je attendre de ses nouvelles ? demanda-t-elle au bout d'un moment.

Mais quand elle se retourna, l'église était déserte. *Le pardon*, songea-t-elle en regagnant la place. *Cela sent le pardon.*

452

NOTE DE L'AUTEUR

L'infiltré de Moscou est une œuvre de fiction et doit être lue comme telle. Les noms, les personnages, les lieux et les événements qui interviennent dans l'histoire sont le produit de l'imagination de l'auteur ou ont été utilisés de manière fictive. Toute ressemblance avec des personnes, des entreprises, des affaires, des événements ou des lieux existant ou ayant existé serait une pure coïncidence.

Le quartier général des services secrets israéliens ne se trouve plus sur le boulevard du Roi-Saül à Tel-Aviv. J'ai choisi d'y situer mon service de renseignement fictif en grande partie parce que le nom de la rue me plaît beaucoup plus que celui de l'adresse actuelle. Comme nous l'apprenons dans *L'infiltré de Moscou*, Gabriel Allon partage mon avis. Inutile de dire que ni lui ni sa famille n'habitent un petit immeuble de la rue Narkiss dans le quartier historique de Nachlaot à Jérusalem.

Ceux qui voyagent fréquemment entre Vienne et Berne n'auront pas manqué de noter que j'ai adapté les horaires de train et d'avion aux besoins de l'intrigue. Mes excuses aux équipes de l'hôtel Schweizerhof pour avoir organisé une opération du renseignement entre les murs de son hall, mais je crains de n'avoir pas eu le choix. Il y a bien une clinique privée dans le pittoresque village helvète de Münchenbuchsee, lieu de naissance de Paul Klee, mais elle ne s'appelle pas la Privatklinik Schloss.

L'école du MI6 pour espions en herbe est bien située à Fort Monckton, lequel est accolé au premier fairway du Gosport & Stokes Bay Golf Club, mais le service possède également d'autres lieux de formation plus isolés. Pour autant que je le sache, il n'y a aucune maison refuge en lisière du Dartmoor du nom de Wormwood Cottage. Je n'ai pas la moindre idée de l'endroit où le MI6 stocke ses vieux dossiers, mais je doute que ce soit dans un entrepôt à Slough, près de l'aéroport de Heathrow.

Si vous allez visiter le quartier des Palissades à Washington, inutile de chercher un restaurant belge sur MacArthur Boulevard appelé Bruxelles-Midi. Il y a bien un Starbucks sur Wisconsin Avenue à Burleith, pas loin de l'ambassade russe, mais le téléphone public de la station Shell au coin d'Ellicott Street a disparu. L'écluse n° 10 sur le Chesapeake & Ohio Canal est fidèle à la réalité. De même que la résidence officielle de l'ambassadeur d'Israël aux États-Unis, malheureusement.

Harold Adrian Russell Philby, plus connu sous le nom de Kim, a bel et bien résidé dans la grande maison coloniale qui se dresse toujours au coin de Nebraska Avenue à Tenleytown. La brève biographie de Kim Philby qui apparaît au chapitre 41 est authentique, à l'exception des deux dernières phrases. Philby n'a pas pu rencontrer un officier du MI6 répondant au nom d'Arthur Seymour le jour de son arrivée à Beyrouth, pour la simple et bonne raison que ni lui ni son fils Graham n'existent. Pas plus que Charlotte Bettencourt et sa fille, Rebecca Manning, toutes deux issues de mon imagination. Elles ne m'ont été inspirées par aucun individu que j'ai pu rencontrer au cours de mes recherches sur la vie et l'œuvre de Kim Philby.

Il est exact que ce dernier n'a consacré que cinq paragraphes à son séjour à Beyrouth dans son autobiographie mensongère, *Ma guerre silencieuse*. Il a fui la ville en janvier 1963 après avoir avoué à son ami Nicholas Elliott être un espion soviétique. Il est peu probable qu'il ait révélé la vérité sur son passé à une hypothétique maîtresse avant d'embarquer sur le *Dolmatova*. Selon Youri Modine, son officier traitant du KGB, il n'a jamais confié à aucune de ses femmes ou de ses maîtresses la nature réelle de ses activités.

« Nous n'avons jamais eu aucun problème de cet ordre », écrit Modine dans ses Mémoires, *Mes camarades de Cambridge*.

À Moscou, Philby s'est marié une quatrième fois. Après avoir passé quelques années dans un placard, il a travaillé sur plusieurs projets pour le KGB. Il s'agissait principalement de tâches d'analyse et de supervision, mais selon Modine, quelques-unes étaient d'ordre opérationnel, comme « identifier des agents à partir de photographies qu'on lui montrait ». Rien ne suggère qu'il ait été impliqué dans la formation d'un quelconque agent de pénétration, d'une taupe, mais rien ne suggère non plus qu'il ne le fût pas. D'après mon expérience, les Mémoires des espions doivent être lus d'un œil très critique.

Durant l'été 2007, alors que je faisais des recherches pour le roman qui paraîtrait sous le titre *Moscow Rules*[1], j'ai visité le musée privé du KGB installé dans son lugubre quartier général place Loubianka. Là, une vitrine abrite un petit sanctuaire dédié aux Cinq de Cambridge – ou aux « Cinq Magnifiques », comme le KGB les appelait. Ils avaient été recrutés, Philby le premier, tout juste seize ans après la création de l'URSS, à une époque où la paranoïa régnait à Moscou, alors que Staline et ses partisans s'efforçaient de défendre leur révolution naissante, notamment en menant une guerre politique contre leurs adversaires à l'Ouest. Le NKVD, précurseur du KGB, qualifiait ce programme de « mesures actives », lesquelles désignaient tant les campagnes de désinformation dans les médias occidentaux que les violences et les assassinats politiques. Leur but était d'affaiblir pour finalement détruire le capitalisme occidental.

Il existe des similitudes frappantes entre cette époque et la nôtre. La Russie de Vladimir Poutine est à la fois revancharde et paranoïaque, combinaison dangereuse s'il en est. Économiquement et démographiquement faible, Poutine utilise ses puissants services de renseignement et ses cyberguerriers comme démultiplicateurs de force.

1. Littéralement « Les règles de Moscou », tome 8 de la série, non traduit à ce jour.

Quand Poutine sème le chaos politique en Europe de l'Ouest et cherche à perturber et à discréditer les élections américaines, il pioche allègrement dans le vieux manuel du KGB. Il met en place des « mesures actives ».

Comme les tsars et les secrétaires du parti qui l'ont précédé, Vladimir Poutine est prêt à utiliser l'assassinat comme arme politique. En témoigne le cas de Sergueï V. Skripal, ancien officier du renseignement militaire russe et atout du MI6 empoisonné chez lui, à Salisbury en Angleterre, le 4 mars 2018, avec un agent neurotoxique militaire de l'ère soviétique, le Novitchok. À l'heure où j'écris ces lignes, Skripal est toujours entre la vie et la mort[1]. Sa fille de trente-trois ans, Julia, elle aussi intoxiquée, est restée inconsciente pendant trois semaines. Quarante-huit autres personnes ont été victimes de symptômes, dont un agent de police qu'on a dû placer en soins intensifs.

L'attentat contre Sergueï Skripal est intervenu douze ans après l'assassinat d'Alexandre Litvinenko, un opposant à Poutine vivant à Londres, empoisonné par une tasse de thé au polonium. La réaction officielle de la Grande-Bretagne à l'utilisation d'une arme radioactive sur son sol s'est limitée à une demande d'extradition, que le Kremlin a superbement ignorée. À la suite de la tentative de meurtre de Sergueï Skripal, cependant, Theresa May a expulsé vingt-trois diplomates russes. Les États-Unis, le Canada et quatorze pays de l'Union européenne lui ont emboîté le pas. De plus, les États-Unis ont imposé des sanctions économiques à sept des hommes les plus riches de Russie et à dix-sept membres haut placés du gouvernement de Moscou, en partie en réponse à l'ingérence de la Russie dans les élections présidentielles américaines de 2016. Vladimir Poutine, que de nombreux observateurs considèrent comme l'homme le plus riche du monde, n'en faisait pas partie.

Des analystes de la sécurité ont estimé que deux

1. Il a depuis survécu à ses blessures.

tiers des « diplomates » de toutes ambassades russes en Occident sont en réalité des officiers du renseignement. Par conséquent, ces modestes représailles ont peu de chances de détourner le Tsar de son chemin. Poutine et le poutinisme sont en marche. L'homme fort et l'État-entreprise – en d'autres termes, le fascisme – font recette, tandis que la démocratie à l'occidentale et les institutions internationales qui ont garanti à l'Europe une période de paix sans précédent ne sont plus guère à la mode.

« Sondez [l'Europe] avec des baïonnettes, préconisait Lénine. Si vous rencontrez de la bouillie, poursuivez ; si vous rencontrez l'acier, retirez-vous. »

Jusqu'à maintenant, Poutine n'a rencontré que de la bouillie. Dans les années 1930, quand le monde a connu une montée similaire de régimes autoritaires et dicta-toriaux, une guerre abominable s'est ensuivie, faisant plus de soixante millions de victimes. Imaginer que le XXIᵉ siècle se sortira du néofascisme sans conflit relève du vœu pieux.

Pas la peine d'aller plus loin que la Syrie, où un axe constitué de la Russie, du Hezbollah, du Corps des Gardiens de la révolution islamique iranien et des milices chiites irakiennes et afghanes, soutient le régime de Bachar el-Assad, le plus proche allié du Kremlin au Proche-Orient. Assad a fait un usage flagrant et répété d'armes chimiques contre son propre peuple, sans nul doute avec la bénédiction de Moscou, voire avec son aide. Pour l'instant, le nombre présumé de victimes de la guerre civile avoisine les quatre cent mille, et le conflit ne semble pas près de s'éteindre. Poutine sonde avec des baïonnettes. Seul l'acier l'arrêtera.

REMERCIEMENTS

Toute ma gratitude à ma femme, Jamie Gangel, qui m'a patiemment écouté développer l'intrigue et les rebondissements de *L'infiltré de Moscou*, avant d'élaguer une centaine de pages du tas de feuilles que j'appelais pompeusement mon premier jet. Ma dette à son égard est incommensurable, tout comme mon amour.

Mon cher ami Louis Toscano, auteur de *Triple Cross* et de *Mary Bloom*, a apporté d'innombrables améliorations au roman, petites et grandes, et ma correctrice-œil de lynx personnelle, Kathy Crosby, s'est assurée qu'il ne contenait aucune erreur typographique ou grammaticale. Si une faute est passée entre les mailles serrées de leurs filets, c'est de mon fait, pas du leur.

Je serai l'éternel obligé de David Bull, l'un des plus grands restaurateurs d'art au monde, et du génial Patrick Matthiesen, de la Matthiesen Gallery à Londres, dont l'esprit et le charme alimentent la série de Gabriel Allon depuis son origine.

Écrire un roman sur un espion ayant exercé au milieu du XXe siècle a demandé d'énormes recherches – de fait, mon étagère ressemble à celle de Charlotte Bettencourt à Zahara. Je suis redevable à la mémoire et à l'érudition de Youri Modine, Rufina Philby, Richard Beeston, Phillip Knightley, Anthony Boyle, Tom Bower, Ben Macintyre, Anthony Cave Brown, et Patrick Seale et Maureen McConville.

Un grand merci à mon super avocat angeleno, Michael Gendler. Et aux nombreux amis et parents, pourvoyeurs d'éclats de rire salutaires durant l'année de l'écriture, tout particulièrement Nancy Dubuc et Michael Kizilbash, Andy et Betsy Lack, Jeff Zucker, Elsa Walsh et Bob Woodward, Ron Meyer, et Elena Nachmanoff.

Je veux enfin remercier mes enfants, Lily et Nicholas, qui sont pour moi une intarissable source d'amour et d'inspiration. Récemment diplômés, tous deux se sont lancés dans leurs carrières professionnelles. Sans grande surprise, compte tenu de ce qu'ils ont vu durant leur enfance, ni l'un ni l'autre n'a choisi de devenir écrivain.

Composé et édité par HarperCollins France.

Achevé d'imprimer en avril 2020.

Barcelone

Dépôt légal : mai 2020.

Pour limiter l'empreinte environnementale
de ses livres, HarperCollins France s'engage
à n'utiliser que du papier fabriqué à partir de
bois provenant de forêts gérées durablement
et de manière responsable.

Imprimé en Espagne.